Gisèle Halimi

Gisèle Halimi est avocate à la Cour de Paris. Fondatrice, avec Simone de Beauvoir, de “ Choisir la cause des femmes ” qu'elle préside, elle a été députée à l'Assemblée nationale et ambassadrice de France à l'Unesco. Elle est l'auteur du rapport de l'Observatoire de la parité sur l'égalité en politique entre les hommes et les femmes, et a publié de nombreux ouvrages parmi lesquels *La cause des femmes* (1977, édition revue et augmentée en 1992), *Le lait de l'oranger* (1988), premier volet d'une biographie poursuivie dans *Fritna* (1999), *Avocate irrespectueuse* (2002) et *La Kahina* (2006).

LE LAIT
DE L'ORANGER

DU MÊME AUTEUR
CHEZ POCKET

LE LAIT DE L'ORANGER
FRITNA
AVOCATE IRRESPECTUEUSE

GISÈLE HALIMI

LE LAIT
DE L'ORANGER

NRF
GALLIMARD

ISBN 978-2-266-10493-7

Les Mémoires, au fond, sont les romans de ceux qui, avant de les écrire, ont pris la précaution de les vivre.

Félicien Marceau

Merci à Michèle Thomas
pour sa précieuse documentation et son amitié.

Merci à Maître Thomas
pour sa précieuse documentation et son amitié

LE MAGICIEN

Édouard le magicien

9 décembre 1976. Édouard ne put finir sa toilette. Il s'affaissa au pied de son lit en appelant : « Fritna, Fritna ! »

Fritna : Fortunée, ma mère. Comme tous les jours, elle le surveillait du coin de l'œil pendant qu'il s'affairait dans le coin lavabo, séparé du reste de la chambre par un vieux rideau. Elle se précipita, mais ne put le relever.

Ce soir-là, je pris une très vieille photo d'Édouard. Je la retournai et écrivis au dos : « *9 décembre 1976. Édouard, mon père, a commencé sa descente vers la mort.* » Je retournai de nouveau la photo et me mis à la contempler avec une minutie professionnelle.

Avocate, j'avais coutume de regarder ainsi les albums de reconstitution de certains dossiers criminels. Je me plaçai sous la lumière crue de ma lampe de bureau et fis osciller la photo de manière à atténuer les rayures du vieux papier qui, c'est ainsi, en tombant sur les moustaches d'Édouard Fairbanks Junior, en déviaient le dessin. Le tangage-roulis que j'imposais à la photo me brouillait le cœur, entre mal de mer et difficultés à trouver mon oxygène. Et, comme pour empêcher ces retrouvailles dont l'urgence me prenait à la gorge, l'insolence des vingt-cinq ans de ce personnage, son sourire de conquérant perdaient leur netteté joyeuse.

J'essuyai mes lunettes.

Le jour où je les avais portées pour la première fois, en jouant les dames des magazines, menton levé, sourire engageant, lèvres en cul de poule, l'air stupide, Édouard avait murmuré : « *Meziana,* belle, tu es belle toujours, *meziana...*

— Mais je vieillis, papa... les lunettes...

— Mais non, toi, jamais, non !... »

Je me taisais, je prenais des poses avantageuses devant le miroir. Vieillir, c'était avancer vers l'échéance, vers ce jour où il partirait, où il aurait fait son temps, terminé sa vieillesse puisque j'entamais la mienne.

Dès mes premiers pas, dès mes premiers mots, c'est vers cette photo que je brinquebalais. Agrandie, encadrée à l'ancienne, elle occupait depuis toujours le centre du mur nu de l'entrée. Mal assurée sur mes guibolles, je tournais autour de ce bel homme au pantalon de velours. Je voulais capter son regard. Je m'impatientais de son silence, puis de son absence.

J'avais à peine deux ans quand, en état de grâce, je joignis les mains et déclarai : *« Amenah papa »*, onomatopée que mon entourage, ébloui par ma précocité, traduisit aussitôt par : « Voilà mon papa ! » Mes premiers mots. Personne n'y vit un signe. Tous les jours et jusqu'à ce que mon vocabulaire s'étoffât, je me plantais devant le grand portrait, et lançais, impérieuse, mon *« Amenah papa »*.

Il me semble bien que, dès l'adolescence, mes foucades, mes amours, mes combats, d'une certaine manière, ont coexisté avec lui, mon père. Il était là, tout simplement. Comme un passager clandestin, en moi.

Il désapprouvait presque tous les choix de ma vie d'adulte : que je m'expose en plaidant pour les nationalistes tunisiens ou algériens, que j'aille enquêter au Viêt-nam sur les crimes de guerre américains, que je « fréquente » des Simone de Beauvoir ou des Jean-Paul Sartre (qu'il trouvait fort antipathiques, et peu « distingués »), que je m'éprenne de personnages douteux incapables de m'entretenir et, de plus, non circoncis. Mais il désespéra très vite de me convaincre ou de me contredire.

Au demeurant, de quels moyens disposaient-ils, lui et ma mère, pour mener cette bataille ?

Très tôt mes parents comprirent qu'ils ne pourraient me contraindre. Mise en quarantaine, enfermée dans mon silence, isolée par celui des autres, je n'hésitais pas, à dix ans, à me lancer dans une grève de la faim illimitée. Je refusais alors de souscrire aux obligations des filles de la maison, ménage, vaisselle, service des hommes de la famille. Je ne souffrais pas. Je ne théorisais pas. Je m'arc-boutais dans le rejet d'un ordre.

Les tenants de cet ordre cédèrent très vite, comme confrontés à un phénomène qui échappait, par son étrangeté, à tout traitement connu. Ma mère redit, une fois encore, la malédiction d'avoir engendré une fille « garçon manqué », mon père s'en prit aux maléfices des livres. Il ne les connaissait pas. Il craignait leur pouvoir. Je lisais trop, c'était évident, et ces livres faisaient de moi une révoltée.

Tous deux renoncèrent donc, provisoirement du moins, à me faire rentrer dans le droit chemin.

Pour Édouard et Fortunée, je posais un problème que la raison ne pouvait résoudre. Je n'étais pas *normale,* voilà le fond de l'histoire. Je devais être atteinte d'une forme de folie, bénigne certes mais folie tout de même, pour dévier ainsi du comportement des gens *normaux*.

Ma mère affectionnait certaines expressions telles que « les normes », « les gens normaux », « la vie normale ». Elles traduisaient une sorte de laissez-passer pour un bonheur tranquille, une reconnaissance sociale sans éclat, le respect des voisins et de la famille. Pour son malheur et celui de ladite famille, je me situais en dehors, en marge, contre... Bref, j'étais affligée d'une tare dont mes parents se renvoyaient la responsabilité.

Quelque ancêtre m'avait sûrement inoculé cet étrange virus. Ce Métoudi lointain, mon aïeul maternel, en fuyant l'Inquisition de Charles Quint et les Maranes, n'avait-il pas subi de telles épreuves qu'il en demeura *mekhalkhal,* le cerveau fêlé, insinuait sournoisement mon père ? Et Édouard, rétorquait Fortunée, scandalisée, ne venait-il pas de ces tribus berbères mal définies, dont le nomadisme avait, quelques siècles auparavant, agité l'Afrique du Nord ? Ne serait-il pas, par exemple, le descendant de l'un des fidèles de la Kahéna ?

Mon grand-père paternel me racontait souvent, par bribes, l'épopée de la Kahéna. Cette femme qui chevauchait à la tête de ses armées, les cheveux couleur de miel lui coulant jusqu'aux reins. Vêtue d'une tunique rouge — enfant, je l'imaginais ainsi —, d'une grande beauté, disent les historiens. Veuve dans la force de l'âge, elle apprit à ses deux fils comment prendre le pouvoir sans jamais le céder. Devineresse, cette pasionaria berbère tint en échec, pendant cinq années, les troupes de l'Arabe Hassan.

La Kahéna était-elle juive[1] ? Personne ne le sut vraiment.

Cette femme au pouvoir surnaturel me fascinait. Je rêvais, écolière, devant les ruines d'El Djem où, dit-on, elle fit creuser un souterrain sous l'immense Colisée, afin de soutenir un siège.

Grande stratège militaire, elle inventa, au septième siècle, la tactique de la terre brûlée. Quelques siècles plus tard, les Russes mirent ainsi Napoléon en déroute.

Elle régna, comme aucun *chef* militaire, sur une grande partie de l'Afrique du Nord, des Aurès à Bizerte, de Constantine à Gabès. Aucun *maître* incontesté ne commanda à ses troupes avec une générosité aussi parfaite.

Elle libéra tous ses prisonniers arabes. Sauf un, Yésid ou Khaled. Ce jeune homme, superbe comme le désert, elle l'adopta. Selon le rite berbère, en faisant le signe de l'allaiter.

Il la livra aux Arabes.

Fut-il son amant ? Et son amant heureux ? La trahit-il pour rompre le charme qui l'attachait à cette créature qui le subjuguait ? Voulut-il ainsi retrouver la voie du sang arabe, le sien ?

La Kahéna pressentit sa fin. Elle sauva d'abord ses fils en leur conseillant la soumission et la conversion à l'islam. Je n'ai pas retrouvé ce puits, *Bir el Kahena,* sur la margelle duquel elle fut, dit-on, décapitée. A moins qu'elle ne mourût dans une de ces criques, limpides comme aux premiers jours, près de Tabarka.

Résistants qui ne se convertirent point ? Ou, au contraire, ralliés à Hassan, mes ancêtres paternels

1. Selon Ibn Khaldoun, *Kahéna* peut signifier soit devineresse, soit prêtresse juive (du mot hébreu *Kohen*).

auraient-il fait retour au judaïsme de la Kahéna, plus tard ? Dans tous les cas, Fortunée ne manquait pas de rappeler qu'elle s'était mésalliée en épousant, elle la Juive sépharade à la généalogie orthodoxe, un bédouin, dont la conversion n'enlevait rien au statut roturier et même mécréant d'Édouard.

La dispute tournait au rite. Elle se terminait presque toujours sur la même invective : « Ta fille est folle ! » se lançaient, en parfaits duettistes, Édouard et Fortunée.

L'amour que me portait mon père, très tôt notoire dans notre cercle, ne pouvait, il fallait se rendre à l'évidence, me débarrasser de mon grain. « *Mektoub !* c'est le destin ! » soupirait ma mère avec un air de tragédienne grecque. « Dieu est le plus grand. »

C'est avec ces mêmes mots qu'elle accueillit, presque sereine, la nouvelle : Édouard allait mourir. « *Mektoub !* »

J'avais beau le savoir, être avertie, parce que les médecins et l'expérience vous le disent, trois métastases osseuses du cancer de la prostate n'autorisent, au mieux, qu'une brève rémission, non, je n'y croyais pas. Quelque chose, tenant plus à la sorcellerie — Édouard, sans s'en douter, était sorcier — qu'à l'improbable succès de la science, allait, devait se produire. Édouard, force de la nature — « j'étais un vrai lion », répétait-il doucement à quelques jours de sa mort —, ne pouvait disparaître ainsi. Même au cancer, il jouerait un tour. Il en avait plus d'un dans son sac. Par le rire ou la formule cabalistique, je le savais, il gagnerait.

Drôle, enjoué, formidablement doué pour la fête, il ne donnait libre cours à sa nature qu'en petit comité et toujours en l'absence de Fortunée.

Gaby, ma jeune sœur, et moi trouvions en lui un compagnon de jeux, un donneur de répliques, le complice de nos frasques d'enfants. Conteur, imitateur, jongleur, il nous tenait en haleine par ses grimaces, sa fantaisie, son invention surréaliste. Nous vivions sa faculté de se transformer en d'autres personnages comme un don. Il se déguisait, se travestissait, portait une série de masques pour toutes les circonstances. Ma mère l'accusait de duplicité. Nous n'en avions cure. Nous l'aimions. Il se préservait et préservait ainsi nos lumières d'enfance. « Papa est magicien », roucoulions-nous toutes deux.

Par une revanche du sort, lui qui avait regretté ma naissance et souhaité une descendance exclusivement mâle, n'était amoureux que de ses deux filles, folles, fugueuses, militantes, féministes... et régulièrement entichées d'hommes divorcés, prolétaires, étrangers et, de surcroît, *roumis*.

La rigueur quasi janséniste de ma mère et sa faculté inégalable pour rappeler à tout un chacun, dès le lever du jour, qu'il fallait traverser la vie comme une vallée de larmes, avaient contraint Édouard à ruser. Pour dissimuler son appétit de vivre, il feignait de prendre sa place dans le drame permanent, lui aussi.

Mais dès que nous nous retrouvions sur son lit, Gaby et moi, pour veiller à sa sieste, le monde changeait de couleur. Il se dépouillait de la grisaille répressive dans laquelle baignaient nos repas.

Ma mère y égrenait la litanie des méfaits de ses quatre enfants, réclamait la sanction du père.

Édouard, sommé d'intervenir, jouait alors au justicier. D'abord, il mâchait, sans un mot. Solennel. De temps à autre, il nous jetait des regards qui se voulaient meurtriers. Ma sœur et moi échangions quelques sourires. Le scénario, nous le connaissions. Comme d'habitude, pour nous, les filles, du bruit, des menaces, de la gesticulation. Puis mon père, le cérémonial accompli, irait faire sa sieste.

Il ne se déshabillait pas. Il attendait seulement que nous lui retirions ses chaussures. Pendant que nous nous affairions avec bonheur autour des lacets paternels, Édouard racontait une histoire, il improvisait la plupart du temps, ou imitait de la voix et du geste les propos du vendeur de poissons qui l'avait servi ce matin-là, au grand marché. Nous gloussions, riions, tournions autour de lui, enveloppions sa tête dans le journal qu'il essayait de lire.

« Devine, papa, devine ce qu'il y a dans la première page ? »

Il ne cherchait pas à se dégager. Nous le bâillonnions presque et, lorsqu'il disait : « Ça y est, ça y est, j'ai toutes les nouvelles », nous le laissions reprendre son souffle quelques secondes. Alors, tel le rédacteur d'un journal lunaire, il contait, intarissable. Il mêlait le détail réaliste (« ... les rougets, ce matin, ouille ouille... étaient chers : deux francs ! ») à la trame onirique de l'histoire.

« Dans mon couffin de fête...

— Quel couffin, papa, quel couffin ?

— Comment quel couffin ? Celui qui est tressé de fils d'or... Vous ne l'avez jamais vu ?

— Si, papa, bien sûr que si !...

— Dans mon couffin tressé d'or, ma par-role d'honneur (il roulait les r de sa parole d'honneur d'une manière inimitable, comme pour y insister), j'ai pris les rougets, un à un, vous m'entendez bien ?

Un à un, je les ai pris et je leur ai dit : réveillez-vous ! ouvrez vos ailes ! envolez-vous !...

— Et alors, papa, et alors ?...

— Alors, ma par-role d'honneur, ils ont ouvert leurs ailes vertes et ils se sont tous envolés vers Carthage, je crois bien, en tout cas vers la mer... Merveilleux, non ? *Merveillousa !...* »

Puis, changeant brusquement de ton, il s'essayait à celui du *pater familias* : « Une fois pour toutes, allez-vous obéir à votre mère, oui ou non ? », avant de s'assoupir, sans transition.

Les jeudis et dimanches — jours de congé scolaire —, je restais davantage pour le regarder dormir. Il ronflait quelquefois. La nuit, c'était pire, insupportable, disait ma mère qui l'accusait de lui faire passer des nuits blanches.

Je comprenais mal pourquoi il n'avait pas trouvé, grâce à son pouvoir surnaturel, le truc pour supprimer ce *casus belli* conjugal.

Dieu, en liberté provisoire...

Enfant, je regardais la mort comme l'immobilité, puis comme l'effacement de ceux que j'aimais. A deux reprises déjà elle avait modifié, raréfié mon paysage, m'enlevant mon petit frère André et, quelques années plus tard, mon grand-père paternel Babah.

La mort, quand elle frappait ailleurs, ne me préoccupait guère, ses autres victimes ne vivaient pas vraiment, elles tournaient sur une autre planète, hors de mon regard, de ma voix. Comme je ne les aimais ni ne les détestais, je ne savais pas qu'elles mourraient aussi et, de toute manière, c'était une affaire entre elles et ceux qui les aimaient.

La disparition de mon grand-père, celle de mon petit frère avaient fendu mon univers en deux, celui de la lumière, des formes, des bruits, et l'autre, celui de l'absence.

Le premier avait pris une drôle d'allure depuis que la mort s'était mêlée de mon enfance. Le soleil étirait des ombres étranges, le sable, bien que lisse, se creusait par endroits.

J'avais des silences, des pauses devant le miroir tant que mes frères et ma sœur ne faisaient pas irruption dans notre chambre commune.

Devant cet unique miroir, strié par le vert-de-gris, je bougeais un peu mes deux têtes : la mienne n'aimait guère l'autre, celle du reflet. Je m'avançais lentement jusqu'à toucher, comme pour la transpercer, la porte de la vieille armoire — « armoire à glace », insistait Fortunée. Je fermais un œil pour me regarder. Du côté de l'œil ouvert, je voyais clair. Le monde moins Babah et André.

André, si petit que la mort n'avait pas dû savoir quoi en faire, une fois jeté dans le grand sac vide. Sur l'autre versant, noir, celui de l'œil caché par la paume de ma main, ils se tenaient là, tous les deux. Ensemble, je ne crois pas, il était si môme et grand-père, avec sa barbe courte et drue, si vieux.

« Que veux-tu, disait ma mère, tout le monde meurt un jour.

— Et toi ? Et papa ? »

Le versant de l'œil fermé devait-il se peupler encore et la lumière se déformer davantage, de l'autre côté ?

« Cesse de poser ces questions. Dieu décide. »

Dieu, c'était donc la mort ?

De Dieu, je ne savais pas grand-chose, à l'époque. Il m'avait semblé hésitant pour emmener définitivement mon grand-père avec lui. Bien que mort, Babah avait remué comme pour revenir vers mes vivants, du côté de l'œil ouvert. Étendu sur le sol, nu à ce que l'on m'a dit (je n'aimais pas ça), recouvert d'une *foutah*[1] à rayures rouges, vertes, jaunes, il faisait penser à une statue grandeur nature que ses propriétaires auraient protégée par une jolie housse. Une immobilité, je le certifie, absolue. J'avais prié,

1. Drap tissé à usage multiple : enveloppe le corps, le visage, se ceint autour des hanches des femmes, ou peut servir de couvre-lit... et de linceul.

pleuré, supplié ce Dieu dont je ne comprenais pas le jeu et que je soupçonnais de m'en vouloir. Je ne l'aimais pas, je crois, et je n'aimais guère supplier. Sur ce point, ma réputation, très tôt, me suivit dans mes heurts, mes obstinations. Une enfant « difficile », soupirait-on. Mais avec Dieu, tout de même !

« Dieu peut te réduire sur l'heure en un tas de cendres », menaçait ma mère, que cet orgueil inquiétait.

Cette éventualité, que je prenais d'ailleurs pour argent comptant, loin d'arranger les choses, me raidissait dans ma méfiance. Mes rapports avec l'Éternel tout-puissant sentirent très vite le contentieux.

Mais si, exceptionnellement, je me remettais à le prier ce jour-là, les yeux mi-clos, comme j'avais vu faire mon grand-père, si j'embrassais goulûment la *mezouza*[1], une, trois, dix fois, qui sait s'il ne se laisserait pas fléchir ? Concrètement, Dieu Elhohim avait fait disparaître André mon jeune frère et, aujourd'hui, il s'en prenait à Babah. Sa puissance me désorientait. Je me sentais visée. André ne nous avait pas été rendu, Babah était là, sous la *foutah,* à même le carrelage, pour être emporté à tout jamais.

Je fixais le corps, sans bouger. L'ankylose me gagnait. Dans la pièce à côté officiaient la famille et les pleureuses. Ces quasi-professionnelles s'étaient agglutinées autour d'un *canoun* — un réchaud à charbon en terre cuite — éteint, plein de cendres. Elles les répandaient par poignées sur toute l'assistance, s'interrompant de temps à autre pour se marteler la poitrine de leurs poings. Puis, avec un ensemble presque naturel, elles élevaient vers le ciel

1. Étui contenant un parchemin où sont écrits les versets du *Deutéronome,* et qui se fixe au linteau des portes (A. Elkaïm-Sartre, *Talmud,* Éd. Verdier, 1983).

de longs ululements sortis de leurs entrailles. Certaines d'entre elles, assises à même le sol, jambes croisées, balançaient leurs chevelures défaites d'un long mouvement circulaire. Tapie dans mon coin, je les apercevais. Terrorisée. Pour me cacher de leurs yeux révulsés et de leurs gestes saccadés, je me plaquais davantage contre le mur. Je surveillais le drap multicolore et je retenais mon souffle pour ne pas battre des paupières. Imaginez que mon grand-père se mette à bouger hors mon regard...

Seule, j'étais donc seule avec lui. Lui, étendu tout nu par Dieu, sur le sol, moi recroquevillée, les tempes battantes.

Je le revoyais, Babah, riant de toute sa bouche édentée à nos discours en français. Il ne le comprenait ni ne le parlait mais le son, incongru, le mettait en joie. Il se plaisait à employer, à tort, à travers et à tout propos, le mot « sauvage ». C'était sa manière de dire son étonnement ou son refus de l'étrangeté. « Tu vas à l'école à huit heures du matin ? Sauvage ! » Mes chaussettes me marquaient-elles un peu de leur élastique ? « sauvage ! », et il me massait doucement les mollets. Autour de lui quand le ton montait, il secouait sa chéchia turque, répétait « sauvage, sauvage », de son accent rocailleux, puis m'entraînait vers une promenade sous les orangers.

Babah aimait les orangers. Il les dotait de toutes les vertus. Les feuilles ? Un parfum incomparable. Il en arrachait quelques-unes, les frottait entre ses mains : « Sens, sens, me disait-il, en mettant le nez dans ses paumes humides, tu vas respirer mieux ! » La fleur ? Aussi belle que bonne. De ses boutons de nacre délicate, on tirait une eau, le *maazar,* aux propriétés essentielles. Aucune tension ni colère ne lui résistait. L'insomnie, la discorde, jugulées. Le *maa-*

zar apaisait le corps et l'âme, les mettait en accord. Quelques gouttes dans le *kaoua,* ce café maure de tous les instants, et le breuvage, dompté, n'apportait que le meilleur. Mes grands-parents me donnaient souvent un sucre imbibé d'eau de fleur d'oranger. « Au lieu de te forcer à boire du lait, ta mère devrait te mettre au *maazar.* » Et Babah ajoutait, un rien méprisant : « A l'école française, ils ne t'apprendront pas ça. »

Des courbatures, et l'univers autour qui s'embuait. Mal sur tout le corps. La veille, j'avais été plutôt polie avec Dieu : « S'il te plaît, sois gentil, rends-nous Babah. » Je crois même avoir promis de ne plus rien acheter, c'était péché, même pas des bonbons, le samedi, et d'embrasser tous les matins la *mezouza.*

Et voilà qu'une rayure — une jaune — se casse. Le dessin bayadère du linceul se met à gondoler, à flotter, les lignes se brisent, s'arrondissent, se mêlent, comme dans un film réglé sur la mauvaise vitesse. Le miracle. Sous le drap, un frémissement. J'ai beau renifler et essuyer avec mon tablier d'écolière mes larmes, écran entre la résurrection et moi, je n'arrive plus vraiment à voir. Tout se déforme, petit à petit, le drap blanc qui recouvre le miroir de la vieille armoire — selon le rite mortuaire des Sépharades — se plisse, les persiennes de bois closes tanguent.

J'ai crié à plusieurs reprises : « Il bouge, il bouge, Babah bouge ! » L'effet d'optique — larmes et fixité du regard — achevait de faire basculer le monde. Mon grand-père remuait. Les pieds d'abord, puis la tête. Il n'était pas mort ! Sûr, tous allaient le constater.

Je crois qu'en essayant de me détacher de l'angle où je me cachais et d'aller vers mon fantôme bien-aimé, la tête me tourna et je fus transportée hors de la chambre.

Mon grand-père revenant ne revint pas.

Avec les autres enfants, je fus envoyée à la campagne, le temps des psaumes, de la cérémonie et de l'enterrement.

Ce premier soir d'exil, je le consacrai à mettre de l'ordre dans mes comptes avec Dieu. Mes prières, il avait fait mine de les exaucer, pour me laisser tomber. Sournoisement.

Enquête à poursuivre avant décision définitive.

Fortunée nous rabâchait que Dieu décidant de tout, nos bons résultats aux compositions ou aux examens dépendaient plus de la volonté de l'Éternel que de notre travail, ou de notre intelligence. Pour conquérir les bonnes grâces divines, les garçons devaient prier. Les filles — non initiées à l'hébreu et simples auxiliaires quasi domestiques de la religion — ne pas pécher. Et, tous, embrasser régulièrement la *mezouza.* Plus fort et à plusieurs reprises le jour d'une épreuve en classe.

Assez tôt, à dix ans peut-être, quand j'entamai au lycée Armand-Fallières mon cycle secondaire, ce troc me parut suspect. C'est au même moment, sans doute, que mon grand-père maternel m'expliqua que les femmes, impures, ne pouvaient pas s'entourer le bras du *tephilim*[1] pendant la prière du matin. D'ailleurs leur rôle ne consistait pas à prier, mais à servir l'homme pour qu'il prie.

1. Ensemble de petites cases, contenant chacune un parchemin où sont inscrits des versets de l'*Exode* et du *Deutéronome,* qui se fixe au front, au bras lors des prières du matin (A. Elkaïm-Sartre, *op. cit.*).

« *Béni soit l'Éternel, qui ne m'a point fait femme.* »

Ainsi chaque fidèle juif commençait-il sa prière et sa journée.

« Et les femmes, que disent-elles ? »

A cette question, mon grand-père hocha la tête dans la direction de la cuisine où avait disparu ma grand-mère : « Une sainte femme, mais elle n'a pas à prier. »

A la vérité, si elle souhaitait le faire, elle se contenterait de répondre « *Béni soit l'Éternel, qui m'a faite comme il a voulu.* »

Ce rôle que Dieu nous attribuait me semblait bien falot. Et puis, pourquoi naître femme serait-il le mauvais lot de l'existence, une sorte de faute à payer, à racheter ? Ma mère avait beau gonfler l'importance de celle qui, au foyer, dispose les objets du culte, apporte à l'homme, dès son réveil, l'eau des ablutions rituelles, veille à prévenir les péchés de ses enfants, je persistais à trouver que Dieu nous traitait avec désinvolture. Il nous réduisait, c'est clair, à la portion congrue.

A la synagogue, quand j'y accompagnais les hommes de la famille, on m'obligeait, comme toutes les femmes, à grimper au balcon. De là, en spectatrices muettes, nous admirions le parterre où, autour des ors byzantins des tables de la Loi, les mâles — hommes et garçonnets — connaissaient le privilège de s'adresser directement à Dieu.

« Un homme aussi, sans doute », ai-je marmonné un jour à l'intention de ma mère.

Cette ségrégation me pesait et entretenait ma grogne à l'égard du Seigneur. J'embrassais la *mezouza,* en partant pour la classe, avec de plus en plus de réticence. Un matin, ma mère me rattrapa dans l'escalier. J'avais oublié, enfin je n'avais plus eu envie de demander à Dieu sa bénédiction avant la composition de français.

Ce pouvoir, l'idée germa en moi de le tester. « Aujourd'hui, je vais savoir. J'irai jusqu'au bout de l'expérience, je ne l'embrasserai pas, aujourd'hui, courage ! »

Je ramasse mon cartable, boutonne mon tablier d'un bleu réglementaire et passe, la tête haute, devant, en dessous de la *mezouza*. L'étui de fer me nargue, fort de ses commandements. « Dieu peut te réduire en cendres en une seconde. » La voix de Fortunée et la perspective de l'Apocalypse me poursuivent. Quel vacarme ! Je me fais sourde, je frissonne. Et si ce défi allait provoquer mon anéantissement ? Je continue de frissonner dans l'escalier, je me retourne, la *mezouza* n'est pas sur mes talons, je cours haletante vers le lycée, ce Dieu est capable de tout, il va, telle la foudre, fondre sur ma double page quadrillée.

« Décrivez un Noël dont vous avez gardé un souvenir particulier. »

Je commence, je me souviens de ce que je n'ai pas vécu, de ce que je voulais vivre, pour être comme ceux qui gagnent toujours, qui décident, qui ont de belles maisons, des livres, qui voyagent. Je me souviens de cette neige qui recouvre de ses flocons irréels les images de mes lectures. Jamais vu, la neige, mais je me souviens. Et je me souviens de ce village des Alpes, en France — jamais vu la France —, j'écris, je décris, les paysannes dans leurs habits colorés, le bruit de leurs sabots, pourtant la neige, quel silence !, mais je ne veux rien omettre de mon cinéma, du Noël de ma tête, on chante, on entre dans une pièce où crépitent joyeusement des bûches dans la cheminée — c'est toujours joyeux, un feu !

Pourquoi ? Le feu tue aussi, il a tué André. Le sapin est là, je le vois, immense, essentiel, ployant sous les paquets brillants, les guirlandes dansent, les enfants gloussent de joie, j'écris, j'écris, je ne m'arrête pas d'écrire, il faut prendre Dieu de vitesse.

Sait-il seulement, Dieu, qu'à chaque Noël — « c'est une fête pour les *roumis,* pas pour nous », nous rabâchaient nos parents — je lui en veux de nous avoir interdit ce territoire d'enfance ?

J'ai presque terminé, j'ajoute en gros COMPOSITION FRANÇAISE et je recopie le sujet.

Quel culot, je viens d'inventer un Noël ! Mais non, j'ai décrit ce que je sens, ce que j'ai vu dans mes rêves, dans mes livres. Aussi vrai que l'absence de mon Noël. Dieu et sa présence tutélaire ont disparu, j'ai fui la *mezouza* et, comble de provocation, je dis ma rancœur pour être contrainte à un culte qui élimine Noël.

Ton compte est bon, Gisèle.

Je persiste, et inscris le mot FIN. A la cinquième page de ma copie, j'ai dessiné l'image de tout mon monde endimanché, petits, grands, serrés autour du sapin, les sabots dans la cheminée, la fièvre des cadeaux zigzaguant entre mes lignes, la tendresse blanche de la neige recouvrant la classe.

Je regarde autour de moi, Dieu n'est pas là, il ne s'est guère manifesté durant ma fuite. Mais tu ne perds rien pour attendre. Ta note de composition ? Sûrement épouvantable. Gisèle, toujours première en français ? Plus question, la *mezouza* va se venger.

Vient le jour des notes et du classement, j'entends déjà le professeur, le ton sévère : « Que vous est-il arrivé, Gisèle, c'est mauvais, très mauvais. » Fortunée a raison, je deviens un tas de cendres, la honte, le chagrin, la peur, si je ne demeure pas dans les premières, s'il me faut redoubler, ma bourse, au lycée, me sera supprimée, la loi le dit.

« Première avec 14, Gisèle... », annonce la prof. Et, avec un soupir de joie à peine déguisé : « Comme d'habitude. »

Ça y est, Dieu a perdu. La puissance que ma famille lui prête n'existe pas, il ne récompense ni ne punit, sa *mezouza,* nulle et de nul effet. Elle et toutes les autres babioles, *tephilim,* chandeliers rituels, à la casse... Dieu, je le laisse en liberté provisoire. Pour médiocrité. Il existe peut-être, mais c'est un personnage peu recommandable. En tout cas, il doit cesser de nous encombrer. Je viens de le décider.

Depuis ce jour, en rusant la plupart du temps, en le ménageant comme on le fait de tyrans redoutables, je refusai toute pratique de ces rites mineurs et séparai définitivement la superstition de la croyance. A quinze ou seize ans, j'entretenais en moi une idée vague, une crainte plus qu'une foi, il faut bien un Dieu ou quelqu'un ou quelque chose. Mais je ne rangeais pas ce problème parmi mes préoccupations existentielles. Mon expérience avait justifié mes doutes, mon chemin et celui de Dieu ne coïncidaient pas, qu'il aille en paix, je me débrouillerais bien sans lui et lui saurait bien sévir ailleurs que dans mes plates-bandes.

De ce moment-là naquit en moi une sorte d'assurance précoce dans mes études, dans mes relations familiales, dans mes jeux. Mes parents se lamentaient : « Elle blasphème, l'insolente ! »

Je venais de conquérir ma première part de liberté.

Une mort d'osier et de feu

Quand André, mon frère âgé d'à peine deux ans, mourut, presque sous mes yeux, j'étais, m'a-t-on dit, une adorable fillette, son aînée de deux ans, vive et bouclée. « On t'appelait "boucles d'or" dans tout le quartier, affirmait ma mère, tu ressemblais à une petite Française », ajoutait-elle, en se rengorgeant.

Cette tragédie frappa notre famille de plein fouet. Mes parents, dévorés de culpabilité, nous imposèrent la loi du silence. Défense d'en parler. Défense de se souvenir. Défense absolue d'évoquer ce sujet, sous aucun prétexte. Pour tuer la mort, jusqu'au fond de nous-mêmes, nous devions la nier.

André mourut ainsi, de façon étrange, un peu plus que d'autres.

Il n'eut droit ni à la sépulture des mots, ni à la douleur communiée. Exista-t-il seulement ? Aucune trace ne demeura de sa courte vie, ni vêtements, ni photos, ni objets. A une ou deux reprises, je tentai, avec prudence, d'en savoir davantage. Chaque fois, mon père me fit taire : « Plus jamais ce nom-là, ta mère ne le supporterait pas... » Une terrible tare, une erreur monstrueuse de la nature, telle apparaissait la mort d'André. Elle se devait donc d'être effacée. On musela nos mémoires, on fit disparaître victime et accident.

Ma mère ne s'en remit jamais.

Aujourd'hui même, alors que, pour préciser ces lignes, je l'interrogeais — à peine ! — sur une date, un détail, elle me fit très mauvais accueil. « Pourquoi ces questions, est-ce que tu crois que je me souviens ? » Fritna ne s'est guère absoute. Si ce soir-là, au bras d'Édouard, elle n'était pas sortie — oh ! pas très loin — au bord de la mer, si proche qu'on l'entendait bruire, le malheur ne nous aurait pas déchirés.

Tout avait commencé par une fête. Celle, insolite, de jeunes enfants qui, le temps d'une soirée, vivent leur souveraineté, sans leurs parents.

Les nôtres sortaient rarement. Ni théâtre, ni cinéma, encore moins dîners en ville. Une pratique, d'ailleurs, pour eux, inconnue. Seules quelques réunions familiales, toujours au moment des fêtes religieuses, nous socialisaient quelque peu. Encore se tenaient-elles, pour la plupart, chez nous.

Or, ce soir-là, l'univers — une grande maison arabe, aux chambres disposées autour d'une *oukala,* sorte de patio commun — nous appartenait.

Mon frère aîné, âgé de six ans, me provoqua d'abord à une course bataille qu'il remporta avec brutalité. André, avec une autonomie tranquille, trottinait d'une pièce à l'autre, indifférent à notre agitation.

Une certaine Zohra, âgée, je crois, d'une douzaine d'années, avait mission de nous surveiller. Elle habitait dans la même rue — on disait ruelle à cause de son exiguïté, la rue Énée ressemblant plus à un passage qu'à une vraie rue. Ni les voitures ni les charrettes de ramassage des ordures, tirées par un mulet, ne pouvaient y entrer. Zohra avait coutume, pour quelques sous, ou quelque vêtement, d'apporter à ma mère une aide ponctuelle, les jours de lessive, les jours de nettoyage en grand. Avant les Pâques juives, par exemple. Chaque miette de pain était alors impitoyablement traquée, chaque coin, chaque recoin devait laisser place nette à la semaine du pain azyme.

Et Zohra devait, cette fois, nous garder. Imbue de l'importance de sa mission, elle prenait des airs de duègne pour nous contraindre au calme et à la sagesse. Mais ses recommandations aiguës, son rire enfantin, ses gestes, lui ôtaient toute autorité. Nous la voulions comme camarade de jeux, nous n'attribuions pas la moindre importance à ses menaces. Sans doute lassée, elle disparut dans la cuisine préparer un café pour les siens.

Son récit rapporta plus tard les gestes accomplis ce soir-là.

Elle prend un réchaud, un *primus* disait-on, du nom de la marque la plus courante. Un bel objet doré, qui abrite dans ses flancs, ovales et plats, un bon litre de pétrole. Une petite pompe permet d'humecter la mèche qu'un trépied de métal surplombe. Zohra actionne la pompe, craque l'allumette, pose la grande cafetière d'aluminium. Une cafetière arabe, pas comme les autres, importante et précaire. Sans équilibre, trop haute, trop étroite, à l'anse de bois trop lourde.

Chaque fois que je sens une odeur de café maure, je revois cette cafetière, réelle, brûlante, à portée de ma main. Je revis, en fait j'invente la chute, car je ne l'ai pas vue. L'ustensile qui bascule, et libère la lave de son contenu.

Zohra a quitté la cuisine. André joue avec un fauteuil d'enfant.

Mon fauteuil.

Édouard me l'avait rapporté un jour de marché et j'avais déclaré que ce bel osier couleur de miel me servirait de trône. Je m'y calais avec majesté et interdisais à mon frère aîné Marcel, et malgré les coups qu'il m'assenait, de s'en servir.

Avec André, c'était différent. J'aimais, une fois assise, le hisser sur mes genoux. J'y parvenais à grand-peine. Nous nous sentions bien tous les deux, enlacés l'un à l'autre. André se lovait contre moi et je l'y maintenais. Il poussait des petits cris de bonheur, le nez dans mes cheveux. J'aimais déjà sans doute parler aux autres car je lui tenais des discours interminables. J'égrenais une série de recommandations pratiques : ne pas aller dans la ruelle tout seul, ne pas pisser dans sa culotte, ne pas vomir sa soupe, ne pas... ne pas... J'étais à cet instant la mère et donc, comme la mienne, comme sans doute toutes les mères du monde, je n'avais ni histoires fantastiques à lui conter, ni caresses à lui donner. L'enfant de deux ans écoutait l'enfant de quatre ans, en fait il n'écoutait pas, ma voix à hauteur de ses oreilles le chatouillait, rires de l'enfant, rires en cascades de l'autre enfant, « oui, oui ». André renversait la tête, se cramponnait au bras du fauteuil, glissait. Je l'entourais de mes bras : « Écoute, c'est fini, on marche, tu dois apprendre à marcher. »

Et commençait alors la leçon. Je mettais le fauteuil à quelques pas de lui et j'appelais : « Viens, viens t'asseoir sur mon grand fauteuil », il tendait les bras, fasciné, avançait en chaloupant. Au fur et à mesure que ses jambes incertaines le rapprochaient, je reculais en éloignant le fauteuil mais, câline, je l'encourageais : « Ah y est, ah y est, marche. » Il s'arrêtait un moment surpris, déçu — le fauteuil se barrait —, il repartait, titubait, appelait, zozotait : « Zizel, Zizel », puis, victoire ! il touchait le bras d'osier, s'y accrochait, « ah y est, ah y est », je l'aidais, il grimpait, il s'asseyait bien au centre, nous avions gagné.

Ce fauteuil tenait une place privilégiée dans nos rapports, je ne me doutais pas qu'il serait, un jour, sa mort d'osier et de feu.

André, écarté des jeux agités de ses aînés, s'en va donc dans la chambre retrouver le compagnon fauteuil. Il le traîne péniblement tout au long de la pièce, je ne l'aperçois que lorsque, essoufflé, il s'arrête au seuil de la cuisine. Marcel vient de m'infliger une sérieuse correction, je hurle, je prête peu d'attention au manège, je retourne comme une flèche vers mon aîné pour me venger. Le fauteuil reprend sa route, André le pousse, il est dans la cuisine dallée de blanc. Voulant parfaire leur exploit commun, André et le fauteuil arrivent tout contre la *dekhana,* la table de ciment recouverte de carreaux de faïence rouge où se trouvent les feux à charbons, le lieu casseroles-vaisselle, le dépôt légumes. Tous deux, André et le fauteuil, disparaissent de nos regards.

Un cri qui ne s'arrête pas. En même temps qu'un bruit de chute, une ferraille qui tombe, des pleurs. André. Je me précipite, suivie de Marcel. Zohra, sans doute d'un coin du patio, accourt. André brûle. Le café s'était répandu sur sa tête et son corps.

Juché sur le fauteuil, le mien, le sien, le nôtre, il s'était approché du réchaud. Il avait heurté le manche de la cafetière, qui se renversa. Le liquide le submergea. Le réchaud, entraîné, tomba sur le sol, encore enflammé.

Je ne sais plus comment cette scène prit sa place dans l'enquête qui s'ensuivit. Ni ce qu'apporta la reconstitution informelle, quelques heures plus tard. Je me souviens seulement des pleurs d'André. Je les ai entendus, je les entends, d'abord stridents puis de plus en plus faibles, pour finir en une sorte de hoquet. Je ne sais plus comment l'on partit à la recherche de mes parents, des voisins, sans doute. Que fit Zohra ? Que fîmes-nous, mon frère et moi, pendant le temps qui s'écoula, long, interminable, court, fulgurant, avant le retour d'Édouard et de Fortunée ? Ou qui ne s'écoula pas, puisqu'ils rentrèrent à ce moment précis ? S'étaient-ils seulement absentés ce soir-là ? Mais alors, où se cachaient-ils pendant la fête et le feu qui l'éteignit ? Zohra hurle sans cesse, sans pause, sans reprendre souffle, comme une sirène détraquée.

André se trouve là, c'est curieux, sur la grande table familiale, affaissé. Édouard le ceinture d'un bras, de l'autre main, il agite frénétiquement un trousseau de clefs : « André, André, écoute *azizi,* mon chéri, c'est fini, c'est fini... » Que croit-il, que veut-il, apaiser la souffrance par ce hochet imprévu ? Édouard fredonne un air en le rythmant du cliquetis des clefs. Veut-il le faire danser ? André s'effondre, mon père continue de faire valser les clefs sur le corps recroquevillé.

Comment se termina cette scène hallucinante ? Je ne m'en souviens pas, sauf que mon père, le sorcier, avait été défait. Sans doute un médecin s'affaira-t-il auprès du pauvre petit corps. Lui non plus ne put le guérir.

Quelques jours plus tard, André mourut.

Marcel et moi avions été expédiés chez des parents, dès le lendemain de la catastrophe, tôt le matin. Quand nous revînmes, André avait disparu, enterré quelque part. J'appris que nous allions vivre ailleurs, que nous changions d'appartement, Fortunée ne supportait plus les dalles de la cuisine, les murs de l'entrée.

Dans notre nouvel univers, comme partout où nous nous installâmes désormais, toute source de chaleur, de feu, ailleurs qu'à la cuisine, était débusquée et détruite. Ma mère exigea la démolition des cheminées, bannit l'existence des réchauds électriques, refusa même tout système de chauffage central.

Mes parents conçurent aussitôt un autre enfant, manifestant ainsi leur seule aptitude pour faire face à cette mort. Ma sœur Gaby naquit le 4 novembre 1931, soit quelque dix mois plus tard.

Le fauteuil ne me suivit pas dans notre nouveau logis. Envolé, probablement jeté aux ordures. Pour la première fois, je sentis que des objets pouvaient vivre de notre vie, faire mourir et mourir à leur tour. Sans doute, comme nous, coupables. « C'est le fauteuil de Gisèle », avait soupiré une voisine. Lui et moi étions mêlés, plus que d'autres, au drame.

C'est vers cette époque que j'eus, me dit Édouard, des peurs irraisonnées et des jeux bizarres.

J'inventai, ainsi, une nouvelle règle pour la marelle. Nous appelions cela « jouer au carré », nous allions d'un carré à l'autre, que les grands nous traçaient sur le trottoir avec un morceau de charbon de bois. Le carré des filles, fait d'un damier rectangulaire de huit cases, le carré des garçons, une sorte d'avion à ailes doubles, de deux cases chacune, au milieu, une case charnière et trois autres, au départ, se succédaient comme dans une queue d'appareil.

J'entrepris de bouleverser cet ordre. Je décidai que la case du milieu devenait inutile dans le système et qu'elle serait la mer. Avec mon fusain de fortune, j'y traçai des courbes désordonnées, « voilà les vagues », les grands écrivirent MER. Et celui ou celle qui échouait à survoler la mer à cloche-pied devait un gage : la mort. Plus de moyen terme, de calcul de points, de retour à la case départ. Mourir signifiait disparaître. Le perdant devait donc quitter immédiatement le groupe, se cacher. Devenir invisible.

Cette mort se logea en moi comme une boule dure, intraitable malgré le temps.

Mais, au fil des ans, le choc devint souvenir. Je n'ai jamais cessé de me raconter André. Je plante le décor, la ruelle aux ordures, la maison au patio, la cuisine aux dalles blanches. Je fais évoluer les acteurs, toujours les mêmes, Zohra, mon père et, bien sûr, André. Mais où sont donc passés ma mère, mon frère aîné ?

Ma mère présente, interdiction de prononcer le nom de mon jeune frère. Je me rabattis sur Édouard.

Chaque fois, il s'étonnait de ma mémoire. Quelques mois avant sa mort, il me confirmait certains détails. Je les complétai par d'autres observations, plus précises. « Comment peux-tu te rappeler tout ça ? » demandait Édouard, inquiet.

Le choc m'avait-il frappée au point que la blessure demeurât ouverte ? Je ne le crois pas. Il me semble avoir enregistré et mis en boîte un film. Le temps l'a laissé intact. Avec ses acteurs, ses émotions, ses bruits. J'entends le cri de Zohra, le cliquetis dément des clefs de mon père, je ressens la peur, je déteste le fauteuil, je revois ma mère se frappant la poitrine : « André, André, *ouldi,* mon fils. »

Pourtant les mots d'adultes ne décrivent les âmes d'enfants que par le pouvoir des correspondances. Le *vrai* souvenir devrait gommer tout ce qui s'interpose entre lui et le vécu. La vie qui passe le falsifie. Je sens, je dis, j'écris avec les signes nouveaux que l'intruse a semés en moi. Comment la brûlure d'hier retrouverait-elle ses chemins incandescents dans le récit d'aujourd'hui ? Que les mots y manquent ou qu'ils prolifèrent, la même impuissance règne. Par cet impossible, justement, la mémoire affective nous nourrit de sa vérité. Dès lors, la résurrection de l'événement même importe peu. La trace chez l'adulte de l'éblouissement — ou du traumatisme — de l'enfant, voilà l'essentiel. A côté de cela, le constat dressé par un notaire ne vaut pas un clou.

Certains faits — les blessures surtout — se nichent au fond de l'être, dans une coque étanche. Paradoxaux, ils coexistent avec nous, dans cette grâce de la simultanéité.

Le souvenir s'installe, s'enveloppe d'indifférence au quotidien, il mute pour résister au temps, tel un virus aux antibiotiques. Il se joue du décalage temporel, l'expression n'est pas son affaire, l'amalgame non plus.

La réalité psychique ne pèse que par les sillons restants. L'irréel, alors, existe. Par le souvenir, justement.

Un Paris d'octobre ne peut s'acheminer vers l'été

Édouard entreprit un sourire dès qu'il nous aperçut. Un sourire zigzaguant, gris comme la vieille veste à chevrons qu'il portait. Il avait beaucoup maigri. Sa calvitie me sembla béante, une grande plaie rosâtre ourlée de poils blancs.

Kamoun, mon fils cadet — mais appelez-le Serge, il n'aime guère ce surnom arabe (cumin) dont je l'ai affublé —, m'accompagne. Il embrasse son grand-père : « Alors, Édouard, on se paie une petite arthrose », il se fait gouailleur, affectueux, comme à l'ordinaire. Je prends mon père par le bras et l'entraîne loin du mur auquel il s'adossait.

Nous traversons la grande cour de l'hôpital, puis une autre plus petite.

« Tu ne te refuses rien, un grand professeur de Cochin, la réputation internationale. » Je lui souris largement, comme dans les photos posées. « Et maman ? » Je bavarde, je ne fuis pas son regard, j'essaie de me voir avec le sien. Naturelle, je veux être naturelle.

« Comme De Gaulle, quoi, enchaîne Kamoun, qui vous savez a été opéré de ce que vous savez par qui vous savez, ici, dans un de ces bâtiments. »

Presque drôle, Kamoun. Je nous écoute, je parle,

je crois que nous avons trouvé le ton. Les répliques, c'est autre chose. Un texte dérisoire, le même toujours, j'imagine, le cancer nié dans une insoutenable légèreté.

Pour me rendre à l'hôpital, j'ai annulé un rendez-vous avec Sartre. Je raconte, volubile, pendant que nous nous acheminons vers la salle d'attente, comment Sartre, pour couper court à mon flot d'excuses, « je suis désolée, j'accompagne mon père à l'hôpital... rien de grave, une arthrose, je crois... », m'avait interrompue : « Mais c'est par-fait, par-fait », répétait-il de sa voix métallique. « Enfin je veux dire... » Il se reprend aussitôt : « Ah, c'est embêtant, c'est emmerdant, cette saloperie-là », en détachant les syllabes.

Pourtant je sais qu'il n'a vraiment retenu que la bonne nouvelle pour lui : plus de rendez-vous, pas de réunion bavarde, place à l'essentiel, le retour au manuscrit en cours.

Sartre déteste tout ce qui le distrait de son écriture, y compris les grandes causes. Mais comme dans ce cas, explique Kamoun, il ne veut pas se défiler, question de cohérence, il attend qu'une bonne raison, venue d'autrui, venue d'ailleurs, justifie son absence. Jamais dupe même quand il joue la contrainte, il confesse volontiers, et généralement souriant, sa mauvaise foi. Il sait que son œuvre d'écrivain répond seule à son sentiment de nécessité.

D'ordinaire, quand son petit-fils parle, Édouard manifeste un émerveillement béat. Il le traduit dans un mélange d'expressions tunisiennes, françaises, maltaises quelquefois, entrecoupées de sourires épanouis. « *Mokh,* quel cerveau, Kamoun, une intelligence. »

Aujourd'hui, il se tait, son regard flotte, absent, il fronce les sourcils comme pour se dissimuler quelque peu. Je bavarde, je dis des mots, je meuble, je veux l'entraîner n'importe où avec mes mots, hors des murs, loin de la traque. Il s'en fiche. Il ne m'entend pas. Même pour moi, je deviens une voix *off*. Les yeux d'Édouard battent l'amble. Comme un animal blessé, il tend bizarrement l'oreille, il semble percevoir des bruits, il a peur, s'immobilise, se meut ailleurs.

Condamné, il est condamné.

Il me tend un sac en plastique, tout son dossier médical, un énorme fatras d'ordonnances, d'analyses de labos, de radiographies, de feuilles de Sécurité sociale. Je plonge dans cet enchevêtrement, au hasard, je n'en attends rien, je sais déjà.

Mon père insiste : « Lis, lis, il y a tout là-dedans, tu vas comprendre... Mieux que tous ces docteurs. »

Je n'avais pratiqué que le droit, étudié la philosophie, tenté de comprendre la politique, rien à voir avec la médecine en tout cas. N'importe. Je devais être omnisciente. Une sorte de pouvoir inné, qui dépouillait les maladies de leurs secrets, me permettait de parler les langues que je n'avais pas apprises et me familiarisait avec des disciplines que j'ignorais. Édouard, catégorique, l'affirmait : j'étais douée et, de plus, j'avais dévoré tant de livres.

Il se souvenait de ces aubes où lui et Fortunée me surprenaient étendue à plat ventre sur le sol, lisant à la lumière d'une ampoule faiblarde fichée dans une prise au bas d'une porte.

Colère des parents : « Tu vas réveiller tes frères et ta sœur (nous partagions tous quatre la même chambre), tu vas au lycée dans une heure. »

Ma mère se lamentait : « A son âge, elle doit dormir. » Je l'avais même entendue murmurer : « C'est pour ça qu'elle est en retard pour ses règles. »

J'avais treize, quatorze ans, j'étais saisie par la débauche de la lecture. On s'inquiétait sérieusement autour de moi. Dès que j'apercevais des livres dans les bibliothèques, chez les autres — je l'ai déjà dit[1], mes parents n'en possédaient pas —, une véritable fièvre s'emparait de moi. Il me fallait toucher, humer, caresser, ouvrir, fermer les pages. Comme un rite sensuel qui me préparait au plaisir. La lecture me submergeait alors de ses vagues et j'accédais à un autre monde.

Ma mère n'avait pas tort, cette boulimie me métamorphosait dangereusement. Je devenais sourde et aveugle à ce qui m'entourait, bruits, ombres, lumière. Je « mélangeais le jour et la nuit », comme Fortunée se plaisait à le dire. J'entravais sûrement mon développement. Le résultat, une puberté retardataire et je ne tournais plus rond. Je restais silencieuse durant les repas, puis redevenais brusquement loquace, voire insolente. Je contestais, refusais.

« Ces livres lui bourrent le crâne », répétaient à la cantonade mes parents.

Quand je me mis à critiquer la colonisation, à parler de justice, à rejeter la résignation religieuse, il ne fit plus de doute pour eux que l'éducation — malgré ses bienfaits — comportait un énorme risque, celui de me faire dévier du droit chemin. Ils tentèrent d'en savoir davantage sur cet étrange processus et feuilletèrent subrepticement certains de mes livres.

Leur censure s'exerçait de manière désordonnée. Faute de connaissances, faute de critères rationnels.

La prohibition du sexe sous toutes ses formes peut-être demeurait une constante. Je me souviens

1. Cf. *La Cause des femmes* (Éd. Grasset, 1973).

ainsi qu'ils me confisquèrent *Le Feu* d'Henri Barbusse. Une autre fois, ils découvrirent sous mon lit un gros dictionnaire médical, où de somptueuses planches en couleurs, imbriquées les unes dans les autres, expliquaient le phénomène de la grossesse. Un fœtus poussait confortablement à l'intérieur de l'utérus au fur et à mesure que l'on tournait les pages. D'autres planches anatomiques sur l'homme montraient, en pointillé, le sexe en érection.

Cette prise donna lieu à de violentes accusations. Ma mère me reprocha d'aimer les choses « sales », mon père me précisa que si je continuais ce genre de lectures, je finirais mal, sur le trottoir ou à peu près.

Il me semble bien que c'est à l'occasion de l'une de ces perquisitions littéraires que je me mis à hurler : « J'en ai marre, marre, je veux vivre, je veux vivre ma vie. »

Le propos parut dangereux, mon père me gratifia d'une formidable paire de gifles : « Vivre ta vie ? tu veux nous déshonorer, tu veux *faire la vie* ? »

Peut-être l'affrontement le plus dur se situa-t-il, curieusement, à propos de Cervantès. *Don Quichotte* avait passé avec succès un premier contrôle. Édouard avait feuilleté, regardé les quelques illustrations qui ornaient cette édition. Un hidalgo inoffensif, flanqué de son fidèle valet, discourait et tirait l'épée dès qu'il apercevait des moulins à vent. Rien de très subversif. Cervantès devait écrire, comme Perrault ou d'autres, des contes pour enfants. Mais, un jour, je fus surprise lisant les *Nouvelles exemplaires.* Les titres, *L'Amant libéral* ou *Le Mariage trompeur,* dispensèrent mes parents de toute investigation supplémentaire. Censuré, tout Cervantès, et sans recours ! A cause de son double jeu.

Cette répression décupla ma curiosité. J'en arrivai même à vouloir connaître les origines du livre en

Tunisie. J'entrepris des lectures désordonnées que je finis par abandonner, je manquais d'érudition. J'avais quand même découvert, par hasard et sans comprendre la portée du phénomène, que Carthage détruite avait recelé dans ses flancs l'œuvre de Magon le Carthaginois. En grec, avant Jésus-Christ. « Vingt-six volumes, racontai-je avec fierté aux miens, sauvés et embarqués pour l'Italie. »

Pour avoir la paix et dévorer mes livres tout mon soûl, je décidai d'entrer en lecture clandestine.

Pour l'heure, Édouard se dit qu'il connaîtra la vérité grâce à moi.

« Tu as eu tous les livres en main, et tous ces gens savants que tu fréquentes à Paris, tu dois savoir... »

Il a presque haussé le ton. Une femme qui décrivait bruyamment à son voisin les mérites de ce merveilleux hôpital Cochin, « c'est le meilleur de France... », s'interrompt pour me toiser avec curiosité, moi, la diseuse de bonne santé.

« Et tous tes diplômes, tu te rends compte », ajoute Édouard.

Kamoun rit, il a entassé beaucoup de titres, réussi à des concours difficiles en France et à l'étranger, il n'a que commisération pour ces avocats ringards qui ignorent les universités américaines, et se contentent des licences du Panthéon-Droit ou de la Sorbonne-Philo.

« Tu as tort, mon fils, le diplôme d'avocat, c'est très important », affirme Édouard, sentencieux.

Pour lui, le monde se divisait en deux, les diplômés et les autres. Les premiers en étaient les seigneurs, les seconds les trimeurs. Ces derniers pouvaient essayer de suivre, certes, de réussir par le système D, mais ce n'était guère facile et, de toute manière, il y avait des limites à ce genre d'ascension. Les Rockefeller évoluaient dans un autre univers, l'Amérique lointaine, les gratte-ciel, l'Australie, peut-être.

Un jour, Édouard me montra l'échoppe où avait travaillé mon grand-père maternel, vaguement tailleur, je dirais plutôt couseur de vêtements arabes.

Nous franchîmes l'imposante porte de France, anciennement appelée *Bab el Bahr,* porte de la Mer, qui marquait la séparation des deux villes communautaires.

En deçà, l'européenne, avec son avenue de France prolongée par l'avenue Jules-Ferry. À son début un grand bâtiment colonial émergeant des palmiers, la Résidence, lieu administratif et politique du pouvoir. Lui faisant face, Jules Ferry sur son socle, remplacé par l'émir Abd el-Kader après l'indépendance. En 1952, certaines grandes manifestations nationalistes prirent naturellement ce carré symbolique comme cible.

Au-delà de l'ancienne muraille, la *Medina,* ses mille venelles, ses souks aux noms corporatifs. Le souk *el Attarine* — les parfumeurs — et le souk *el Kmach* — les étoffes —, le souk *el Leffa* — les couvertures — et celui des *Bnat* — les jeunes filles — consacré au commerce... de la friperie ! Nous dépassâmes la *Djemaa* de la *Zitouna* — mosquée de l'olivier — dont les arcades si pures du temps des Turcs abritaient des milliers de livres et, parmi eux, les plus beaux Coran du monde.

Chaque fois que je traversais la ville arabe pour me rendre à pied à la *Kasbah,* où siégeaient les tribunaux, je soupirais d'envie. Tous ces trésors qui m'échappaient à cause de mon ignorance !

Dans une ruelle à coudes — le souk des coutures —, mon père me montra un trou dans le mur, profond et large d'à peine deux ou trois mètres.

« C'est là que se tenait Baba Kiki, ton grand-père », dit-il simplement.

Sur une natte tressée, à même le sol de terre battue, un homme accroupi en tailleur, armé d'une paire de ciseaux gigantesques, la plonge sans hésitation dans une belle étoffe damassée. Ni dessin, ni patron, ni faufilage préalable, il faut aller vite. Plus vite que celui de l'échoppe voisine. Autour de lui, dans un rayon qui lui permet de les atteindre sans changer de posture, toutes ses richesses : une machine à coudre archaïque, dépourvue de socle et de pieds, des tissus, des épingles, des bobines de fils de couleur, des rubans de gros-grain noir, des boutons dans un cul de jarre en terre.

« Aussi pauvre que nous l'étions... rien ne change ! » conclut Édouard, après avoir salué l'artisan.

Pour dire qu'il n'avait même pas obtenu le certificat d'études primaires, mon père affectionnait une expression musclée : « On m'a arraché de l'école à douze ans... » Il joignait le geste à la parole pour bien marquer la violence subie. « Mon premier emploi ? saute-ruisseau !... » Avec ses doigts, il mimait alors le cheval qui franchit l'obstacle handicap et reprend sa course. « Saute-ruisseau... », cette expression dans un pays comme la Tunisie, où les oueds sont aussi rares que secs, nous ravissait toujours.

La salle d'attente de l'hôpital est pleine à craquer. Je regarde ces hommes et ces femmes de tous âges. Avec une sorte d'hostilité. Ils se croient malades !

Mon père, lui, est atteint d'une *vraie* maladie. Je n'imagine pas ce sort partagé, vécu de la même manière par cette jeune dame à mes côtés ou par l'homme tout rond qui vient de pousser un grand soupir. Le cancer d'Édouard ? Unique, comme lui-même.

Nous attendons depuis trois quarts d'heure déjà. Je compulse le dossier. Édouard se cale sur la chaise pour mieux surveiller mes réactions.

Il avait coutume de m'envoyer de Tunis, puis de Nice après le rapatriement de la famille, les notices des médicaments prescrits. Je faisais alors quelques vagues commentaires sur les posologies, les effets secondaires, l'efficacité. Je devins ainsi, pour mes parents, la seule interlocutrice valable de leurs médecins. Pour mon père, en particulier, je pouvais, seule, leur poser les questions difficiles, les forcer à des précisions, voire les acculer à des contradictions. Il me poussait même quelquefois à leur tendre des pièges discrets, histoire de s'assurer de leur ignorance. Un diagnostic, même émis par des sommités médicales, n'acquérait force exécutoire qu'avec mon imprimatur.

Édouard me regarde effeuiller les liasses d'écritures de toutes sortes : celles du chirurgien, du médecin traitant, du radiologue. « Taux de prothrombine 100 %, le cœur, meilleur que le mien, papa, c'est pas peu dire... même l'analyse du sang... »

Kamoun me touche doucement le coude. *Too much,* ça sonne faux, arrête, Gisèle. Je m'interromps. J'essaie de reprendre, avec un ton plus neutre, comme celui des médecins. Sobre. Je veux rester sobre. Je veux éteindre dans les yeux de mon père ce petit feu follet, lui redonner... Quoi, au fait ? l'espoir ? Non. Mais quoi, alors ? Je veux qu'il soit heureux jusqu'au bout, c'est ça, je sais maintenant, je ne veux pas qu'il souffre, je ferai tout pour cela. Brusquement, quelques images dans ma tête, j'abrège une agonie, celle d'Édouard. Il ne doit pas souffrir. Je viens de comprendre, cette petite victoire contre la mort, réussir une mort sans douleur, je peux l'emporter, je m'y engage.

« Tu as une belle arthrose, tu n'as plus vingt ans, quoi ! »

Je m'étais remise à ces paperasses, je ne pouvais pas avoir mal d'un coup, c'est plus long à venir. Je verrais plus tard, pour la mort. Nous serons ponctuels. Je range les radios, les ordonnances, les notes, je fourre le tout en vrac dans le sac en plastique.

« Attention, tu mélanges tout. » Édouard grogne, réprobateur.

Sa manie de l'ordre dans les papiers, son respect de ce qui s'écrit, à la machine, à l'imprimerie, au crayon, ne s'éteindra qu'avec lui. Il conservait les enveloppes de tous les plis, entassait les vieux journaux, classait. Il classait inlassablement. Il n'a pas changé. Il va mourir dans un mois, dans un an, ces papiers codés le disent, raison de plus pour rester ordonné.

J'essaie de tout faire tenir dans le sac, ce n'est guère facile, je perds mes lunettes. Comme Édouard, du temps de mon enfance, j'invoque l'objet : « *Lunettes, revenez, lunettes, où êtes-vous ? Je vous cherche.* » Je souris en me tournant vers Kamoun. « Tu sais, c'est magique... »

Kamoun garde le silence, il tend vers son grand-père un profil d'absent, il se laisse aller à des tics bizarres, une sorte de frémissement qui l'agace comme une mouche. Je ne suis pas certaine qu'il approuve cette mise en scène. Les mensonges lui font horreur, les pieux et les autres. Une fois pour toutes, et sans trop faire le détail, il a condamné nos atermoiements, nos euphémismes, nos trahisons. « Les vieux ont de tristes comédies », se plaisait-il à nous envoyer à la tête. Il préfère, comme beaucoup de sa génération, le scalpel de la vérité. En politique comme en amour. Mais il aime son grand-père, il le sait vulnérable, démuni de ce pouvoir élémentaire sur soi qu'apporte la connaissance. Il se referme donc dans un silence contradictoire. Le moindre mal, dans le mal de la maladie, sourire et mentir. Et surtout, être présent.

Édouard se lève, il en a assez, une heure d'attente, cet hôpital pèse comme un couvercle.

« Les grands professeurs sont toujours très occupés, tu sais bien, papa. »

Il ne répond pas.

Puis, brusquement, comme cédant à la panique, il me prend par le bras. Il se serre contre moi : « *Zeïza* (Zeïza, prénom de la tendresse, de la séduction, Gisèle, prénom *chourri,* européen, ne servant qu'au quotidien, aux remontrances, au tout-venant) *y a benti,* ma fille, *doye anaye,* lumière de mes yeux, c'est fini. » Il parle presque à mon oreille. « Je suis fini, je le sens. Je ne m'en sortirai pas. *Akaoua,* c'est tout ! »

Il mélange l'arabe de l'enfance, le français de ses filles, il murmure d'une voix hachée qu'il est sûr, ses yeux disent qu'il a peur, ses mains s'accrochent, l'enfant, c'est lui, il se sent perdu, mais il ne sait pas à quel point.

Cet appel au secours me recouvre comme une lame glacée. Je ne dois pas me noyer, puisqu'il me faudra le prendre dans mes bras, lui dire : Oui, tu vas mourir, tu n'auras pas mal, je te le jure, tu vas partir, mais nous te garderons avec nous, Édouard, n'aie pas peur.

Aucun son ne sort de ma bouche.

Vite, pourtant, il faut démentir. Vite. Il attend. Peut-être n'a-t-il parlé que pour s'entendre contredire. Si j'hésite, il comprendra que je fabrique une réplique, que j'enfouis le vrai au fond de moi pour le rendre invisible, que je tourne dans ma tête comme un oiseau fou.

« Fou, tu es fou, Édouard ! qu'est-ce qui te prend ? arrête ton char... »

J'ai parlé, j'ai réussi à parler, je parle, j'émerge de cette mélasse noire qui m'ensevelissait dans mes cauchemars d'enfant, le même mal aujourd'hui, huit ans, quarante-huit ans, quelle différence ?

Kamoun s'approche, il a compris.

« Ton grand-père est inquiet.

— Pépé, tu es trop jeune pour mourir, n'y compte pas. » Il joue la diversion. « Quel âge as-tu, au fait ? »

Ce dialogue rabâché cent fois, cent fois nous avait ressoudés, enfants et petits-enfants, dans une joyeuse connivence. Un folklore familial à toute épreuve.

Édouard, comme tous ceux nés avant que le Protectorat n'instaurât en Tunisie les registres d'état civil[1], était non daté. Ses papiers d'identité mentionnaient : « *Né présumé en 1898.* » Sans trop savoir comment, en tâtonnant à partir d'indices divers, Édouard avait choisi de naître le 18 avril 1898.

Pourquoi en avril ? Parce qu'il faisait beau quand sa mère, toute seule comme une grande, se décida à accoucher. Un ciel de ce bleu lourd des soirs d'été, mais personne n'allait encore à la plage, ce ne pou-

1. Décret beylical de 1908.

vait donc être le mois de mai. Ni mars non plus, car en ce mois de l'année il souffle un vent frais sur le bord de la Tunisie. Au contraire, à la naissance d'Édouard, une sorte d'alizé d'une exquise douceur balayait le ciel. « Ni sirocco, ni air humide », attestait une voisine centenaire. « Et puis, nous sortions des fêtes de Pâques », précisait-elle toute à son affaire, et ces fêtes tombent plus souvent en avril qu'en mars ou en mai. Oui, ce faisceau de présomptions concordait sérieusement. Il convenait d'y ajouter l'état des feuilles aux arbres, les vêtements dans les rues et beaucoup d'autres signes sur lesquels ma grand-mère paternelle ne tarissait pas.

Le jeu consistait à contredire cette version.

Kamoun attaquait : « Tu te rajeunis, avoue-le, pépé, tu carottes quelques années, non ? »

Édouard protestait de sa bonne foi, devenait péremptoire : « Je portais des culottes courtes en 1910, euh... enfin, vers cette année-là, je me souviens... »

Même en bouée de sauvetage, ce scénario se déroula comme à l'accoutumée. Et, comme à l'accoutumée, il provoqua en nous trois une bienfaisante régression, vers ces temps de joie et de lumière d'où émergeait Édouard, souverain.

« Désolé de vous avoir fait attendre... »

Courtois et pressé, le sourire d'usage aux lèvres, le Professeur vient de nous faire entrer dans son cabinet exigu. Mon père passe dans la pièce voisine. Le médecin n'a pas grand besoin d'ausculter, de palper. Mais cette routine, il la sait rassurante pour le malade. Un signe de lui, auquel j'acquiesce. Le professeur nous entraîne, Kamoun et moi, dans une autre pièce.

« Je vous laisse vous rhabiller, cher monsieur. Je vais régler avec votre fille les détails d'ordre pratique. » Il s'arrondit encore et, se retournant vers Édouard : « Je vais vous prescrire quelques examens. Vous entrerez à l'hôpital à la fin de la semaine.

— Non, pas l'hôpital ! » Édouard a presque crié. « Non ! Non ! »

Il refuse. L'hôpital, pour lui, signifie abandon, solitude, mort. En Tunisie, seuls les déshérités se faisaient hospitaliser, les pauvres, les sans famille. Et, explique Édouard, ils ne quittaient la salle commune que pour la morgue.

« Mais je ne vous garderai que quelques jours, cher monsieur, je n'ai pas besoin de vous davantage. »

J'appuie le praticien. Cochin n'a rien de commun avec l'hôpital Sadiki dans le Tunis de sa jeunesse. Les appareils perfectionnés, les dernières techniques, les grands professeurs bénéficient, en France, aux grands hôpitaux et à quelques cliniques privilégiées.

Édouard résigné — il ne s'agit que de quelques jours, le temps de pratiquer un bilan — finit par accepter. Il se rhabille sans hâte. Je croise son regard, son absence de regard, quand je rejoins Kamoun et le spécialiste dans son bureau.

Les « détails » dont le professeur veut m'entretenir, ils tiennent en quatre mots. *Mon père va mourir.* C'est irrémédiable, inscrit dans les lignes de sa main, et dans le tracé des radiographies, « une métastase osseuse assez avancée, chère madame ». La bête a déjà bouffé la dernière vertèbre, ses tentacules s'enroulent autour de la colonne vertébrale, d'autres métastases ne sont pas à exclure, une évolution rapide à craindre.

« Il est perdu ? »

Le professeur toussote, fait un geste ambigu de la main.

« Alors, il ne doit pas le savoir. »
J'ai parlé comme si je l'exigeais.
Kamoun, assommé par la certitude, semble enfin d'accord.

La *deghaza,* la diseuse de bonne aventure de mon enfance — je la revois encore, une bédouine aux oripeaux bleu sombre maintenus sur l'épaule par de gros anneaux de fer, pieds nus, particulièrement sale —, m'avait prédit des voyages, des maris, le palais de Son Altesse le Bey. Elle m'avait cependant dissimulé l'essentiel, que la condamnation à mort de mon père, somme toute dans l'ordre des choses, me terrasserait. « *El mektoub,* c'est écrit, c'est le destin ! » répétait-elle en lissant mes boucles blondes de ses doigts rongés par la gale.

Certes, je connaissais le *mektoub,* et quelques vérités inéluctables : la Terre tourne, les hommes naissent, souffrent et meurent, le monde continue sa course, mais je savais aussi, depuis l'enfance, que ce programme universel ne concernait pas Édouard. Pourtant, le professeur affirmait avec douceur le contraire, aucune chance de le sauver.

Voici venue l'heure du grand charivari.

J'écoute poliment le professeur. Nul, il est nul. Comme tous les autres, professeurs, savants, chercheurs. Ils vont sur la Lune, ils fabriquent des satellites, ils lancent des missiles, ils préparent des super Hiroshima et mon père va mourir. Ils savent tuer les hommes, par centaines de milliers, ils échouent à en sauver un, Édouard le magicien.

Il me faut cependant coller à l'image que le professeur a de moi. Une avocate responsable, d'elle et des autres. Je pose ma voix, devenue étrangère. Je m'accroche au sursis, combien de temps avant l'exécution ? Je parle de rémissions, de longs délais. Tenez, M. X, le grand écrivain, on se demande même s'il n'est pas guéri, des années depuis l'intervention.

Mais la Faculté veut rester vague. Le solde à vivre pour tous comptes d'Édouard ? Personne n'en sait rien.

Je m'agrippe : « Il paraît que les métastases sont plus lentes chez les personnes âgées. »

Le médecin est pressé. Mon ton devient alors celui de la prière, il en a bien pour cinq ans, cinq ans ce n'est rien, avant de mourir, s'il vous plaît, Professeur, dites-moi que j'ai le temps, un peu de temps. Pour lui donner le paradis sur terre, le Professeur devrait comprendre, il me faut du temps, un peu de temps.

Pour cette Légion d'honneur dont il rêve depuis des années, j'avais toujours refusé d'intervenir. Demander une décoration me semblait une démarche d'une très grande vanité. Pour tous, sans exception. La demander pour mon père, une circonstance aggravante.

Son bonheur tenait, pour une grande part, dans cette reconnaissance sociale qui réglait ses comptes à la plus grande injustice : ses origines modestes. Édouard voulait être respecté, il recherchait un label d'honorabilité, pour lui et pour toute notre famille. Il avait choisi le drapeau français, l'uniforme, De Gaulle. Pour avoir une date de naissance, pour effacer le nomadisme de ses ancêtres, pour se trouver, même de loin, du côté du pouvoir. La Légion d'honneur, expliquait-il volontiers, le hisserait au rang d'un « vrai Français », lui, l'indigène, le Tunisien, le naturalisé.

Nous le brocardions et je coupais court à sa réelle émotion en lui lançant : « Collabo, tu n'es qu'un collabo, Édouard ! »

Il ne se fâchait pas.

« Tu n'y comprends rien, tu veux toujours être révolutionnaire », et il haussait les épaules.

Je mettais les choses au clair, il lui fallait se débrouiller sans moi, pas question que je l'aide, qu'il écrive lui-même à Edgar Faure, puisqu'il le connaissait.

« Edgar Faure, il se fout de moi, il ne fait rien. »

L'échange se terminait toujours par le même jeu de mots qui l'enchantait : « Alors, tu peux te l'accrocher ta médaille, Édouard... »

Aujourd'hui, je ne pense qu'à sa fierté, le ruban rouge à la boutonnière. Et elle me devient légitime.

La visite à Cochin se termine. Mon père nous a rejoints dans le cabinet. Il ne pose pas de questions. Kamoun l'entraîne, je salue — au revoir cher Professeur —, je te raconterai tout, Édouard, c'est embêtant mais ce n'est pas grave.

Kamoun appelle un taxi. Nous nous entassons tous trois à l'arrière.

Paris ruisselle de lumière, Paris s'est habillé en printemps pour ce dernier automne de mon père. Je lui montre du doigt la Seine, presque verte, plus aimantée que jamais. « Regarde. » Il tourne à peine la tête. Les tables sorties en hâte sur les terrasses des cafés prennent des allures bizarres de mirages, le soleil les inonde, le soleil coule dans les déchirures. Indifférent.

Un Paris d'octobre, même exceptionnel, ne peut s'acheminer vers l'été.

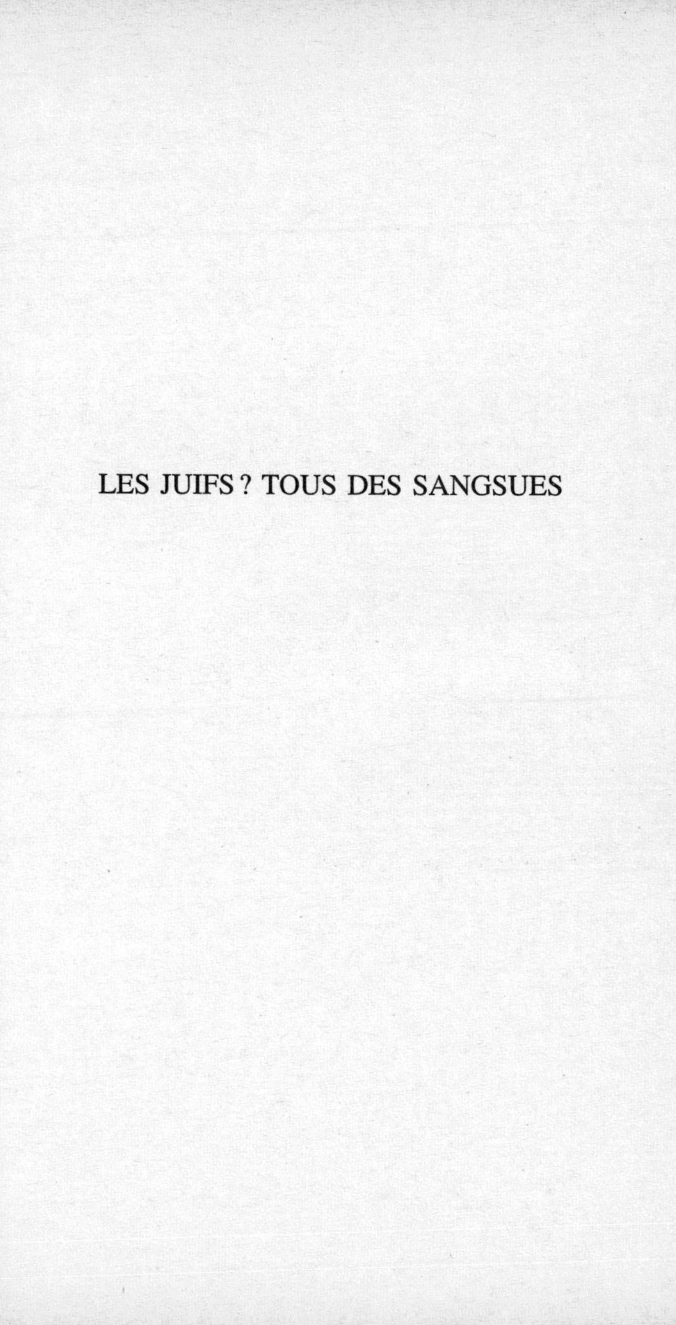

LES JUIFS ? TOUS DES SANGSUES

La harpie

Tous les matins, je prenais Gaby par la main et la déposais à l'entrée de la maternelle. Je rejoignais ensuite mon école primaire. Tous les matins s'accomplissait le rituel des recommandations : « Ne lui lâche pas la main... Attention quand tu traverses, regarde dans les deux sens... Ne laisse personne t'accompagner... »

J'avais huit ans, Gaby, quatre. J'écoutais à peine ma mère. Je savais que nous irions sans encombre notre chemin et que ma tendre sollicitude pour Gaby ne se relâcherait point.

Ces derniers mois, je dissimulais mal mon anxiété à l'heure d'entrer dans la classe. Quand je gagnais mon banc, mon cœur battait la chamade. Qu'allait-*elle* encore inventer aujourd'hui pour me punir sans raison, m'humilier, me frapper ? *Elle,* mon institutrice, ma terreur.

Elle me haïssait. J'osais à peine lever les yeux sur son visage osseux, que des tics agitaient de secousses régulières. Elle grimaçait à chaque mot. Elle se promenait dans les rangs en monologuant à voix presque haute. Un rictus étrange précédait chacune de ses colères qui nous pétrifiaient toutes. Nous la tenions pour folle.

J'étais son souffre-douleur privilégié. Elle m'infligeait toute une gamme de brimades et quelquefois de coups. Pourquoi ? Je ne comprenais pas. Pas encore.

Elle me donnait la parole et me faisait taire, aussitôt, au beau milieu d'une phrase. Levais-je le doigt pour répondre à la question qu'elle venait de poser, elle s'avançait vers moi, m'ordonnait de tendre les mains et martelait furieusement mes phalanges de sa règle.

Quand la cloche sonnait la récréation, je tremblais d'angoisse. La harpie me faisait venir jusqu'au bord de l'estrade : « Reste là », sifflait-elle entre ses dents. Elle hâtait la sortie des élèves et, une fois seules, m'envoyait une terrible paire de gifles. Sans un mot. De ses lèvres minces s'échappaient de petits bruits nerveux qui ressemblaient à des rots, et de son œil verdâtre surveillait la cour où mes camarades jouaient. Les larmes aux yeux, je les rejoignais, enfin libérée.

Aucune d'entre elles ne soufflait mot. Toutes savaient, mais personne ne comprenait les raisons de cet acharnement.

Les jours passaient, les gifles me laissaient des marques de plus en plus visibles, je continuais cependant de me taire.

Un soir où l'institutrice névropathe avait été plus violente que d'habitude, je rentrai à la maison le visage marqué d'empreintes rougeâtres.

« Qui t'a giflée ? Qui te frappe ? » Mon père exigeait de savoir.

Je finis par tout dire : « Quand elle me renvoie dans la cour, elle me dit "sale juive" ou "sale bicote", "vous êtes le Diable, tous, vous voulez nous bouffer..." »

Je sanglotais à mon propre récit, comme délivrée : « Elle est vraiment méchante ! » Je ne comprenais toujours rien.

Ma mère me rafraîchit le visage avec une serviette mouillée.

« Tu te rends compte ! Une maîtresse d'école ! C'est une folle ! Il faut l'enfermer à la Manouba[1]. »

Édouard, très pâle, se taisait.

« Je t'accompagnerai à l'école demain », dit-il enfin, d'une voix blanche.

Nuit agitée. Je craignais la confrontation, le choc, la colère que j'avais lue dans le regard de mon père. Je le savais capable de grandes outrances. Je l'avais déjà vu déchaîné, aliéné par sa violence. Édouard-la-tendresse rouant de coups son aîné, Marcel, que nous appelions Marcelo.

D'une manière générale, l'éducation que nous recevions, enfants, procédait de principes sommaires. Il fallait châtier tout manquement, sans s'embarrasser de psychologie élémentaire ni, a fortiori, de considérations psychanalytiques. L'époque, le lieu (la Tunisie des années trente) et mon milieu familial les ignoraient.

Comment aurait-il pu en être autrement ?

Quand, plus tard, formée par mes lectures sauvages, j'évoquai l'humiliation, le traumatisme causés par certaines formes de répression, on me fit taire. Je parlais comme une Européenne, ces élucubrations n'étaient pas autre chose que des histoires de *roumis* un peu décadents. Apprendre, devenir instruite, c'était bien, mais à condition de « ne pas sortir de sa sphère ».

Cette expression, pour mes parents, résumait toute la morale et toute l'humilité qui s'imposaient à nous.

1. Asile psychiatrique situé aux environs de Tunis, à la Manouba.

La correction paternelle nous était infligée de manière très différente selon qu'il s'agissait des filles ou des garçons. Gaby et moi connaissions nos « crimes » spécifiques : sortir seules le soir, fréquenter des copains, leur permettre de nous conter fleurette sous les ficus de l'avenue Jules-Ferry, mentir enfin, comme il se doit, pour habiller tous ces plaisirs d'alibis divers. Nous étions alors submergées d'imprécations, d'injures, de menaces : « Maudites, garces, je vous bouclerai, je vous attacherai au pied du lit avec une corde ! Vous voulez le déshonneur de la famille ! La mort plutôt ! Oui, je vous tuerai de mes propres mains !... »

Mon père accompagnait quelquefois ce déluge de mots d'une gifle ou d'une taloche, mais rien de très grave. Ma sœur et moi, stoïques, attendions la fin de la séance et retournions, sans trop de dommages, à nos secrets.

Mais, pour les fils, il en allait tout autrement.

« Salaud, gros patapouf, tous les sacrifices que je fais pour payer tes études !... »

Mon père frappe. Marcel, bouffi de graisse, tente de protéger son visage. Il tourne autour de la table, mais la cravache, en nerfs de bœuf, tournoie, le cingle. Hurlements.

Le fils aîné venait de trahir l'honneur de la famille. Une fois de plus, dernier ou avant-dernier de sa classe. Une fois de plus, des colles interceptées auprès du facteur et retournées au lycée avec la signature imitée d'Édouard.

« *Allouche,* gros mouton, *ould tahan,* fils de mac, tu vas payer. » Il crie sa rage de l'humiliation.

Ma mère entre en lice, elle l'adjure de cesser : « Les voisins vont venir, quelle honte, arrête, un coup sur la tempe... il peut devenir fou... Et après, qui payera pour le soigner ? » Sa voix monte, monte, mêle un son aigu au cirque familial. « Dieu est le plus grand... *Mechnmout...* Je vais mourir !... Édouard, Édouard, arrête... »

Fortunée tente en vain de se mettre sur la trajectoire, la cravache continue sa danse.

« Arrête Édouard, tu vas le rendre idiot, infirme... » Ma mère se plaque comme un bouclier sur son fils préféré.

Mais ce dernier, à la manière des jeunes taureaux dans l'arène, esquive, pare le coup, baisse la tête, fausse le tir. Il avait acquis, à la longue, une certaine technique.

Jusqu'au moment où, une nuit, Marcelo disparut. Il s'embarqua clandestinement sur un bateau à destination de Marseille.

Nous ne le revîmes que quelques années plus tard, à la fin de la guerre.

Je m'accroupissais dans un angle de la pièce, pour suivre le duel-corrida.

Le sort de Marcelo ne m'inspirait aucune compassion. Il faisait souvent de moi sa victime. Plus fort et plus âgé que moi, il me volait mes quelques livres, mes objets, pour les vendre. Il me persécutait sournoisement de cent manières et me battait si j'avais l'imprudence de me plaindre à mon père. Tant pis pour lui ! Que la justice-cravache soit !

Mais Édouard me bouleversait. Plutôt, les Édouard. Je tentais de comprendre l'étrange dédoublement, la métamorphose, le magicien devenu père fouettard. En mordant mon tablier, cachée dans mon coin.

Édouard reste debout, très pâle. Il a refusé de s'asseoir comme l'y invitait la directrice.

« Mlle J... frappe ma fille. C'est inadmissible. J'écrirai au Résident général s'il le faut. Je saisirai Paris, mais, par-r-ole d'honneur, j'irai jusqu'au bout ! »

Si j'avais pu disparaître, m'enfoncer sous terre... Pendant le dialogue entre mon père et la directrice, j'avais reculé vers un angle de la pièce.

« Alors Gisèle, qu'en est-il exactement ? »

Interpellée par la directrice aux allures de cheftaine scoute, je sors de l'ombre. Je parle, d'abord craintive, puis avec plus d'assurance. Mon père me protège et la cheftaine ne semble pas hostile.

Mlle J..., convoquée, entre. Elle essaye de nier. Je donne des précisions. Le temps, le lieu, les injures. Je mentionne même la présence de certaines de mes camarades à ces jeux expiatoires. Elle perd pied.

« Gisèle est insupportable, dissipée... une élève difficile et pour la tenir...

— Vous la battiez, vous l'humiliiez. De quel droit, dites-moi... Elle revenait, le visage tout rouge avec les marques de vos gifles. » Mon père l'avait interrompue. « Elle ne disait rien, de peur. »

Édouard s'emporte ou, au contraire — je ne sais plus —, se laisse aller à l'émotion. Son ton devient saccadé : « Une fillette comme elle, c'est injuste. Pourquoi ? » Il répète, douloureux : « Pourquoi... pourquoi ? » Sa voix faiblit : « Pourquoi, à ma fille ? » Il se met à pleurer. « Qu'est-ce qu'elle vous a fait ? Vous êtes raciste... c'est ça ! »

Finie la colère, disparue l'agressivité. Il pleure. Comme un enfant blessé. A cause de moi. Cette histoire, j'aurais mieux fait de la cacher, il a si mal, Édouard, à quoi bon tout ce déballage, une gifle de plus ou de moins...

Édouard répète : « Vous n'êtes qu'une raciste, vous n'auriez jamais frappé une Française... » Il a dit « Française » avec un geste d'emphase respectueuse.

Il se tait, enfin.

La directrice, de moins en moins cheftaine, au fur et à mesure qu'Édouard parle, semble plutôt remuée. L'institutrice grimace — ses nerfs, toujours — et promet de ne plus se laisser aller à des colères.

« Il faut comprendre, c'est dur, cette classe, toutes plus désobéissantes les unes que les autres... »

Mon père ne veut pas comprendre. Il exige des sanctions.

Il n'y eut pas de sanctions, seulement l'engagement de ne plus me faire violence. On allait voir, proposa la directrice, qui voulait surtout éviter la lettre au Résident général, à l'Élysée, le scandale, la correspondance, bref les problèmes.

On vit. Mlle J... ne me toucha plus. Elle m'ignora. Elle ne m'adressa plus la parole et regardait au plafond quand je récitais mes leçons. L'année se termina. Je passai dans la classe supérieure. Je ne revis plus Mlle J... et ses tics de cauchemar.

Les bolges du Protectorat

La Tunisie sous Protectorat français offrait une assise privilégiée à la discrimination, à l'exclusion.

Comme dans une construction qu'un architecte machiavélique aurait façonnée pour les besoins d'une politique, les maîtres européens dominaient Juifs et Arabes, séparés eux-mêmes les uns des autres par des cercles parallèles. Le Juif, français ou tunisien, tenant dans le plus parfait mépris l'Arabe, situé dans la partie inférieure.

Ainsi que le professait le colon, l'Arabe (sale, menteur et voleur) ne pouvait prétendre à un statut égalitaire. Et cela qu'il fût le *yaouled*[1] en loques, l'intellectuel *beldi,* le citadin, ou le propriétaire terrien. A cet Arabe, ce même colon suggérait que le Juif, depuis des temps immémoriaux, tentait de dominer le monde par l'argent et l'intrigue. La preuve : bien que tunisien comme lui, il bénéficiait de certains privilèges. En Algérie, n'était-il pas devenu citoyen français, alors que les musulmans, eux, demeuraient les sujets[2] ? Les pogroms devaient

1. Gamin des rues, mendiant ou cireur de chaussures.
2. Décret Crémieux, 24 octobre 1870.

bien trouver quelque justification. Ces haines concentriques divisaient et l'occupant régnait.

Deux histoires populaires rendent bien compte de ces antagonismes.

La première appartient au folklore colonialiste. Elle dit : « Si tu rencontres sur ton chemin une vipère à ta droite et un Arabe à ta gauche, tue l'Arabe et va ton chemin. »

Mon grand-père m'avait raconté, le rire dans les yeux et la leçon dans la voix, la deuxième histoire. Un Juif, voyant passer dans la rue l'enterrement d'un Arabe, se met à sangloter bruyamment. « Pourquoi pleures-tu ? » Intrigué, son voisin, un Juif aussi, les yeux secs, l'interpelle : « Ce n'est qu'un Arabe, après tout ! » Les larmes coulent de plus belle : « Justement, hoqueta le pleureur, un Arabe mort. *Un seul.* Combien d'années ou de siècles faudra-t-il pour qu'ils disparaissent tous, s'ils ne s'en vont qu'*un par un* ?... »

J'avais onze ans lorsque éclata, à Tunis, la grande répression du 9 avril 1938.

Des mitraillettes tiraient dans les rues, des tanks barraient le boulevard Bab-Benat, des soldats — beaucoup de Noirs, des Sénégalais, j'en avais été frappée — sillonnaient, l'arme au poing, les ruelles de la *Medina.* Le sang coula, notamment à la *Zitouna,* où plusieurs étudiants furent abattus.

Mon père, français par choix, ne se lassait pas de chanter les idéaux et les prouesses de cette culture d'adoption. A côté de la classique énumération des bienfaits de cette présence — les hôpitaux, les routes... —, il n'était, pour lui, de liberté, de justice, de fraternité qu'enveloppées dans les plis du drapeau tricolore.

Mais ces balles, ce sang qui éclaboussait les pavés,

ces soldats baïonnette au canon ? La voix de la France ? La France, ce mépris de l'indigène ? Dans la bouche d'un colon, le mot *indigène* s'identifiait, à lui tout seul, au rejet.

Je l'ai dit, je partageais mes jeux, mes amours d'enfant, mes longues courses dans la mer tiède, mes parties de football avec Skander Sehab Ettaba, Fatima Ben Amar ou Jacqueline Renaudet, ou encore Loly Lévy, indifféremment. Non, je ne comprenais pas, pour ne l'avoir jamais ressenti, qu'un de mes compagnons de soleil et de premiers émois pût être un « inférieur » (le terme s'employait couramment). Que sa race en fît un exclu.

Je me souviens encore de cette journée nationaliste, où, ma main dans celle d'Édouard, nous jouions aux badauds.

Au parc Gambetta, aux portes nord de la ville, un peuple joyeux et mêlé se pressait. Femmes voilées de blanc, vieillards, intellectuels, dockers, *yaouleds* avec leur boîte à cirage de chaussures, tous convergeaient vers l'esplanade. Venant de la *Kasbah,* ils descendaient participer à leur première kermesse de la liberté.

Bourguiba et d'autres leaders avaient harangué la foule. La Tunisie voulait un parlement, des libertés démocratiques, un gouvernement. Après le meeting, tout rentra dans l'ordre sans le moindre incident.

Je regardais, étonnée, les places cernées par les tanks et les rues pleines de camions militaires, sans imaginer la tuerie qui s'ensuivrait, décidée pour le lendemain, à froid. La troupe tira sur les étudiants, sur les femmes désarmées, sur des enfants qui couraient, affolés par le sifflement des balles.

Au lycée, le surlendemain, Suzanne C..., fille d'un colon sénateur, racontait pendant la récréation : « Ce vieux professeur du collège Sadiki, les soldats l'ont entouré et dévêtu. Devant tout le monde, sans son *seroual*... On mourait de rire... » Et Suzanne C... de pouffer : « Avec ses cheveux blancs, il s'est retrouvé presque nu, c'était tellement drôle... »

Mon père raconta que des intellectuels — avocats, médecins, professeurs — avaient été arrêtés et déportés dans le Sud, à Bordj el Bœuf. Un désert torride et des conditions de vie quasi inhumaines. La maladie, la mort même semblaient secondaires, dans ce récit, comparées aux séances de fouet, de crapahutage, de déshabillages publics que la troupe infligeait à ses détenus. J'écoutais, terrifiée.

« Pourquoi ? ai-je interrogé.

— Ils veulent l'indépendance de la Tunisie... Tu te rends compte !... Tous les Français à la mer... Pfft ! » Édouard s'étranglait à cette image.

J'étais trop jeune pour comprendre le fondement politique de cette effervescence. Ces incidents de 1938, et leur cortège de mesures racistes, me posaient des problèmes que je ne pouvais résoudre. Je me disais simplement : si les Français trouvent que les Arabes ne sont pas des gens comme nous, ils n'ont qu'à les abandonner à eux-mêmes. Laisser tomber, mais pas tirer dessus.

Fortunée, pour sa part, raisonnait autrement : « Qu'est-ce qu'on leur a fait de mal, à ces Arabes ? Pourquoi ils font toutes ces histoires ? » Et d'avancer son plan de pacification : « S'ils ne sont pas contents, ils n'ont qu'à s'en aller !

— Mais, Maman, ils sont chez eux en Tunisie. » Cela, je venais de le savoir grâce à l'oncle Jacques et j'en tirais une grande fierté.

Elle haussait les épaules. Décidément, je trouvais toujours le moyen de contredire.

Vint la défaite de 1940 et l'occupation allemande de la Tunisie en 1942.

8 novembre 1942.

La nouvelle se répandit à Tunis comme l'éclair. Les Alliés ont débarqué à Alger ! Le général Giraud rallie De Gaulle ! Le surlendemain, le canon tonnait à Medjez el Bab. Mon père exultait.

« Les Américains seront à Tunis ce soir ou demain... et de là ils nettoieront la France de tous les Boches. » L'occupation, la défaite... Fini. Enfin !

Le 13 novembre 1942, alors que je m'apprêtais à me rendre à mon lycée, je vis par la fenêtre un curieux manège.

Nous habitions en face de la Poste centrale. Un lourd édifice de pierre dont l'importance stratégique semblait évidente. Des hommes vêtus de drôles de combinaisons — comme des combinaisons d'astronautes d'aujourd'hui — couleur de feuillage, vert et brun, armés de mitraillettes, aux casques profonds et ronds tombant jusqu'aux yeux, arpentaient le trottoir.

Je passai près d'eux, les frôlai presque.

Grands, blonds, beaux, un regard impassible et clair. De vrais Aryens. Ils regardaient avec une curiosité amusée la cohorte de petits Arabes qui leur tendaient des oranges avec d'immenses sourires. Je m'approchai d'eux pour traverser et gagner mon lycée. J'en profitai pour mieux les regarder. Pas de doute ! Leur blondeur, l'azur de leurs yeux, leur teint rose et blanc, ils ne pouvaient venir que d'un Nord lointain.

« Ce sont des Suédois », affirmai-je à mon amie Jacqueline Renaudet, en racontant ma découverte.

Nous allions commencer notre cours d'histoire quand on appela une des élèves. Ses parents étaient venus la chercher. Elle s'en alla. Quelques minutes après, ce fut le tour d'une autre, puis d'une autre encore. En moins de deux heures, la classe se vida. Jacqueline et moi demeurions seules avec notre professeur qui consentit enfin à nous expliquer : « Les Allemands ont débarqué en Tunisie... Les parents de vos camarades craignent des troubles. Ils ont préféré les avoir auprès d'eux. »

De retour chez moi, je trouvai des visages graves.

« Ils vont nous mettre dans des camps de concentration, et nous porterons l'étoile jaune. » Édouard expliquait qu'en Europe les Juifs avaient été persécutés, « avec l'aide de Pétain, d'ailleurs. Comme si les S.O.L. [1] ne suffisaient pas, il nous fallait les nazis à domicile. »

Fortunée se demandait si tout cela n'était pas exagéré, après tout, ils semblaient plutôt calmes, ces soldats. Et si jeunes, si blonds ! Je hasardai que ce vendredi 13 nous portait malheur et me fis aussitôt rabrouer : « Tu veux toujours parler comme une *roumia,* ces superstitions n'ont rien à voir avec nous. »

Le parachutage des Allemands provoqua une véritable liesse chez les Arabes. Dans les rues, les uniformes verts drainaient vers eux les offrandes, les poignées de main, la fraternisation.

« Deutsch-Arabes, kif kif », disaient de jeunes garçons aux soldats médusés.

La France humiliée. Une parcelle de dignité tunisienne retrouvée en creux, par la mise au pas de l'oppresseur. Le racisme colonial, à son tour, écrasé par plus raciste que lui.

De toute manière, ces Arabes, nés traîtres, trahissaient.

« Ils sont d'une autre race, expliquait une voisine à ma mère, ils vous plantent un coup de poignard dans le dos si vous ne les tenez pas en laisse... »

Cette histoire me troublait. Comment des victimes

1. Service d'ordre de la Légion, devenu la Milice française, en 1943.

du racisme parvenaient-elles à s'allier à Hitler, et à *Mein Kampf,* dont l'oncle Jacques m'avait vaguement parlé ?

Je commençais à posséder, par mes lectures, quelques points de repère. J'avais appris, par exemple, que le colonisé doit utiliser à son profit le jeu des contradictions objectives, dans un rapport de forces donné. Tout de même, je ressentis un malaise en retrouvant mes amis Skander ou Fatima. Comme tous les grands bourgeois non politisés, ils fraternisaient aussi. Pour eux, aussi, la libération passait par la revanche.

Avec quelques autres, très rares, il revint aux communistes tunisiens de sauver l'honneur.

Mon oncle Jacques, frère d'Édouard, avait rejoint le Parti communiste. Depuis toujours, me semblait-il. Il entra dans une semi-clandestinité et, quand la répression s'abattit sur le noyau dirigeant du Parti, il hébergea les responsables recherchés par les Allemands. Certains d'entre eux furent condamnés à mort par les tribunaux de l'occupant, d'autres déportés en Allemagne.

Ma mère persiflait : « Quand on frappe à sa porte, Jacques se cache sous le lit. Tu parles d'un courage ! »

Fortunée ne comprenait rien à la politique. Elle haïssait le communisme, elle n'aimait ni Jacques, ni sa femme Marcelle, parce qu'ils apportaient à ses filles la liberté et l'ouverture dont nous avions si soif. Gaby et moi allions souvent passer la soirée chez mon oncle. Après les réunions de cellule, nous bavardions longuement avec nos camarades sans frontières.

« Ils profitent, ils profitent de nos filles », tonnait Édouard.

Pendant les années qui suivirent, nous fîmes des fugues chez l'oncle Jacques. Régulières et « domiciliées ». Ces départs perdirent ainsi leur dimension dramatique. Mes parents nous savaient, malgré tout, en sécurité. Nous deux, nous vivions toujours la même aventure, incomparable. Nous nous sentions libres. De sortir, de parler, de débattre. Nous pouvions choisir le lieu, l'interlocuteur, le thème. Nous discutions de nous comme un futur à construire. De nos mains.

Du communisme, à cette époque, je ne retins qu'un apport, pour moi, fondamental : il donnait à voir la fin du colonialisme en Tunisie. Il combattait, idéologiquement et concrètement, le racisme.

Clichy-la-Garenne

Ma mésaventure de Clichy-la-Garenne me fit perdre quelques illusions.

J'arrivai à Paris en 1945. J'avais dix-huit ans. Je quittais pour la première fois ma Tunisie natale.

La guerre était finie, mais l'environnement restait d'exception, cartes de rationnement, moyens de transport difficiles, vêtements introuvables. Les séquelles de l'occupation allemande marquaient le pays et les esprits.

Je m'en moquais. Seule la grande émotion de « toucher » enfin la France me submergeait. Ce pays que j'avais construit en moi, à partir de mes lectures, de mes images, de mes fantasmes, me devenait terre et lumière. J'allais m'y intégrer, m'y fondre avec volupté. La tour Eiffel me mettait les larmes aux yeux, Notre-Dame, tel un aimant, me tenait immobile de longues heures sur le parvis, je me perdais, éblouie, dans le Marais. A chaque rue, chaque place, je voyais surgir des vieux hôtels le Roi-Soleil et Racine.

Je n'avais en poche, lors de mon arrivée à Paris, qu'une lettre pour un couple habitant Clichy.

Le fils devait s'installer à Tunis. Avant de partir, il avait rencontré mon frère aîné, qui lui donna notre adresse. Il vint nous voir. Apprenant que je me rendais à Paris, il m'offrit de loger chez ses parents, à Clichy : « Ma sœur est partie, moi je reste deux ans en Tunisie. Ma mère sera ravie de retrouver une autre fille... et mon père, qui est retraité, vous promènera dans la capitale qu'il connaît bien. »

Ce langage rassura mes parents dont l'anxiété grandissait. Je n'en démordais pas, coûte que coûte, sans argent, sans amis, sans accueil, je m'inscrirais dans les facultés parisiennes[1].

Gare de Lyon, un petit matin de septembre. Je traînais deux lourdes valises — l'une d'entre elles valait, selon ce jeune Français, de « l'or en barre », songez, dix litres d'huile d'olive, cinq kilos de café pur, des sacs d'oranges —, un cabas, un vieux cartable plein de livres. Me rendre en métro à Clichy exigeait des forces qui me faisaient défaut. L'idée du taxi ne me vint pas, cela faisait partie d'un luxe hors de ma portée, de ma tradition familiale. Avais-je même pris un taxi auparavant dans ma vie ? Je ne le crois pas.

Je mis donc l'une des valises (« l'or en barre ») à la consigne, ainsi que le cabas. Avec mes livres et la deuxième valise, je pris, péniblement, le métro. Un homme me donna quelques indications sommaires pour m'orienter dans ce labyrinthe. J'en avais tant rêvé, du métro, que je ne ressentais pas la moindre appréhension. Au contraire. Monter dans ces voitures me remplissait d'exaltation. Le métropolitain, prendre le métro, les bouches de métro, les rendez-vous dans le métro, le dernier métro..., toute une littérature fantasmatique, pour moi synonyme de

1. Cf. *La Cause des femmes, op. cit.*

culture, de mystère, de danger, d'héroïsme — la Résistance —, Paris, même souterrain, me montait au cœur. Je regardais avec intensité autour de moi. Les hommes et les femmes se hâtaient, plutôt moroses, une cigarette aux lèvres ou un journal à la main. Ils ne savaient pas qu'ils écrivaient — les veinards — la fresque quotidienne de la plus belle ville du monde. J'avais bien remarqué leur indifférence, leur silence, leur étanchéité aux autres. Je mettais ce comportement gris sur le compte de leur sérieux, de la sobriété d'expression des gens du Nord. Ils ne m'en devenaient que plus aimables.

Après quelques changements, je fis surface.

Clichy-la-Garenne.

Je m'enquis de mon chemin. Mais, dans l'impossibilité de soulever la grosse valise, j'entrai dans une boulangerie et m'adressai à une femme âgée dont les yeux pâles souriaient de bonté. Je demandai à laisser ma valise pendant un quart d'heure. Le temps de voir Mme et M. André G..., qu'elle connaissait d'ailleurs.

« Elle fait des ménages à la mairie, une femme remarquable. Lui... lui... (la boulangère hésita), c'est autre chose, il a perdu une jambe à la Grande Guerre, il ne travaille pas. » Elle répéta : « C'est autre chose, vous verrez. »

Je vis très vite. M. G... buvait et son alcoolisme atteignait la cote d'alerte. Il rentrait tous les soirs soûl. Et digne. Sans un mot, sans un regard, il allait se coucher.

Avec sa femme, il m'avait fait cependant fête : « Gisèle, on vous appelle Gisèle, vous allez remplacer notre fille. »

André G... était secrétaire d'une cellule communiste de Clichy. Il me parlait souvent, pêle-mêle, de Marx, de Maurice et de Jeannette, du pacte de non-agression (qu'il approuvait, bien sûr) et de la chute du Front populaire, que seuls les sociaux-démocrates avaient provoquée. Il s'intéressait à mes réactions, plutôt avec affection. Le dimanche matin, il m'emmenait avec lui faire un tour. Il m'exhibait fièrement auprès des vendeurs de l'*Huma Dimanche* et des bistrotiers du quartier.

« C'est ma fille, ça. Je viens de l'adopter. Elle va à l'Université. C'est une tête, ça. » Il ajoutait, à tel ou tel camarade, avec des signes de connivence : « Je voudrais bien qu'elle adhère, tu sais... »

Jeanine G... souffrait de l'absence de sa fille. Elle m'en parlait souvent, à voix basse. Je l'écoutais volontiers et profitais ainsi de tout un stock de tendresse maternelle rentrée.

De temps en temps, elle allait chez sa sœur, à une centaine de kilomètres de Paris, pour en rapporter du ravitaillement et mieux me nourrir.

« Ta carte J3, c'est tout juste bon pour mourir de faim, à dix-huit ans ! »

Elle exagérait à peine. Bien que dans une catégorie privilégiée[1], mes tickets — cent grammes de viande ou deux cents grammes de poisson hebdomadaires — ne suffisaient guère à mon solide appétit.

Jeanine me confia que son mari, alcoolique profond, buvait chaque jour davantage et, pour payer ses tournées, jouait aux courses. Communiste comme lui, elle en ressentait une sorte de honte spécifique : « Le Parti ne va pas tolérer ça longtemps... il traîne de plus en plus la jambe et n'est plus bon à rien... Et puis, un secrétaire de cellule dans cet état ! » Elle ajoutait, pour l'excuser : « C'est sa blessure, un drame terrible. Il ne s'en est pas remis. »

1. Cartes d'alimentation J3, pour les seize à vingt ans, pendant les restrictions.

Elle me demandait souvent si je ne connaissais pas un moyen de l'aider, de le désintoxiquer, de l'alcool et du jeu. « Je l'aime, tu sais », ajoutait-elle avec pudeur, en quittant la pièce.

Le jour de mon arrivée, j'avais remis le peu d'argent tunisien que je possédais à André G... Il devait me le changer en francs français. J'avais déposé aussi mes autres richesses, bidon d'huile, sac de café et oranges.

Le temps passait. André G... ne me rendait pas ma fortune. Les réunions, les permanences, ses occupations — pour moi mystérieuses — ne lui avaient pas permis de faire le change, expliquait-il.

Après une dizaine de jours, réduite aux seuls tickets de métro qu'il me donnait et aux quelques francs que m'avançait Jeanine, je me hasardai à lui dire qu'il me fallait bientôt payer mes droits d'inscription à la faculté.

« André Marty vient, tu comprends, je dois aider à ce grand meeting. Je ne peux pas aller à la banque... Pas le temps... D'ailleurs, je t'emmènerai, à ce meeting. »

Dans une immense salle comble et frémissante, Marty parlait. Je l'écoutais, fascinée par ce style direct, concret, la manière qu'il avait de conclure, ficelant à lui toute l'assistance, subjuguée.

La foule hurlait, applaudissait, se levait. Les damnés de la terre se tenaient bien debout.

Je me laissai emporter par le rythme et le bruit. A la fin, j'entonnai avec tous *L'Internationale* à pleins poumons, le poing levé. André G... m'entraîna par la main dans la cohue. Sa jambe de bois forçait le passage à merveille, les militants s'écartaient avec respect.

« Je te présente Gisèle, ma fille adoptive. Elle vient de Tunis pour faire ses études. »

Marty me dévisagea avec sympathie.

« Tunis, ah oui... Comment ça va, là-bas, le colonialisme ? »

Je bafouillai des généralités, assez fière, impressionnée même de converser avec ce grand personnage. Je voulais lui faire part d'une ou deux objections que j'avais, Marx d'abord et Staline surtout, le pacte... Mais je m'étais tue et Marty avait été happé par un groupe de Fontenay-sous-Bois.

Plusieurs jours encore après cette soirée, André G... vécut dans une grande euphorie. Il en parlait à tout venant, sur le zinc et ailleurs.

La date limite d'inscription approchait. Cette forclusion me hantait. Arriver à Paris et ne pas pouvoir s'asseoir sur les bancs des facultés !

Ce samedi, Jeanine s'en était allée au ravitaillement, dans la ferme de sa sœur. Elle lui apportait un peu du précieux café tunisien en échange d'un ou deux rosbifs.

« Je te laisse avec Gisèle, occupe-toi d'elle », recommanda-t-elle à son mari.

Je l'attendis pour déjeuner. J'avais préparé le couvert et une omelette. J'étais décidée, je devais le convaincre de me rendre mes sous, tunisiens ou français. Il ne pourrait plus me dire qu'il manquait un papier ou que la banque refusait de faire le change. Je m'étais renseignée auprès de la boulangère amie.

« Il me faut aller à la Sorbonne et à la faculté de Droit lundi pour les inscriptions », attaquai-je d'entrée de jeu, dès son arrivée.

J'avais choisi d'être ferme, mais ses yeux injectés me faisaient un peu peur. Sa tournée avait été plus longue que d'habitude, il savait qu'il n'aurait pas aujourd'hui à affronter le silence douloureux de sa femme.

« C'est le dernier jour, lundi, pour payer les droits. » Je viens de parler d'une traite, sans lever le nez de mon assiette.

Brusquement, il bascule sur sa chaise, en s'aidant de sa seule jambe et de ses mains, il se tient à la table, il a repoussé son assiette d'un coup de coude.

« J'en ai marre, marre de toi et de ton fric... ma parole... pour qui tu te prends... toujours à réclamer... Ça suffit... Si t'es pas contente, t'as qu'à foutre le camp, fous le camp, c'est ça... »

Debout, le regard rouge, la moustache grise recouverte de salive, il me menace avec sa canne : « Tous pareils, les Juifs... vous ne pensez qu'à ça, au fric... sale youpine, toi et tes frères, des sangsues, c'est ça, vous êtes nos sangsues. » Il crie, comme un fou, la bave aux coins des lèvres.

Je le regarde, pétrifiée. L'homme aux grands discours généreux sur l'égalité, le colonialisme, le racisme ? Le communiste respecté, le patriote mutilé ? Il ne reste qu'un énergumène haineux qui me pousse vers la sortie.

« Mais je dois m'inscrire, comprenez-moi. » Il ne comprend pas, je n'ai rien compris, je m'entête.

« Fous le camp, hurle-t-il, fous le camp, tout de suite, pas une minute de plus sous mon toit, la youpine... dehors... je ne veux plus te voir... » Et il me chasse, de sa canne, vers la porte.

Je finis par avoir peur. Ce qui me permet d'oublier ma fortune escroquée et de battre en retraite vers ma chambre. « Je prends mes affaires... je m'en vais », crié-je à travers la porte.

En fait, je ne prends que mes vêtements et mes livres. Il refuse tout net, dans son délire, de me rendre mon or, ma monnaie d'échange, l'huile, le café.

Une demi-heure plus tard, je me trouve sur le trottoir, dans la cour du grand ensemble H.L.M. Les valises, l'errance, le désarroi, où aller ? Je m'assieds sur l'escalier, un peu désespérée.

Je n'avais, en France, qu'une planche de salut, la boulangère. J'abandonnai ma valise à la garde d'un voisin et me rendis chez elle : « Il faut que quelqu'un puisse m'héberger. André G... m'a mise dehors. »

Elle songea aussitôt à Mme Damour.

Elle la connaissait de longue date. Agée de soixante-dix ans environ, veuve depuis quelques mois, sans autres ressources qu'une très maigre retraite de cousette de chez Patou, inexorablement sourde, Mme Damour cherchait à la fois une compagnie et un peu d'argent. Elle ne pouvait offrir en contrepartie qu'un sofa transformable en lit — qui se révéla fort incommode car mes pieds dépassaient — dans la salle à manger, avec w.-c. à l'étage, toilette sur l'évier de la cuisine, et eau froide.

« Téléphonez-lui, il faut que je puisse y être ce soir, si elle accepte. »

La description austère de la boulangère ne me découragea pas. C'était presque comme à Tunis, sous le toit paternel. Un peu plus inconfortable cependant. Mais cela comptait peu. Je n'avais, de toute manière, pas le choix.

Mme Damour, surprise par ma précipitation, souhaitait ne m'accueillir que dans trois ou quatre jours. J'insistai. Deux heures plus tard, accompagnée de la fille de la boulangère, je sautai dans un taxi et embrassai Mme Damour au 21, rue de l'Annonciation.

Je ne possédais que quelques francs prêtés par la boulangère : « Jeanine vous remboursera tout ce que son mari vous doit, sur son salaire, j'en suis certaine, c'est une femme d'honneur. »

En effet, dès son retour, Jeanine m'écrivit une longue lettre à laquelle elle joignit un mandat-poste. Elle me demandait pardon, la guerre, l'amputation, l'alcool avaient fait d'André un autre homme, elle l'aimait, elle souffrait, je devais comprendre, « il s'est mis à détester les autres », elle me suppliait d'oublier.

Je n'oubliai pas.

De nouvelles meurtrissures rouvraient la blessure.

Blum mangeait dans de la vaisselle d'or

A la faculté de Droit, je m'étais fait assez vite quelques amis, filles et garçons. Les récits de mon enfance tunisienne et les flots de lumière que je déversais de ma mémoire les enchantaient.

« Ah ! la colonie... y faire un tour, cueillir des oranges, vivre en pacha le temps d'un stage ! »

L'ignorance de ces jeunes intellectuels, leur absence de curiosité sur la réalité de ces pays subjugués m'étonnèrent, puis m'agacèrent. Le sort du Tunisien ne leur semblait pas poser problème. Nous leur apportons tant ! Et leur civilisation ? Savaient-ils seulement qui était Ibn Khaldoun ou la Kahéna ? Dans la plupart de ces esprits, les cultures africaines ou islamiques n'avaient ni nom ni histoire.

A la sortie des cours mais dans l'enceinte de la fac, de jeunes excités de la Corpo de Droit balançaient des tracts qui dénonçaient les auteurs de la défaite de 1940 : les Juifs et leurs complices, les francs-maçons. Des traîtres. Pas français, à peine hommes. Souvent des bagarres mettaient aux prises de petits groupes entre eux.

Je regardais, écoutais, me taisais. Je passais encore entre les gouttes car je pris l'habitude, pour apprendre et comprendre davantage, de taire mes origines.

J'opposais à ces propos racistes un silence équivoque. Lâche.

Je ne regrette pas cette lâcheté. Elle m'a donné le temps de réfléchir, de reprendre mon souffle, d'essayer d'ajuster mes connaissances. La Révolution française et les anathèmes sur la juiverie internationale provoquaient en moi un grand désordre dans les idées reçues. J'avais besoin de souffler un peu, de faire le point, de choisir mon camp. Et surtout de savoir le défendre.

Mme Damour s'attacha très vite à moi. Je l'appelais « marraine » et elle me disait « mon petit ». Je restais des soirées entières à lui hurler dans l'oreille des histoires de mon enfance tunisienne, en buvant la tisane qu'elle confectionnait avec des peaux d'oranges. Je lui chantais même, visage contre visage, des airs d'opéra qu'elle avait entendus pour la dernière fois vingt ans auparavant, quand son ouïe fonctionnait.

Une à deux fois par semaine, nous recevions la visite d'une voisine, Mme Delrue. Veuve aussi, auréolée de cheveux blancs, d'une grande distinction bien que d'origine modeste, et accompagnée de ses deux chats.

Mme Delrue vivait dans le souvenir obsessionnel de Georges, feu son héros de mari. Héros absolu. A l'avant-garde des Croix-de-Feu, il militait avec acharnement. Présent aux premiers rangs lors de la journée du 6 février 1934 sur le pont de la Concorde, il faisait désormais partie de l'Histoire. La veuve apportait des photos de lui en uniforme, des décorations, des articles de presse. Je découvrais ainsi le panthéon de l'extrême droite musclée de l'époque.

« Georges disait : nous avons été trahis en 1940.

Les Léon Blum et ses cousins nous ont vendus. La France est mitée par les Juifs... »

Marraine qui suivait la conversation par à-coups en mettant sa main à l'oreille, dans laquelle je lui criais quelques bribes, demeurait passive. Elle n'avait pas de point de vue particulier, elle trouvait important que je reçoive vite un colis d'huile et d'oranges de Tunisie, elle souhaitait surtout nous dire la grande misère des retraités. Plutôt inculte, elle aurait volontiers adhéré à l'explication simple du bouc émissaire. Certains entassent des richesses — Blum mangeait dans de la vaisselle d'or, Mme Delrue en détenait la preuve —, et d'autres, comme elle, survivaient difficilement. Pourquoi accepter chez nous ce peuple qui nous saignait, nous volait notre bien et le pouvoir, les Juifs ?

Quand nous étions seules, je me hasardais quelquefois à jeter le doute sur les vérités de Mme Delrue. Marraine refusait la discussion, se contentant de souligner qu'il y avait des bons et des mauvais partout. Dans toutes ces explications, un résultat certain : j'étais en train de briser mes cordes vocales !

Je regardais attentivement les trophées de l'extrême droite, je me taisais.

« Et en Tunisie, il y a aussi des Juifs, malheureusement ? »

Je fixais Mme Delrue sans répondre, hésitante. Comment lui dire la vérité ? Comment prendre le risque de me retrouver à la rue ? et mes études ?

« Il y a toutes sortes de races, en Tunisie. Les Européens, les Arabes, les Juifs. Arabes et Juifs sont des Sémites d'ailleurs. »

La veuve du pont-de-la-Concorde-du-6-février-1934 s'étonne : « Les Arabes aussi, des Sémites ? » Sa *Weltanschauung* en paraît ébranlée. « Mais ils sont dans nos colonies, eux, les Arabes, ils ne peuvent pas nous nuire, nous les tenons. »

Ce double statut la rassure. Les inoffensifs, puisque sous la botte, et les autres, les incontrôlables, ceux qui sont partout, les Juifs. D'ailleurs, ils ne veulent pas cultiver la terre, ils dominent les vrais Français avec leur malignité diabolique et leur fric.

Mme Delrue exhibait des numéros de *Je suis partout,* où figuraient, encadrées au crayon rouge, des caricatures antisémites. « Regardez ces nez et ces doigts crochus... pour faire main basse sur le pays. »

Parfois, elle s'emportait : « Une vermine, à écraser... »

Je revivais ces scènes ce jour d'été de 1957 quand, dans le bureau de Robert Lacoste, à Alger, je croyais lui dévoiler les horreurs de la répression française dans la bataille d'Alger. « Interrogez Paul Teitgen [1]... Les paras se conduisent comme des S.S. Vous ne pouvez pas couvrir cela ! »

Lacoste m'avait reçue sans difficulté quand j'avais demandé à le rencontrer.

Il tournait le dos à la beauté immuable de la baie d'Alger, vêtu d'un pantalon léger et d'une chemise aux manches retroussées.

« Il faut bien en finir avec ces bombes et ces terroristes... »

Le ministre résident — qui avait succédé au gouverneur général Soustelle en février 1956 — me paraissait peu politique et pas très socialiste dans son approche. J'évoquai, avec précaution, la lutte du

1. Ancien résistant, ancien déporté, nommé secrétaire général à la Préfecture de police d'Alger (13 août 1956), il tenta courageusement de s'opposer aux tortures et aux liquidations physiques perpétrées par le général Massu.

peuple algérien, la fin nécessaire de la colonisation, le F.L.N. qui ...

Je ne terminai pas ma phrase. Lacoste avait bondi hors de son fauteuil : « Le F.L.N, le F.L.N., qu'est-ce que c'est... rien ! rien du tout !... C'est vous, les intellectuels de Paris, qui l'avez fabriqué, le F.L.N... Ils sont une poignée... des voyous, des assassins. »

Le ministre s'était approché de moi, il criait presque : « Regardez, regardez... c'est comme une vermine... regardez ce que j'en ferai... je les écraserai, comme ça, de mon talon, oui, de mon talon ! »

Il gesticulait, tout en piétinant des reptiles imaginaires. La sueur dégoulinait sur son visage congestionné. « Le F.L.N. n'existe pas... il y a longtemps que sans vous, les avocats des rebelles, sans *France-Observateur,* les Bourdet et les Martinet et les autres, on n'en parlerait plus... »

Il m'avait jeté au visage, debout à quelques centimètres de moi, ses injures. Une violence infantile. L'autruche, qui ne veut pas voir, devenue chien enragé. Ainsi, comme les Juifs, les combattants algériens se réduisaient à une vermine.

Dans sa jeunesse, cet homme-là avait été un ardent syndicaliste...

Lorsque je dus travailler par équipe, jour ou nuit, comme téléphoniste au standard de Paris-Militaire [1], mes rapports avec marraine se détériorèrent. Elle ne supportait pas mes soirées de liberté ou d'études. Habituée à ma présence, toute défection lui sembla trahison.

Or je nourrissais une curiosité très particulière : je

1. Cf. *La Cause des femmes, op. cit.*

voulais vérifier par la connaissance concrète mes acquis livresques. J'avais hâte de tout découvrir, l'Opéra, la Comédie-Française, les chansonniers. Un comité d'aide aux étudiants de la rue Soufflot disposait d'un contingent de places bon marché. Je m'y fournis goulûment et hantai les poulaillers deux à trois fois par semaine.

Je quittai donc Mme Damour et ses tisanes, Mme Delrue et ses reliques Croix-de-Feu.

J'allai partager, avec une amie, une chambre lumineuse rue du Faubourg-Saint-Jacques, au sixième étage sans ascenseur, avec un grand balcon qui surplombait presque la salle d'opération de l'hôpital Cochin.

Je commençais vraiment à vivre comme je l'entendais. Je n'eus plus peur et plus besoin de masques. La liberté que je rêvais de conquérir en quittant la Tunisie devint ma grande affaire.

LE LAIT DE L'ORANGER

Je n'aime pas le lait. Le beurre m'écœure et les odeurs de fromage me font presque vomir.

En Tunisie, le bol de café au lait matinal — du lait à peine teinté — était considéré comme l'arme absolue contre toutes les maladies.

Mes parents, pour m'en convaincre, avaient tout essayé : les engueulades maison (menaces, invocation de Dieu, gesticulations vers le ciel), les gifles, les privations de sortie, les promesses enfin. Nous en étions au vil marché : « Si tu bois ton lait, tu auras deux francs par semaine. » Ô tentation ! Comment résister ? Je voulais aller au cinéma et acheter les albums de *Bicot* dont je me délectais.

Mais je continuais de détester le lait, cet élixir miraculeux qui, seul, fait grandir. Nous savions, depuis toujours, que la soupe ne profite qu'aux Français, comme d'ailleurs la légende de nos ancêtres — les Gaulois.

Un jour béni, je trouvai la solution.

Dans notre petit jardinet de la Goulette, en son milieu, poussait un oranger. Ou, plus exactement, il ne poussait pas. Malgré tous nos efforts et tous mes soins. Je l'arrosais, creusais la terre avec ma petite pelle de plage pour y mettre de la cendre, lustrais ses feuilles avec un chiffon humide pour qu'elles emmagasinent l'oxygène... Rien n'y faisait. Je me morfondais à son pied, lui murmurais mon inquiétude, le suppliais de prendre quelques centimètres, un ou deux, pas plus. Je passais des heures auprès de lui, le caressais, le regardais. Peine perdue ! Il présentait toujours cette forme ridicule d'arbre avorté. Petit, trapu, feuillu, sans grâce... et sans fruits. Pas une orange, jamais. Pas même ces fleurs-bourgeons, blanches et si capiteuses.

Un arbre sec, un nain pour l'éternité.

Ce jour-là, mon bol à la main, je vais vers lui. Il faut faire vite. Je regarde derrière moi, en haut, vers les fenêtres :

Personne. Je verse le lait au pied de l'arbre et m'en retourne, étonnée par tant de facilité.

Opération cent pour cent réussie, cent pour cent à profit. Je ne bois pas ce lait qui me soulève le cœur, j'en transmets les vertus à mon oranger, qui va (enfin) grandir, et je m'enrichis toutes les semaines.

Ajoutez à cela que mes parents me fichaient la paix et s'extasiaient sur ma bonne mine : « Le lait... rien de tel », répétait Édouard avec satisfaction.

Mais tant va le lait à l'oranger...

Édouard et Fortunée finirent par être intrigués. J'ingurgitais le breuvage magique avec une telle rapidité ! De plus, je dissimulais mal ma satisfaction. Un matin, ils me guettèrent, cachés derrière les volets. Quand je revins à la cuisine et posai mon bol vide avec le « ça y est... j'ai fini » habituel, Édouard me balança une paire de gifles gratinée : « Tu t'es foutue de nous », plus quelques injures en arabe, « fille du péché, petite menteuse », etc. Comme à l'ordinaire, une répression modérée. Moi, « la préférée » d'Édouard, ainsi que le rappelait souvent ma mère, je bénéficiais de tarifs privilégiés.

L'incident ne m'affecta guère. Je ne bus de lait qu'à doses homéopathiques sous les yeux, devenus vigilants, de Fortunée et me livrai, avec ce talent de l'enfance, à la comédie des nausées, des hoquets, des malaises.

Je traînai surtout une grande tristesse. Mon oranger bien-aimé ne prit pas un millimètre. Il mourut sous le bombardement des *forteresses volantes* américaines, en 1943. Sans avoir jamais éclaboussé le soleil de ses fruits vermillon, sans s'être éclaté vers le ciel en cette fleur gigantesque, vert brillant et blanc de velours.

Le lait de l'oranger ne produisit pas de miracle. Parce que les orangers n'aiment pas le lait. Ils aiment la terre tendre, l'eau pure, et le soleil. Et surtout, ne développent de solides racines et ne se chargent de fruits que nourris de leur vérité.

Les hommes sont comme les orangers. Il leur faut choisir ce qui les aide à vivre, ce qui les épanouit.

Fillette, je ne le savais pas encore.

Je n'aimais pas le lait et je détestais la contrainte. Mais je croyais juste de l'imposer à l'arbre qui m'était si cher.

La vie entre les gens, l'histoire entre les peuples sont faites de ces contradictions. Se font à travers ces contradictions.

Mes résistances enfantines

Comme un accord avec moi-même, un ajustement tout personnel entre mes découvertes théoriques et ma vie, j'entrai très tôt en politique. D'une manière atypique. Je ne me sentais guère concernée par les structures et les programmes des partis. Valéry avait bien raison, leur ligne politicienne tenait en l'art de nous empêcher de nous mêler vraiment de ce qui nous regarde. Je trouvais, certes, leur existence et le choc de leurs contradictions nécessaires à la démocratie. Mais ce jeu, cette discipline, je les abandonnais aux autres. J'avais trop soif d'indépendance et d'invention pour me trouver à l'aise dans ces hiérarchies archaïques. Je croyais à la spontanéité, à l'originalité des initiatives, à la poésie même, dans toutes les batailles de justice.

Je voulais donner la rose aux démunis, et laisser aux politiciens le soin de les fournir en pain.

Je ne rejetais pas la cohérence du projet de société, mais la rigidité de l'a priori idéologique. Il fallait, pour me séduire, que le projet ressemblât à l'utopie. Des discussions jusqu'au vertige, des audaces d'idéalistes, nous conduiraient — j'en avais la certitude — aux actions concrètes qui changeraient le monde. Ma *praxis* politique, née de ces rêves, se confondait cependant avec un certain réalisme. J'agissais, mais je cherchais sans trêve la voie de l'absolu.

Comment l'atteindre ? Réponse toute simple. En parlant, en décidant à la première personne. En négligeant des théories dépassées et en dépassant l'individualisme borné, par ma propre expérience.

J'étais, on le voit, parfaitement hétérodoxe.

Ainsi avais-je un faible pour l'action d'éclat, voire personnelle, même si elle entraînait les grimaces de mon groupe du moment. J'aimais me mettre en avant, prendre la parole, convaincre de mon point de vue. Tous défauts évidemment incompatibles avec les carcans de l'organisation. Et avec le rôle dévolu, à mon époque et en Tunisie, à une adolescente.

Mes parents avaient beau me rappeler qu'une jeune fille ne devenait honorable que nantie d'un mari et de quelques enfants, et me pousser ainsi à me couler dans le moule des autres filles de mon âge, je ne pouvais — forte de cet entêtement « anormal » — que nier ce destin qu'ils me fabriquaient.

Sans vraiment le savoir, je me conduisis en féministe, tout en liant ce désir d'existence autonome d'une fille à la nécessité de peser, en général, sur notre monde, de l'orienter.

Comme les hommes, et avec eux.

Mes premières luttes se traduisirent par une volonté d'ingérence dans l'univers masculin. Je rejetai, en bloc, l'éducation donnée aux filles. Je refusai d'apprendre à coudre[1], à laver la vaisselle, à servir les chefs — père et frères — de la maison[2]. Vers l'âge de quinze ou seize ans, je me sentais attirée

1. Ce que je regrette un peu aujourd'hui, tant est grande ma nullité en cette matière.

2. Cf. *La Cause des femmes*, *op. cit.*

vers l'action des hommes. Je voulais leur parler, agir avec eux, casser la ségrégation dans laquelle Édouard et Fortunée m'enfermaient.

Me mêler de politique supposait certains acquis. Je les entassai dans le désordre. Par une auto-éducation et par une démarche qu'à cette époque, déjà, je ne concevais qu'égalitaire.

D'où la volonté de m'intéresser à tout : comprendre la défaite de 1940 et remonter les filières du colonialisme, prendre part aux exploits de nos héros masculins et m'interroger sur leur hégémonie dans l'histoire. Cette curiosité active me classa dans les dissipées, les agitées, les insolentes.

Dès 1942, je rôdais autour d'Édouard quand, le soir, avec d'infinies précautions, il captait, à la radio, Londres et la France Libre.

Je retenais par cœur les messages personnels : « *Tant va la cruche à l'eau...* », « *Rien ne sert de courir...* », « *Le lapin porte des pantalons blancs* », « *La chienne de Barbara a eu trois chiots* », dont le bon sens populaire ou les images inattendues m'enchantaient. « *Attention Franklin, Robert arrive* », annonçait le débarquement américain à Alger.

Avec deux de mes copines, Jacqueline Renaudet et Loly Lévy, nous les écrivions sur le tableau avant le cours d'histoire. A tour de rôle, à tour de slogan, nous nous glissions dans la classe pendant que se terminait, sous le préau, la récréation.

« *Radio-Paris ment, Radio-Paris ment, Radio-Paris est allemand* », l'un des refrains de Radio-Londres[1], je le dessinai, ce jour-là, de ma craie

1. Jean Oberlé.

blanche, en caractères majuscules sur toute la longueur du tableau. Le lendemain, au tour de Jacqueline. Elle avait entendu, sur l'air russe des *Bateliers de la Volga,* les dernières nouvelles :

« Mais-le-Krem-lin-est-encore-bien-loin
et-les-es So-o-viets ignorent-la-défaite. »

Elle s'essaya à l'écriture pseudocyrillique et agrémenta le message d'un joli dessin évoquant la place Rouge.

Le scénario se déroulait de manière immuable. Nous entrions en ordre dans la classe, nous nous asseyions à nos pupitres. Notre professeur, Mlle Berthier, feignait d'abord de n'avoir rien vu et tournait obstinément le dos au tableau et à ses graffitis, manœuvre qui en permettait, pendant quelques minutes, la lecture. Un doigt se levait, insistant, toujours le même. Mlle Berthier regardait ailleurs.

Michèle-Dupont-la-collabo lançait alors, vengeresse : « Mademoiselle, il y a encore sur le tableau des inscriptions antifrançaises. Je lève le doigt pour le dire, mais... »

Notre prof prenait son temps. Elle repoussait son fauteuil, se levait, lisait d'un air un peu méditatif, puis lâchait, comme excédée : « Gisèle, Loly, Jacqueline, vous voudrez bien effacer tout ceci. » Et, s'approchant de nous, presque à notre oreille, elle murmurait : « Voyons, mes petites, voyons ! »

Nous la savions notre complice. Et nous nous enhardissions.

Jacqueline acheta, je ne sais où, trois écussons de tissu sur lesquels une croix de Lorraine bleue, entourée de chardons tricolores, surmontait une inscription en caractères gothiques dorés : « *Qui s'y frotte s'y pique.* » Notre trio arborait cet insigne avec fierté et annonçait à qui voulait l'entendre son allégeance au général De Gaulle.

Une sorte de tolérance nous permit quelque temps de planifier notre résistance.

Première décision : pas de portrait de Pétain dans notre classe, malgré les ordres supérieurs. Michèle Dupont, fanatique du Maréchal, prit l'initiative d'apporter le portrait encadré et de le poser sur une armoire. Riposte immédiate : une action de commando. Pendant la récréation, Loly resta dans la cour à surveiller le mouvement des élèves. Je fis le guet à la porte de la classe. Jacqueline, armée d'un presse-papiers, réduisit en morceaux le vieillard et le sous-verre.

Cris aigus de Michèle Dupont dès que nous regagnâmes nos places : « C'est indigne... » Et, tournée vers nous, menaçante : « Je sais qui, ici, déteste le Maréchal... »

Nos professeurs, dans l'ensemble, faisaient le dos rond. Pas de vagues, une certaine passivité, des incidents vite classés. Mais notre pétainiste de choc s'entêtait. Après chacune de nos descentes, elle faisait don à la classe d'un nouveau portrait de son chef bien-aimé.

Si bien qu'un étrange ballet finit par se jouer. Nous faisions voler en éclats l'homme de la défaite, Michèle Dupont ressuscitait le héros de Verdun. Et ainsi de suite pendant près d'un mois. Plus d'explications, plus de commentaires, une habitude bien synchronisée. Les élèves s'amusaient et les professeurs, distraits, s'obstinaient à ne rien voir.

Que croyez-vous qu'il arriva ? Ce fut Pétain qui se lassa. Notre classe bannit le regard de ce faux pépé aux cheveux blancs.

Presque au même moment, notre résistance remporta une autre victoire.

L'époque pétainiste inventa, pour les élèves du secondaire à Tunis, une institution, dite Ligues de Loyauté. Nous devions toutes prêter serment de fidélité aux idéaux de la patrie incarnés par le-Maréchal-qui-haïssait-les-mensonges-qui-nous-avaient-fait-tant-de-mal, et dans le même temps nous engager, par écrit, à dénoncer la tricheuse, la copieuse, la menteuse. Une école d'infantilisation et de délation.

Notre trio reçut alors du renfort, près d'une douzaine d'élèves. Pour nous, pas besoin de formules et de serments pour être honnêtes et surtout, pas question de donner nos camarades, quels que soient leurs méfaits.

Le jour venu pour former la Ligue, Mlle Berthier nous demande si nous voulons sceller le pacte. Avec tiédeur, elle en explique les règles. Aussitôt, tollé général, interventions en cascade.

« Je ne vois pas pourquoi je dois jurer tout ça, dit l'une.

— Et dénoncer, c'est dégueulasse », enchaîne une seconde.

Les doigts continuent de se lever.

« On n'est ni à confesse, ni à la police, grommelle entre ses dents la fille d'un franc-maçon.

— Pourquoi toute cette histoire ? Avant, on était bien, non ? » La première en maths, angélique, pose la question.

Je parle la dernière.

Mon amie Loly affirme aujourd'hui que je prononçai en cette occasion ma première plaidoirie. Je me souviens seulement d'avoir insisté sur le fait que personne ne pouvait nous dresser à dénoncer nos camarades. Et quant à notre propre loyauté, nous refusions la Ligue et le vieux maréchal pour nous y contraindre.

Mlle Berthier biche, ça crève les yeux. Elle a beau regarder vers la fenêtre pendant que nous parlons, son demi-sourire, rêveur, la trahit.

Je répète : « Nous ne voulons pas de Ligue chez nous », et m'assieds.

J'ai à peine terminé que, sans laisser à la classe le temps de réagir, elle clôt le débat : « Puisque c'est ainsi, nous n'aurons pas de Ligue de Loyauté dans cette classe. » Applaudissements. « Silence ! Je vous prie. J'aviserai le proviseur demain. »

Les pétainistes protestèrent. Le marais — celles qui s'en moquaient — finit par se rallier en force à la décision, notre groupe pavoisa. La victoire.

Ce triomphe nous donna le goût d'autres actions.

Tous les matins, avant d'entrer en classe, nous nous rangions dans la cour pour chanter l'hymne au Maréchal. Trois après-midi par semaine, nous allions au stade faire de la culture physique et nous entonnions une série de chants nouveaux à la gloire du pétainisme.

Je chantonne encore pour certains de mes amis ébahis des échantillons de ce que nous avions appris.

« *Fils de moissonneurs de gloire*
Qui de Jeanne la Lorraine
A Pétain ont fait l'histoire
Sans défaillance
Jeunesse de France... en suivant le grand chef sublime qui nous a montré l'horizon...
Si Travail Famille Patrie sont nos seuls cris de ralliement...
France, ô France de demain... c'est ta jeunesse à

toi qui saura montrer aux yeux du genre humain la France de demain. »

Nous défilions dans les rues de Tunis, en uniforme (short et chemisette), et faisions le salut des jeunesses de France : « *Toujours... prêt.* »

Le bras se tendait, un geste ambigu, depuis Hitler. Nous poussions un cri aussi sec et aussi martial que possible.

Au début, notre trio infernal, comme on nous appela, se contenta de garder le silence. Avec ostentation. Résistance passive. Un jour, je proposai de chanter, sur le même air, d'autres paroles :

« Une bande de traîtres
Qui gouvernent à Vichy
En se disant les maîtres
Traitent avec l'ennemi
Mais ayons l'assurance
De jouer notre rôle
Car De Gaulle c'est la France
Et la France c'est De Gaulle...
Maréchal
Vous voilà, devant nous l'assassin de la France... »

Nous recopiâmes cette version inédite de l'hymne au Maréchal en une cinquantaine d'exemplaires et nous les distribuâmes dans les rangs.

Cette fois, la coupe déborda. Dénoncées et traduites devant le conseil de discipline du lycée, nous fûmes exclues quelques jours. Nous en profitâmes pour imaginer d'autres coups.

Édouard prit plutôt mal cette effervescence. La politique, et encore plus la Résistance, seyaient mal aux jeunes filles. Fortunée se lamentait : « Ce n'est pas nos affaires tout ça et, de toute manière, tu n'as rien à y voir. »

C'est un peu plus tard, que je me mis à fréquenter, avec Gaby, la maison de mon oncle Jacques.

Mon père parlait avec colère de son frère et de sa « clique ». Ce terme générique englobait, au-delà de l'épouse (sa « complice »), les « Arabes », les « pouilleux », et les « communistes » présents toutes les semaines sur les lieux, pour la réunion de cellule.

En secret, cependant, il admirait la culture politique de son frère — Marx, Staline, Maurice Thorez... —, et sa détermination. S'avouer communiste, risquer d'être fusillé par les Allemands en 1943, accepter, revendiquer même sa marginalité, voilà qui méritait considération. Mais, en même temps, ce Jacques le dérangeait.

Fortunée, elle, ne l'aimait pas.

Les raisons ne lui manquaient guère. D'abord Jacques se proclamait athée. « Dieu soit loué... et mes appartements aussi ! » avait-il coutume de lancer en arrivant chez nous, sur le ton de l'incantation religieuse. Provocation qui la hérissait et nous faisait pouffer de rire, Gaby et moi.

Marcelle, ma tante, avait réussi une performance unique pour son époque. Bien que femme et autodidacte, elle régnait sur le cabinet d'un grand avocat comme premier clerc, en fait « homme » de confiance décidant de tout. De l'organisation même des affaires, de l'étude des dossiers, des audiences devant les tribunaux. Experte incontestée, elle se livrait avec Édouard à des joutes techniques, en jargon procédural de surplus, qui agaçaient Fortunée, de tempérament plutôt jaloux.

Enfin, inutile de le nier, l'oncle Jacques exerçait sur nous, les filles, une séduction dangereuse. Ne nous entraînait-il pas vers des fréquentations détestables avec ces communistes de peu de foi ?

Appréhensions qui se révélèrent quelque peu justifiées. Très vite, je lus des brochures, participai à des discussions avec les *camarades,* partageai — sommairement — avec eux un programme d'antiracisme, d'égalité et de justice sociale. La bataille anticolonialiste me motiva très tôt.

J'allais même jusqu'à vendre dans les rues l'hebdo du Parti.

Le dimanche matin, je sortais furtivement de chez moi, passais chez mon oncle, comptais mes journaux et me plaçais au grand carrefour de l'avenue Jules-Ferry, à l'angle même de l'immeuble de *La Dépêche tunisienne,* organe, orgueil et symbole de la présence française. Comme un camelot rompu à cette pratique, j'interpellais les passants : « Achetez *L'Avenir de la Tunisie,* organe central du Parti communiste tunisien... Lisez *L'Avenir* !... »

Des bras m'écartaient sans aménité, des lippes de mépris me toisaient, je ne perdais rien de mon assurance. Je martelais mon annonce d'une voix forte et fourrais d'autorité le journal sous le nez des promeneurs : « A-che-tez *L'A-ve-nir de la Tu-ni-sie* or-ga-ne cen-tral du Par-ti com-mu-nis-te tu-ni-sien ! » Je m'époumonais, sans complexe. Je voulais édifier les masses. Je discutais avec les réticents ou avec ceux que le spectacle, insolite à l'époque, de cette gamine défendant sur la voie publique une cause difficile intriguait.

Un dimanche que je me démenais pour vendre mon troisième *Avenir de la Tunisie,* quelqu'un dans mon dos me fit pivoter sur moi-même. J'eus à peine le temps de reconnaître l'importun. Une formidable paire de gifles me fit vaciller.

« Tu n'as pas honte !... Vendeuse de journaux dans la rue, maintenant ! » Édouard hoquetait d'indignation. « Une jeune fille comme toi !... Déshonorés, nous sommes déshonorés ! »

Il n'aimait guère me frapper et ne se laissait aller à ces extrémités que très rarement. Lui et moi avions les larmes aux yeux. Édouard regrettait déjà sa brutalité et moi, je ressentais le choc de l'humiliation publique et, plus que la gifle, la violence d'une contrainte que je ne supportais plus. Mon père se mêlait de m'interdire mes choix à un moment où je m'estimais libre de prendre ce grand tournant de mon adolescence : m'engager en politique.

Mon féminisme embryonnaire m'entraîna à fonder avec un petit groupe, et sous l'aile tutélaire des communistes, l'Union des jeunes filles de Tunisie.

Plus qu'une activité politique, j'y voyais la possibilité d'apporter aux jeunes filles quelque connaissance. Je considérais que la femme privilégiée, qui étudiait, comprenait les livres, avait l'obligation de transmettre son expérience et son savoir aux autres femmes. Une priorité absolue qui allait bien au-delà de la sororité affective. De mes discussions avec elles, j'avais appris à quel point l'ignorance les enfermait dans leur résignation. Et je ne supportais pas la résignation, celle des femmes en particulier.

Je disais, dans mes petites réunions : « Celle qui a la chance de lire, d'écrire et qui n'aide pas les autres, trahit. » Je savais déjà confusément que l'on ne naissait pas femme et que l'homme, dans son berceau, trouvait le pouvoir des hommes. Depuis toujours. Il faisait le monde en y arrivant, prenait le relais *naturel* de ceux qui avaient décidé avant lui, d'autres hommes, et transmettait les commandes aux jeunes, des hommes encore.

Comme père, il détenait tous les pouvoirs sur ses enfants. La mère veillait aux soins quotidiens —

nourriture, vêtements, horaires de classe —, mais le père, seul, exerçait sur eux autorité et discipline. Le *mekteb*[1] ou l'école publique, l'initiation religieuse, les récompenses ou les sanctions, les absences, plus tard, le choix d'un métier, toutes décisions relevant du *pater familias*. Les filles subissaient leur vie durant la loi du mâle de la famille : père, frère, époux, que ni le droit laïc, ni l'émancipation des mœurs ne limitaient. La virginité et ses tabous investissaient l'homme d'un droit de vie ou de mort en cas de transgression.

Dans ce milieu et sans alternative, les filles de ce pays ne pouvaient que se soumettre.

L'utopie même trouve sa source dans un commencement de réalité. Or, la colonisation, la pauvreté, la religion empêchaient toute prise de conscience. L'imagination la plus forte ne disposait d'aucun repère concret dans le quotidien, d'aucun tremplin qui habillerait les femmes pour d'autres destins.

L'Union des jeunes filles de Tunisie offrait un premier lieu de rencontres.

D'abord peu nombreuses — trois ou quatre —, nous nous retrouvâmes une vingtaine. Discrètement noyautées par nos aînées, staliniennes bon teint, nous nous réunissions une fois par semaine pour parler.

« Mais de quoi parlez-vous ? » interrogeait Édouard, méfiant.

De nous, presque exclusivement. De nos parents qui ne comprenaient rien, de nos frères qui nous tyrannisaient, de nos désirs naissants, de nos enfermements, de nos solitudes. Ce que nous avions cru particulier à chacune d'entre nous, nous le découvrions commun à toutes. Même sort, même impuissance, donc même analyse et même combat.

1. École primaire arabe.

Nous disions non seulement « nous, les filles », mais « notre vie de femmes ». Notre infériorité crevait les yeux et nous le constations sans avoir à nous embarrasser de la contradiction, inexistante à cette époque, entre le discours égalitaire et la pratique de rejet. Tout nous contraignait, depuis notre naissance, à une soumission globale : la tradition, l'éducation, la loi. A quinze ou seize ans, je me sentais femme et l'on me voyait enfant, comme chaque femme ne cesserait jamais de l'être. Les garçons du même âge accédaient au statut d'adultes, pour devenir, quelques années plus tard, des hommes.

Sans écho, ni appui, nous étions parties seules à la recherche de notre identité. A dire vrai, notre Union des jeunes filles prit à peine conscience de sa démarche. Elle se repaissait de la volupté de nos échanges et, pour le reste, se laissait, avec sérénité, manipuler par le Parti communiste. Les moyens de se révolter, de toute manière, manquaient. La plupart de ces femmes savaient à peine lire et certaines, travaillant comme vendeuses ou petites dactylos, remettaient l'intégralité de leur salaire au père ou aux frères pour nourrir la famille-tribu. Leurs loisirs se passaient entre elles, femmes. Le gynécée, les réunions de jeunes filles où elles débattaient de la grande affaire : se préparer à être conduites à l'époux. Elles ne se faisaient guère d'illusions. Un jour, dans leur quinzième ou seizième année, elles se marieraient. Tout aurait été discuté en dehors d'elles, la dot, la maison, le lieu de vie, les couverts, les draps et, bien sûr, l'homme.

« *L'amour ? J'ai ça aussi* »

De confession musulmane, la fiancée n'ôterait ses voiles que pour la nuit de noces. Juive, et un peu plus évoluée, elle aurait droit à une *entrevue* préalable.

L'entrevue faisait tellement partie des mœurs tunisiennes qu'un *ordre des courtières en mariage* fleurit.

Mi-maquerelles, mi-confidentes, elles sévissaient sans pitié. Elles tiraient sur tout ce qui bougeait dans les chasses du célibat, jeune avocat plein d'avenir, ou riche adolescente en bouton.

Par certains signes, s'affichait l'appel au mari. La jeune fille s'habillait, se pomponnait, se livrait, son chaperon sur les talons, à la promenade sous les ficus de l'avenue Jules-Ferry. Manège en rond des solliciteuses aux noces. En même temps, une demande (tacite) au courtage circulait sur le marché. Les marieuses s'en emparaient, dressaient l'inventaire des bons partis possibles et, dans un va-et-vient d'une famille à l'autre, fabriquaient l'image de l'un pour l'une et inversement. On gommait les « détails ».

Ainsi la laideur de la prétendante se traduisait-elle par : « Un physique *serein* qui tranquillise un mari. » Ou bien : « Elle n'est pas *si laide* que ça ! »

S'agissant du futur mari : « Pour quoi faire, la beauté, pour un homme ? Ce qui compte, c'est la sécurité, l'argent, quoi ! »

L'âge. Puisque régnait toujours l'écart (en plus) entre l'homme et la femme, le discours devenait jeu d'enfant. L'homme, son aîné de dix, quinze, vingt et même vingt-cinq ans, un « vieux » ? Non. « Un homme fait », « mûr », « dans la force de l'âge », « un homme véritable ». Alors que la fille savait qu'elle se fanerait très vite, qu'après plusieurs grossesses, la trentaine atteinte, elle aborderait sa vieillesse. Qui rejoindrait donc, au moment opportun, celle de l'homme.

La fortune — dot et installation du ménage — donnait lieu aux plus âpres marchandages.

J'ai entendu une entremetteuse expliquer à ma mère le prix d'un jeune avocat (trente-huit ans... tout de même) : « Il va s'installer dans un cabinet à son propre compte, son père est bâtonnier, lui le sera aussi, il exige une dot et la *maison montée* [1], cinq pièces, salle de bains, argenterie..., il en a le droit, un très beau parti ! Fortunée, ta fille a fait des études, faites un effort, payez-lui un bon mari. »

Ma mère la renvoya, nous n'avions pas les moyens et puis, c'était notoire, je m'ancrais dans le refus. « Spéciale, je te dis, Gisèle est spéciale. » Pas question d'entrevue.

« Mais enfin, que veut-elle, cette Gisèle ? s'écria impatientée la courtière.

— L'amour !... elle veut l'amour ! »

Interloquée d'abord, la vieille rouée réfléchit quelques secondes : « L'amour ? Oui, je comprends.

1. Appartement ou villa entièrement équipé(e) : meubles, linge de maison, tableaux, couverts..., l'ensemble ayant fait l'objet d'un inventaire et d'une évaluation.

L'amour, ça aussi, j'ai ! » Et de promettre qu'elle reviendrait bientôt, avec « l'amour » comme affaire à conclure.

Ma cousine germaine Ginette, d'un an ma cadette, accepta, de guerre lasse, de se rendre à une entrevue.

On l'habilla classe cossue, on la maquilla juste ce qu'il fallait — ne pas paraître provocante surtout ! —, on lui fit mille recommandations, puis son père l'amena au *Café de Paris,* avenue Jules-Ferry.

Ils s'assirent avec une innocence supposée à la table voisine de celle occupée par le candidat, accompagné d'un vieil oncle. Libraire de son état, chauve et doux, son aîné de quinze ans environ, il ne déplut pas. Comme Ginette ne dit pas non, les familles et la courtière continuèrent de débattre des « détails ». Le mariage se fit. Et fut heureux.

L'Union des jeunes filles faisait de moins en moins recette. Les réunions devenaient irrégulières et peu fréquentées.

Édouard eut, avec l'oncle Jacques et la tante Marcelle, une violente explication. Accusés de favoriser le dévergondage de leurs nièces, ils cessèrent tout parrainage militant.

Je continuai de prêcher la nécessité pour les femmes d'étudier et de refuser l'injustice de notre sort. Mon discours se tarit, faute de public. Et je me remis à mes lectures solitaires.

C'est à cette époque que je partis, dans une fièvre joyeuse, pour Paris et l'Université. Je lus *Le Deuxième Sexe* et j'eus ainsi la certitude que ma révolution heureuse ne faisait que commencer.

Une bataille donquichottesque

Ce jour-là, mon père se pavanait comme un paon. Il se préparait à la cérémonie de ma prestation de serment d'avocate. A chaque rencontre, il se rengorgeait : « Gisèle, c'est ma fille, vous savez... » Il se sentait le seul créateur de la créature que j'étais. Il était Dieu, le père et la mère.

« Tu penses comme Aristote. L'homme fait la femme mais la femme naît aussi de l'homme. »

Il se fichait bien de cet Aristote dont il ignorait le nom et l'existence, et de mes plaisanteries pédantes. Simplement, il savait, lui Édouard, qu'il m'avait faite, et mes propos ne changeaient rien à l'affaire.

Avant la cérémonie, il se répandit dans les couloirs du Palais de Justice. Il dépliait et repliait, devant qui voulait s'arrêter, des papiers bleus en lambeaux, maladroitement recollés. « *Reçue mention bien examen droit 2e année, tendresses, Gisou.* » « *Sorbonne. Reçue certificat psycho, tendresses, Gisou.* » Les vieux télégrammes envoyés de Paris quelques années auparavant.

Il n'avait pas souhaité la naissance d'une fille, il en convenait honnêtement. Un tel sac de problèmes et d'infériorités naturelles ! Mais, dès ma réussite aux examens universitaires, il amorça une sorte de transfert.

Pas de gaieté de cœur, bien sûr. Reporter ses espoirs du fils à la fille impliquait, dans la culture judéo-arabe, un défi quasi révolutionnaire. Je décrochais des diplômes à un moment où il devenait certain que mon frère aîné Marcel n'avait plus aucune chance d'accéder à une profession libérale, profession noble, disait la famille. Car même s'il apportait fortune et notoriété, le commerce restait roturier.

Il me revenait donc — « c'est la fatalité », psalmodiait ma mère — de remplacer mon frère défaillant et de donner à ma famille cette respectabilité qu'elle avait attendue de ses mâles.

Édouard gardait intacte cette ambition qui confinait à sa raison de vivre. Exister autrement. Réaliser son rêve d'une descendance placée aux premiers rangs de la société, là où lui-même n'accéda pas. Annuler la pauvreté de l'enfance, triompher de l'humble passé.

Certes, une fille, même avocate, se marierait, changerait de nom, renoncerait peut-être à son métier pour les nombreux enfants qu'elle se devait d'avoir. Mais un certain honneur rejaillirait tout de même sur la famille. Le pari valait d'être tenu, malgré ses incertitudes.

En cette année 1949, j'allais donc prêter le serment solennel. « *Je jure, comme avocat, d'exercer la défense et le conseil avec dignité, conscience, indépendance et humanité, dans le respect des tribunaux, des autorités publiques et des règles de mon ordre, ainsi que de ne rien dire ou publier qui soit contraire aux lois, aux règlements, aux bonnes mœurs, à la sûreté de l'État et à la paix publique*[1]. »

Il me sembla y découvrir une série de pièges. Ces respects multiples, tout d'abord. Pour les tribunaux, les autorités publiques, les règles de l'Ordre. En blanc, a priori. Et, à première vue, sans contrepartie. Je savais qu'une société ne survit que par ses institutions. Mais leur application mécanique pouvait engendrer un décalage entre l'évolution réelle de cette société et sa législation. Des lois dites « tombées en désuétude » se maintenaient en coma dépassé, épées de Damoclès qui bloquaient la dialectique des mœurs et de la loi.

Lors des visites de courtoisie, que tout candidat au serment doit rendre à ses aînés, je tentai, timidement, de faire partager mes objections.

Le bâtonnier, ami d'Édouard, bon vivant débonnaire n'y comprenait rien : « Tout le monde ne pense qu'à prêter serment. Ta fille, elle, veut le changer. »

Les « Dinosaures », comme nous appelions les vieux membres du Conseil de l'Ordre, m'écoutaient à peine. Cette passion inutile les agaçait. Ils hochaient la tête : « Ça vous passera, petite fille, avec le temps... »

L'un d'eux, ancien bâtonnier et grand propriétaire terrien, me tapota la joue : « Dès que vous mettrez du rouge à lèvres (je ne me suis maquillée que beaucoup plus tard et épisodiquement) et que vous aurez un bon cabinet, vous ne penserez plus *aux serments* (il insistait sur le pluriel), je dis *les* serments, pas *le* serment. »

Les avocats de ma génération trouvèrent mes réticences donquichottesques et cette bataille « person-

1. Décret du 20 juin 1920, modifié par le décret du 10 avril 1954.

nelle ». Quelle importance, ce serment ? Un moulin à vent, qui tournait depuis toujours au gré des humeurs des magistrats, du talent des avocats, des régimes politiques. Le respect qu'on lui doit, tu parles...

Inconsciemment sans doute, je n'envisageais la défense que comme le moyen désespéré de briser un engrenage. Celui d'un homme seul, confronté à une société qui l'accuse. Un face-à-face d'autant plus démesuré que, souvent, l'opinion publique s'en mêle. Le monstre, l'assassin, à mort ! La justice peut devenir broyeuse, détruire jusqu'au noyau irréductible d'humanité que chacun porte en soi. Qui, sinon l'avocat, se dressera pour dire qu'il n'est pas d'indéfendable ?

« Voilà, tu avoues », m'avait dit, plaisantant à peine, le président des Jeunes Avocats, « tu ne rêves que de plaider pour les irrécupérables, non ? »

Non. Je rêvais de garder une parole libre, débarrassée du « respect » dû à..., de l'obligation « de ne rien dire contre... », bref de toutes ces craintes révérencielles.

Quelques-uns des procès qu'il me fut donné de plaider par la suite — Djamila Boupacha[1], El Halia en Algérie — et des procès de société — l'avortement, à Bobigny[2], le viol, à Aix-en-Provence[3] — semblèrent justifier mes appréhensions. Pouvait-on assimiler, par exemple, les *moudjahidin* algériens aux malfaiteurs de droit commun ? Ils se battaient

1. Cf. *Djamila Boupacha* (Éd. Gallimard, 1961).
2. Cf. *Avortement : une loi en procès. L'Affaire de Bobigny* (Éd. Gallimard, 1973).
3. Cf. *Viol. Le Procès d'Aix-en-Provence* (Éd. Gallimard, 1978).

pour leur dignité d'homme. De sujets ils se voulaient citoyens. Ils récusaient la loi française, parce que loi d'exception et d'oppression. Je tentai de l'expliquer. Je fus expulsée du prétoire. Les juges me reprochèrent d'injurier le drapeau français, d'oublier mon serment.

Ce genre d'incident s'agrégea à d'autres. Ils devinrent le pain quotidien des avocats habituels — peu nombreux — des procès politiques en Algérie. Leurs plaintes auprès du Conseil de l'Ordre se multiplièrent. On éluda, on temporisa, on étudia... le serment justement !

Le président du tribunal, responsable de la police de l'audience, ne détenait-il pas le droit de sanctionner un avocat ?

L'admettre conduisait à une bizarrerie, pour le moins : faire des juges offensés les juges de l'offense. Mais si tout accusé doit comparaître devant « *un tribunal indépendant et impartial*[1] », pourquoi pas l'avocat, aussi ? Autant alors couper la langue à ce sous-citoyen, comme le souhaitait Napoléon[2].

Je ne sais plus s'il arriva au Conseil de l'Ordre de protester. Je me souviens que toutes les démarches furent plutôt empreintes de tiédeur.

Et la liberté de la défense traversa des temps difficiles.

1. Déclaration internationale des Droits de l'Homme, 1948, art. 10.

2. « *Tant que j'aurai l'épée au côté* [...] *je veux qu'on puisse couper la langue à un avocat qui s'en servirait contre le gouvernement* », écrivait-il à Cambacérès le 7 octobre 1804.

En 1971, je signai le *Manifeste des 343*[1] pour l'avortement, aux côtés de femmes célèbres, symboles pour le monde de la beauté, de l'intelligence, de la culture françaises. Catherine Deneuve, Delphine Seyrig, Françoise Fabian, comme Marguerite Duras, Françoise Sagan et, naturellement, Simone de Beauvoir n'hésitèrent pas à descendre dans l'arène pour la cause des femmes.

Nous dénoncions le scandale de l'avortement clandestin, le scandale de la répression de classe, le scandale du silence.

Simone de Beauvoir m'avait dit, allant droit au fait comme à son habitude : « Gisèle, vous ne pouvez pas signer, comme avocate. Mais tâchez de nous récolter des noms, autour de vous. »

Cette bataille méritait bien de se mener sur plusieurs fronts : changer la loi, s'expliquer devant l'Ordre, en cas de poursuite. La peine de suspension ou de radiation me semblait faire partie, à ce moment, de la logique de notre histoire de femmes. Je signai, je crois, en avocate solitaire.

Au procès de Bobigny[2], je décidai de tout dire de l'action des femmes et de ma propre expérience. Je

1. *« Je me suis fait avorter. Un million de femmes se font avorter chaque année en France. Elles le font dans des conditions dangereuses en raison de la clandestinité à laquelle elles sont condamnées, alors que cette opération pratiquée sous contrôle médical est des plus simples. On fait le silence sur ces millions de femmes. Je déclare que je suis l'une d'elles. Je déclare avoir avorté. De même que nous réclamons le libre accès aux moyens anticonceptionnels, nous réclamons l'avortement libre. »*

Publié dans *Le Nouvel Observateur* du 5 avril 1971, sous le titre *Un appel de 343 femmes,* et commenté de manière humoristique dans *Charlie-Hebdo* du 12 avril 1971 : *« Qui a engrossé les 343 salopes du Manifeste sur l'avortement ? »*

2. Cf. *Avortement : une loi en procès, op. cit.*

commençai par un aveu-provocation : j'ai avorté, j'ai commis ce délit[1].

Le président veut m'interrompre. Il fait un geste de la main. Les femmes, entassées dans la salle bondée, applaudissent.

« Silence ! A la moindre manifestation, je fais évacuer », tonne le président.

Ce procès n'a ses chances de changer la loi que s'il est public. Les féministes le savent. Le silence retombe aussitôt.

Je continue ma plaidoirie. A son terme, éclatent les slogans, les applaudissements. Le président tente de les endiguer : « Silence ! Silence ! » menace-t-il, en frappant fort de son marteau sur la table.

De toute manière, nous avions gagné. Nous commencions notre longue marche.

Après le jugement, un membre du Conseil de l'Ordre me convoque.

Désigné comme rapporteur, il enquête sur mes méfaits. Un avocat ne peut enfreindre les codes. Et le dire. Même si le temps prescrit toute poursuite. Et le serment ? Ai-je oublié qu'il m'interdisait cette diatribe contre la répression de l'avortement ? Le respect des lois, justement...

« Et cette affaire fait trop de bruit », me dit-il, un peu excédé.

1. « *Monsieur le Président, Messieurs du Tribunal, je ressens aujourd'hui un étrange privilège. Un parfait accord entre mon métier et ma condition de femme. A la fois l'avocate à la barre et l'inculpée dans le box... Notre très convenable déontologie n'a pas envisagé que les avocates, comme toutes les femmes, pouvaient avorter, qu'elles pouvaient le dire publiquement, comme je le fais moi-même aujourd'hui. J'ai avorté. Je le dis. Messieurs, je suis une avocate qui a transgressé la loi...* »

Depuis quelques semaines, les télévisions, les radios, les journaux, s'en étaient emparés.

France-Soir publia en manchette le verdict du procès[1] avec un portrait du principal témoin, le professeur Milliez[2]. *Le Monde* l'annonça à la une, et ouvrit un important débat. De grandes et belles photos de l'inculpée vedette, Marie-Claire, seize ans, avortée, poursuivie et acquittée, remplirent les magazines à fort tirage, *Match, Elle, Marie-Claire.*

J'essaie de discuter. De dire au conseiller que ma dignité d'avocate ne saurait museler ma liberté de femme. Peine perdue. Le conseiller ne l'entend pas de cette oreille. Il rédige son rapport, de mauvaise humeur.

Le barreau, dans son ensemble, ne brillait ni par son ouverture d'esprit ni par son progressisme. Balzac et Daumier y auraient retrouvé quelques-uns de leurs personnages.

J'écopai d'une sanction. Ambiguë et modérée.

A me souvenir aujourd'hui de la cérémonie disciplinaire, je me laisse aller à la gaieté.

Convoquée par le bâtonnier, je me présente à son cabinet. Il vient, souriant, à ma rencontre. Après m'avoir serré chaleureusement la main, il m'indique un siège, dans un coin de la pièce, et s'assied en face de moi, comme pour me signifier une intention cordiale. Recevoir un visiteur loin des dossiers, du téléphone et prendre place à ses côtés, suscite un climat

1. « ... *Un jugement* [...] *historique, car il a consacré l'éclatement de la loi de 1920* [...]. *Michèle Chevalier a été condamnée à 500 francs d'amende avec sursis, c'est peu!* [...] *Nous avons considéré que c'était trop* », écrivais-je dans *La Cause des femmes, op. cit.,* pp. 81-83.

2. Cf. *Avortement : une loi en procès, op. cit.*

d'échange, de dialogue. La hiérarchie quelque peu gommée, l'entretien semble à peine professionnel.

Une conversation à bâtons rompus : les nouveaux projets de la Chancellerie, les pratiques de certains juges d'instruction, la procédure des recours en grâce...

Comme mon interlocuteur ne fait aucune allusion à l'actualité qui nous concerne directement — le procès de Bobigny et le changement espéré de législation —, j'aborde moi-même le sujet.

Il en paraît gêné, recule son fauteuil, s'éclaircit enfin la voix. « On dit que vous critiquez la loi maintenant ? » me demande-t-il sans vraiment attendre de réponse.

Je m'explique, une fois de plus : « L'avortement est le problème de toutes les femmes, monsieur le bâtonnier, avocates ou non... »

Il veut contredire, hésite : « Oui. Mais vous causez de l'émotion dans notre vieille maison. » Il se lève : « Prenez quelque précaution, chère madame, nous ne voulons pas de ce tapage. »

Il me sourit avec affabilité. L'entretien terminé, il me raccompagne.

Je venais d'être sanctionnée. Une admonestation du bâtonnier. Les principes saufs, l'incident ne faisait pas de martyre.

Ces mésaventures me confortèrent dans mes craintes. Le serment de l'avocat porte bien en germe un danger pour la défense.

Par une espèce de grâce dont le sort me gratifia, j'eus le privilège, élue députée à l'Assemblée nationale le 21 juin 1981, de provoquer le changement.

Saisie d'une proposition de loi du Sénat sur les délits d'audience commis par les avocats, l'Assemblée ouvrit le dossier. Je me proposai comme rapporteur. Désignée sans difficulté — l'enjeu paraissait anodin —, je préméditai de dépoussiérer le serment.

Je repris presque mot pour mot devant la Commission des lois, puis dans l'hémicycle de l'Assemblée nationale, mes objections de jeunesse et rayai délibérément du serment d'inutiles ronds de jambe. La phrase, « *Je jure, comme avocat, d'exercer la défense et le conseil avec dignité, conscience, indépendance et humanité* », se suffisait en elle-même. Elle nous engageait sur des critères de fond, « *conscience, humanité* ». Elle ménageait notre liberté critique à l'égard du pouvoir politique et des conventions sociales. Nous l'exercerions avec « *dignité, indépendance* ».

Après les escarmouches d'usage de quelques députés de droite — R.P.R. et U.D.F. — et des réserves discrètes du garde des Sceaux, l'Assemblée adopta, sans le moindre amendement, ma proposition, entérinée par la Commission des lois. Elle devint la loi du 15 juin 1982.

Ce jour-là, un certain bonheur avait pris pour moi la forme des quelques mots de *mon* serment. Je réalisai, adulte, une utopie de jeunesse.

Le jour de la cérémonie, flanquée de mon père et de ma mère, je me dirigeai vers la Cour d'appel devant laquelle je devais prêter serment.

Le bâtonnier de Tunis, avant de me présenter selon les règles, m'avait paternellement sermonnée : « Gisèle, plus un mot. C'est "*je le jure*" ... ou rien... »

Tenu pour dit.

Les photos traditionnelles prises à la sortie de la Cour me renvoient l'image d'une jeune femme ronde, aux yeux brillants, au sourire excessif — « un sourire idiot », trancha plus tard l'un de mes fils —, toute droite dans l'ample robe d'avocat.

Je trouvais toutes les vertus à ce vêtement hors du commun. Il recouvrait des pieds à la tête les costumes bien taillés et les pulls plus modestes, les décolletés féminins ou les soies tapageuses, mieux il les phagocytait. Effacées, disparues, les différences. Égalité partout : les riches, les pauvres, les hommes, les femmes, les gros, les maigres. Grâce à ses larges plis, ma robe d'avocate me permit même de traverser, du début à la fin et dans une parfaite aisance, trois grossesses. Mes confrères maugréaient en me voyant traîner mon ventre dans les prétoires. « Elle a juré d'accoucher à l'audience... » Ils se trompaient à peine. Je plaidais le jour de la naissance de mes deux aînés, quelques heures avant d'aller à la clinique. Mon troisième fils naquit le lendemain d'une longue expertise ordonnée par le Tribunal dans une affaire de droits d'auteur, où j'assistais Jean-Paul Sartre.

Je me serre contre ma mère, radieuse, et je darde mon regard vers le petit Kodak pliant de mon père, « le meilleur appareil du monde, par-role d'honneur », répète-t-il toujours en roulant les r, à sa manière. Fortunée et Édouard, fiers au-delà de toute décence. Vêtue de sa robe de dentelle de laine noire malgré le soleil, et parée de tous ses bijoux indigènes, ma mère pose, resplendissante.

Édouard, profitant de la lumière de cette journée, tira une série de photos.

Certaines — « je les ai prises pour le paysage », expliquait-il — cadrent de grands pans du Palais de

Justice de Tunis et de son architecture coloniale hispano-mauresque, toute en arcades, créneaux, loggias et longues salles dallées. Le noir et blanc des photos de l'époque ne peut rendre compte des fulgurances orange et mauves des bougainvillées qui s'enroulaient autour des colonnes du Palais. Ni du bleu sombre du ciel qui tombait en cascades par toutes les ouvertures.

Édouard y suppléait par ses descriptions emphatiques : « Quel temps, quelle beauté de fleurs... pas un nuage... regarde bien... »

Il épingla l'une des photos — celle où je regarde très haut devant moi, comme dans un défi, ma mère à mes côtés — à mes télégrammes d'étudiante. Le dossier permanent, qu'il exhibait à tout venant, ne quitta plus son portefeuille. A sa mort, il n'avait pas changé de place.

Édouard rêvait d'une véritable dynastie d'avocats. De mère en fils, le titre prestigieux devait se transmettre. Aussi quand mon aîné Jean-Yves, maîtrise de droit et C.A.P.A. [1] dans sa serviette, se prépara à prêter serment, mon père déjà très malade se mit à compter les jours. Le dossier déposé à l'Ordre de Paris, restait à attendre la convocation pour l'audience solennelle. Édouard voulait y assister.

Il me répétait : « Ma dernière joie, ton fils avocat, quel honneur ! » Et, en riant : « Ça y est, nous sommes sortis de la mouise... »

Il employait toujours le mot « mouise » à contresens et avec une grimace d'une grande drôlerie.

« La mouise, papa, ce n'est pas ça... Nous n'y sommes plus depuis longtemps.

1. Certificat d'aptitude à la profession d'avocat.

— Quand même, s'entêtait-il, la mouise, c'est le troupeau, les gens bas... »

Quelques jours avant sa mort, Édouard s'enquit, d'une manière presque maniaque, des détails de la prestation de serment des avocats à Paris. Ne rien laisser au hasard surtout, il ne connaissait que le cérémonial tunisien. Avec son petit-fils, il avait choisi — lui qui ne pouvait plus sortir — le costume et la cravate de la cérémonie. Il savait son avenir rare. A la hâte, il le peuplait de fêtes futures. Il défiait l'absence, il anticipait par l'imagination les gestes et les mots d'un rituel qui risquait de lui échapper.

Il lui échappa.

Il mourut quelques semaines avant le serment de Jean-Yves[1].

1. Il le prêta le 20 avril 1977.

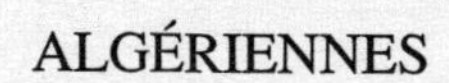

ALGÉRIENNES

Le procès d'El Halia

1

UNE CÉRÉMONIE EXPIATOIRE

Samedi 20 août 1955. Midi. Le chef mineur Ferdinand Bertini et son fils se dirigent à motocyclette vers El Halia.

Ce petit village, situé à quelques kilomètres de Philippeville, s'incline sur une plate-forme que dominent le djebel Halia et les carrières de marbre du Filfila.

A cette heure de la journée, le soleil brûle tout ce qu'il touche.

Soudain, plusieurs coups de feu dans l'air suffocant. Le fils est touché au ventre, mais tous deux parviennent, du pont du Diable, à rejoindre El Halia. Ils avertissent aussitôt le directeur de la mine. Impossible de donner l'alerte. Les lignes téléphoniques sont coupées.

Dans le village, où arrivent des blessés, l'ampleur du drame éclate.

Ceux qui n'auront pas songé à se barricader, pour tenter de soutenir un siège en règle, n'échapperont pas au massacre. Dans les habitations et les locaux de la mine de fer, des insurgés brisent, pillent, incendient, assassinent à coups de fusil ou de revolver, s'aidant souvent de couteaux, de haches ou de pelles. Même tragédie aux ateliers, où les ouvriers européens sont égorgés.

Comment espérer le moindre secours de l'extérieur alors qu'une embuscade interdit tout passage au pont du Diable et que la troupe, basée à Philippeville où se déroulent aussi des combats de rues, ne peut intervenir ?

Le directeur de la mine a cependant pu s'échapper. Il obtient qu'une unité de parachutistes, en instance de départ pour Philippeville, soit détournée de sa mission et se dirige vers El Halia. A quinze heures, deux avions militaires mitraillent le village. Peu après, arrivent les premiers parachutistes. Les rebelles s'enfuient dans le désordre.

Chaque foyer compte ses morts.

Trente-cinq cadavres, dont ceux de dix enfants. Ajoutez à cela quatorze blessés, parmi lesquels huit enfants. Un disparu, jamais retrouvé. Autour des survivants, s'amoncellent ruines et cendres.

S'ensuivit une terrible répression. Comme dix années auparavant.

Selon des sources officielles, plus de mille Algériens périrent dans le Constantinois. Chiffre qui peut, sans risque d'erreur, être multiplié par dix.

Soustelle qualifie ce massacre de « *génocide* », « *d'extermination d'une race et d'un credo*[1] ». Mais, avec certains responsables français, il reconnaît que la troupe tire, ratisse, tue à une grande échelle. Quarante-huit heures plus tard, le gouverneur général

1. Cf. *Aimée et souffrante Algérie* (Éd. Plon, 1956).

promet d'ailleurs de distribuer des armes aux fermiers.

Sans les attendre, se lèvent des milices improvisées. Les supplétifs, les « territoriaux » constitués en unités d'autodéfense se lancent dans la chasse au rebelle.

Devant la frénésie de ces expéditions punitives, le préfet fait transporter par camions bondés des centaines, voire des milliers d'Algériens pour les soustraire à la tuerie.

Car, au lendemain des événements tragiques d'El Halia, qu'est-ce qu'un rebelle ?

Je ne crois pas exagérer en le définissant seulement comme un Arabe, indépendamment de ses actes. Chaque Algérien est un *fellagha* qui s'ignore. Il l'a été, il l'est ou le sera. A exterminer, donc.

Des journalistes relatèrent de tristes épisodes.

Un récit bouleversant, paru dans un quotidien du soir, provoqua un démenti sec du ministère de l'Intérieur[1]. Le journaliste avait décrit l'anéantissement de dix *mechtas* de la région et, aussitôt après, la fuite des hommes des *mechtas* avoisinantes vers la montagne. Une manœuvre de ratissage — appelée maintien de l'ordre — sema l'horreur dans un petit village, à quelques kilomètres de Philippeville. L'auteur de l'article s'y rendit immédiatement après le départ du commando français. Opération réussie, câblèrent les militaires.

Quand il entra dans la *mechta,* il ne vit que jarres de blé éventrées, murs incendiés, objets hétéroclites qui jonchaient le sol. Le tragique désordre de la violence.

Des cadavres — une cinquantaine, dit-il —,

1. *Le Monde,* 25 et 30 août 1955 : articles de Georges Penchenier.

encore fraîchement ensanglantés, parsemaient les rues. Des vieillards, des femmes et des enfants. Les habitants du douar les Carrières Romaines avaient dû fuir dans tous les sens au moment de la fusillade, que beaucoup de voisins disent avoir entendue. Abattus sur place, « *à défaut des mâles qui s'étaient enfuis la nuit précédente*[1] ».

Seul signe de vie, les hurlements des chiens enchaînés.

Le gouvernement nia les faits.

« Je maintiens mon témoignage », répondit le journaliste avec fermeté.

Il le précisa même : parmi les cadavres, il avait dénombré un groupe composé d'une fillette de dix ans la tête dans ses genoux, d'un vieillard, et de femmes tenant encore un bébé entre leurs bras.

C'est à cette scène d'horreur que je songeais en écoutant une sorte de litanie funèbre. Dans la petite salle du Tribunal de Philippeville, le greffier égrenait, ce 17 février 1958, les noms des trente-six victimes européennes d'El Halia.

Lorsque la lecture de l'acte d'accusation évoqua les enfants massacrés par les rebelles algériens, je sentis comme une impuissance. Le temps du récit, cet engrenage menaça mes certitudes d'avocate.

Anne-Marie, onze ans, et sa sœur Jacqueline, quatre ans. Rodriguez Francesco, sept ans, et Henri, son frère, cinq ans. Tous les enfants Monchâtre, trois ans, deux ans, huit mois. Autre bébé retrouvé, en famille, avec ses sœurs de dix-huit et vingt ans, le petit Napoléon Daniel, huit mois. Tous égorgés, tous enfouis dans la vase. Des photos intolérables. Je les

1. *Ibid.*

avais déjà vues. J'avais frissonné. Je m'étais interrogée sur le sens du mot « indéfendable ». Pour en rejeter le principe aussitôt. Mais, tout de même...

Comment me hisser à la hauteur de mon rêve d'adolescente : exercer la défense comme un « moyen » de culture, qui relierait l'homme à l'homme, quelles que soient les circonstances ?

J'étais inhibée.

Heureusement. Ainsi ai-je pu apparaître sereine. Comme les avocats des grands criminels.

Pourquoi me trouvais-je dans ce prétoire, quelque deux ans et demi après le carnage ? Comment tenter, malgré la répulsion, les passions qu'il provoquait, malgré les impératifs politiques, d'empêcher une effroyable machination judiciaire ?

D'une certaine manière, par hasard. Le hasard d'une longue lettre que je reçus de la prison de Philippeville, quelques semaines avant le procès.

L'un des mineurs musulmans de la mine d'El Halia me racontait son calvaire et celui de ses compagnons.

Arrêté chez lui, longtemps après la tragédie et maintenu au secret durant près de onze mois.

Onze mois pendant lesquels alternaient les séances de torture et les interrogatoires. Onze mois qui les firent disparaître de ce monde, lui et quelques autres. Au secret, ils n'eurent le droit de communiquer avec personne. Ils ne réapparurent qu'une fois les procès-verbaux d'aveux signés.

Car ils avouèrent tous. Les crimes les plus atroces, avec les détails les plus troublants. Ils avaient tué, pillé, égorgé, hommes, femmes et enfants. Un sanglant délire.

Des monstres ! C'est donc en monstres que la police les présenta au monde des humains.

Alors que la presse les appelait déjà « *les tueurs d'El Halia* », cette lettre lançait un cri : nous sommes innocents, nous avons été broyés par la violence, nous allons être condamnés. Aidez-nous.

Depuis le début de la guerre d'Algérie et de la mise en place des *pouvoirs spéciaux*[1], la torture, petit à petit, fut érigée en système.

Les suspects étaient enlevés, torturés, puis, s'ils survivaient, s'ils redevenaient « présentables », après le temps nécessaire à leur remise en forme, la justice militaire[2] s'en emparait.

Avant de les conduire chez le juge d'instruction, leurs gardes du corps les avaient avertis : « Si tu fais le malin, si tu ne confirmes pas ce que tu as avoué, gare ! on te redonne à tes anges gardiens. »

Malgré la terrible perspective de nouvelles séances de torture, la plupart d'entre eux dénoncèrent l'enfer vécu. Sortis des mains de leurs bourreaux, ils avaient regagné l'humanité. Certes, une humanité particulière, avec un numéro d'écrou, une cellule, un statut de détenu... Mais qu'importe... ils existaient. Ils

1. Votés pour l'Algérie (loi 16 mars 1956) et renouvelés (lois 27 juillet, 15 novembre 1957, 22 mai, 3 juin 1958) et étendus à la France (ordonnance 7 octobre 1958).

2. Si Henri Alleg survécut et put être jugé par un tribunal militaire (cf. *La Question,* 1958), les tortionnaires de Maurice Audin l'assassinèrent le 21 juin 1957 et l'on organisa après coup une mise en scène d'évasion. C'est un mort déclaré « en fuite » qui fut déféré à la justice (P. Vidal-Naquet, *L'Affaire Audin,* 1958).

ne pouvaient plus disparaître, comme lorsqu'ils furent emmenés *manu militari*. Désormais, leurs avocats les assistaient, leurs familles bénéficiaient — sauf sanctions — du droit au parloir. Ils écrivaient. Et surtout, ils se parlaient.

Car la prison créait aussitôt la solidarité de l'intérieur. Ils s'organisaient, échangeaient leurs informations, décidaient d'actions communes dans tel ou tel bloc carcéral, donnaient l'alarme si l'un d'entre eux disparaissait, même momentanément. Certains correspondaient avec les avocats des autres, veillaient à ce que chacun fût assisté, rassemblaient les pièces de procédure.

Cette lettre de la prison de Philippeville me demandait de défendre les accusés. Tous. Quarante-quatre.

Un point me frappa immédiatement dans le récit chronologique des faits.

Comment des hommes, auteurs du massacre de leurs voisins immédiats, leurs compagnons de travail, de l'égorgement de leurs femmes et enfants, auraient-ils pu reprendre tranquillement leur place auprès des Européens, dans cette sorte de coron ? Comment auraient-ils pu continuer à pousser le même chariot dans la même mine, partager la même cantine, respirer à la nuit tombée la même fraîcheur au seuil de leurs portes contiguës ? Comment, pourquoi ces meurtriers hors du commun auraient-ils choisi de renouer avec eux cette symbiose du quotidien ?

Mais laissons le problème d'ordre moral. Disons que les assassins décrits par l'acte d'accusation eussent été frappés de folie suicidaire, en retournant vivre au milieu de ceux qu'ils avaient irrémédiablement meurtris.

Or, tout le Constantinois avait été bouclé à la suite de l'insurrection. De quel choix disposaient alors les rebelles ? L'exécution ou le maquis.

Cette étrangeté me décida. J'acceptai la défense de ces hommes.

Je ne savais rien du dossier. Le connaissant, me serais-je lancée dans cette aventure ?

Être la seule avocate parisienne de ces quarante-quatre accusés — dont certaines familles avaient pressenti quelques avocats locaux — me semblait difficile. Les grands procès politiques, longs et sujets à rebondissements, s'accommodent mieux d'une équipe de défenseurs. Certes les avocats d'Algérie rempliraient leur tâche. Selon les règles de la défense classique, ordinaire. Présence à l'audience. Visite à leurs clients à la prison. Peut-être soutiendraient-ils leur innocence. Mais je ne devais attendre d'eux aucune aide pour une défense politique[1].

Coupables, les accusés avaient le droit d'exprimer leur motivation : arracher l'indépendance de leur pays. Innocents, ils devaient dénoncer cette mascarade judiciaire. Dans tous les cas, nous témoignerions. De l'abomination de la torture et de la sauvagerie de la répression.

L'enjeu dépassait le procès et la guerre d'Algérie.

Je proposai à un confrère au grand talent, habitué des prétoires politiques (l'un des avocats du procès Kravchenko et du collectif communiste pour l'Algérie) de m'accompagner. Léo Matarasso. Il accepta d'emblée.

1. A l'exception des avocats politiques, algériens ou européens, qui, presque tous, avaient été arrêtés et déportés. Certains furent même assassinés (Me Garrigues, Me Popie, cf. *infra* pp. 259 et sq.).

Avant que ne s'ouvrît le procès, il nous fallait désamorcer les passions. Des débats à Philippeville ne manqueraient pas de les déchaîner.

Le Tribunal militaire de la région, qui siégeait à Constantine, se déplacerait. Ainsi en décidèrent le pouvoir militaire et le ministère de la Justice. Il tiendrait ses assises à Philippeville. C'est-à-dire sur les lieux mêmes du massacre et de la déchirure entre les deux communautés.

Personne n'avait oublié ces incidents graves qui marquèrent les obsèques des victimes. Les gerbes officielles piétinées, le préfet conspué, la foule entonnant *La marseillaise* et criant vengeance. Le maire remit aux autorités une « *proclamation* » d'une rare violence. Le gouvernement était jugé responsable, d'une « *carence inadmissible* », pour avoir refusé d'armer les civils et poursuivi une politique dépourvue de fermeté et de logique.

« *La population européenne de Philippeville* », concluait cette déclaration de guerre, « *décidée à défendre cette portion de France qu'est l'Algérie,* [tenait] *pour crime de haute trahison toute politique qui, par faiblesse, imprévoyance et impéritie, la conduirait à sa ruine et au détachement de la mère patrie*[1]. »

Dans cette population, les survivants du drame d'El Halia. Victimes, témoins et justiciers. Triple qualité qui les dotait d'un dangereux pouvoir. L'engrenage de l'émotion et de l'irrationnel. Le règlement de comptes qui ne dit pas son nom. Et encore... Ne nous avait-on pas répété à Paris : « Il faut *des* coupables, il faut un procès, la population l'attend. »

Pour répondre à ce désir — et pour faire un

1. *Le Monde,* 25 août 1955.

exemple spectaculaire — ce procès transporta le Tribunal sur le théâtre même du drame, au plus profond de cicatrices encore béantes.

A la justice risquait de se substituer un simulacre. Le malheur et la haine affleuraient.

Léo et moi décidâmes de demander à la Cour de cassation de dessaisir le Tribunal de Philippeville et de désigner, dans la métropole, un autre tribunal militaire. Les précédents existaient, encore que la démarche fût relativement rare et le succès improbable. Nous lançâmes cependant notre procédure et prîmes l'avion pour Philippeville.

Nous ne savions pas encore à quel point ce procès ressemblerait à une cérémonie expiatoire.

Dès notre arrivée, nous nous rendîmes dans l'un des trois petits hôtels de la ville susceptibles de nous héberger. Refus de nous accueillir.

« *Les avocats parisiens des égorgeurs d'El Halia* » — ainsi titrait la presse — étaient indésirables.

Le second hôtelier nous laissa nous installer, puis, deux heures plus tard, nous pria de partir et nous ferma la porte au nez. Le dernier accepta de nous donner des chambres, après que nous eûmes beaucoup prié et insisté.

Le surlendemain, je fus réveillée vers cinq heures du matin par le patron. Il nous demandait de quitter les lieux : « Ils veulent entrer dans vos chambres, tout casser et mettre le feu à l'hôtel si je vous garde, vous comprenez... » Il semblait terrorisé, mais sincèrement désolé. Il n'avait pas le choix : « Vous comprenez, vous comprenez... », répétait-il.

Nous comprîmes. D'autant mieux que des groupes

se formèrent sur le trottoir et qu'une certaine agitation montait.

Léo et moi bouclâmes nos valises une fois de plus et arrivâmes à l'audience avec nos bagages. L'odyssée continuait.

Je pris aussitôt la parole pour me plaindre de cette atteinte aux droits de la défense et de cette tentative d'intimidation : « Nous camperons, s'il le faut, au Tribunal, mais nous plaiderons », affirmai-je en conclusion.

Des lits de camp pour avocats dans la salle d'audience ? Cette image enchanta les journalistes par son incongruité. Ils la mirent en vedette dans leurs papiers. Le président s'engagea à trouver une solution. D'ailleurs, Paris s'inquiétait quelque peu.

Le sous-préfet, auquel dès notre arrivée nous rendîmes visite, triomphait : nous étions avertis, il se trouvait dans l'incapacité d'assurer notre sécurité. Nous avions pris des risques, à nous de les assumer seuls.

Cette démission des responsables de l'ordre public militait justement en faveur du dessaisissement de Philippeville. Mais las ! La Cour de cassation rejeta notre demande.

En attendant, il nous manquait un toit. Sollicité par le bâtonnier de Paris, le bâtonnier de Philippeville se désigna pour héberger Léo. Un autre avocat fut « réquisitionné » pour me donner asile.

Le fait relevait à la fois d'une solidarité élémentaire entre avocats — souvent très voisine d'un esprit de corps — et des nécessités de la défense. Chaque inculpé doit être défendu, chaque avocat, plaider.

Nobles principes. Nos confrères préférèrent arguer de la contrainte circonstancielle. Ils n'avaient pas eu le choix, la règle les accablait. Ils le confessèrent volontiers, à voix basse, aux journalistes et aux familles des victimes. Croyez-les. Déclarez-les non coupables d'hébergement d'avocats de terroristes. Acquittez-les.

Avec nous, ils affectèrent la distance, et même le mutisme. Ils ne nous convièrent pas une seule fois à leur table. Nos échanges, en dehors des audiences du Tribunal, se réduisaient au *Bonjour* du matin. Le soir nous regagnions très tard nos chambres, tous feux éteints. Ce qui nous dispensait ainsi du *Bonsoir.*

« Vous avez lu *Le Silence de la mer ?* Quelquefois je me sens dans la peau de l'officier allemand », ai-je grogné un soir de fatigue à l'adresse de mon confrère taulier.

Il m'attribua une buanderie, aménagée en chambre. Une pièce lumineuse mais glacée où nous allumions des braseros avec de grandes boîtes de conserve remplies d'essence quand, chassés du petit greffe du Tribunal, il nous fallait continuer, jusqu'à l'heure du couvre-feu (vingt-deux heures), l'étude du dossier.

Il faisait très froid le soir, mais les matins me remplissaient de leur splendeur. De la terrasse, je pouvais contempler toute la baie de Philippeville, frémissante et comme nouvelle en chaque aube. Loin des rebondissements de l'affaire, sourde aux injures de la population, oublieuse des tortures, je puisais, l'espace d'un quart d'heure chaque jour, quelque sérénité.

Descendue dans l'arène, je redevenais fragile. Même si nous n'en laissions rien paraître, ce combat nous épuisait. La haine formidable de toute la ville nous submergeait. Un ciment soudait entre eux les familles des victimes, les battants de l'« Algérie française » et la population. Ce bloc nous rejetait comme des traîtres. Nous n'étions pas la défense mais les complices des tueurs.

Outre le problème du logement, se posa celui des repas. Tous les restaurants refusèrent de nous servir. Faire valoir le droit ne réussissait qu'à leur arracher un « si vous voulez être empoisonnés... ». Nous savions qu'eux-mêmes étaient menacés de boycott, de bombes ou même d'exécution.

Je me mis donc à stocker quelques nourritures hétéroclites, pain, olives, oranges et... cacahuètes. Ah ! ces cacahuètes... Je me souviens en avoir ingurgité des kilos, pendant les suspensions d'audience, à midi en guise de déjeuner, le soir dans ma chambre après le couvre-feu. Le vendeur de cacahuètes opère à toute heure du jour, tard dans la nuit, et à tous les coins de rues, d'où une appréciable facilité de ravitaillement !

Une embellie cependant dans nos nourritures terrestres.

J'avais téléphoné à mon père. Depuis Tunis, il s'inquiétait. Je le rassurai. Je lui demandai incidemment l'adresse d'un restaurant. Je me souvenais que lui, ou l'un de ses cousins, m'avait parlé d'un bistrot à poissons, sur la corniche.

« Écoute, ma fille... Tu quittes Philippeville... Tu arrives à Stora... Le frère de X, tu sais, mon ami huissier, tient un restaurant. Une merveille, *omri,* ma chérie, les loups, les rougets de roche grillés, comme ça... »

J'imaginais Édouard faisant le geste au téléphone, l'œil brillant. Je salivais en l'écoutant.

Le jour même, j'entraînai Léo sur la corniche. Le patron, sans aller jusqu'à nous accueillir à bras ouverts, fit face avec calme. Il avait peur. Mais il accepta de nous servir. Avec une débrouillardise toute *nord'af,* dont il tirait quelque fierté, il nous cachait pour nous nourrir. Il connaissait les risques de l'entreprise. Ce restaurant, admirablement situé, presque à pic sur la mer, attirait des groupes de militaires et des notables.

Attablés dans une pièce quasiment désaffectée, hors de la salle et de la terrasse, nous nous gavions de délicieux poissons et buvions du mascara rosé. Réconfortés, presque gais, nous repartions pour la ville. « En avant pour l'héroïque combat des pots de terre contre les pots de fer ! » proclamait Léo avec un geste théâtral.

Un jour, tout à notre joie d'une fin de repas, nous faillîmes tomber nez à nez avec nos magistrats. L'astuce de notre restaurateur et un petit sentier providentiel nous évitèrent une rencontre difficile.

Quarante-quatre accusés, trente autres jugés par contumace, cinquante témoins, quinze avocats. La presse d'Algérie sur les dents. Quelques quotidiens métropolitains, dont *Le Monde,* dépêchent — pendant les premiers jours — un envoyé spécial.

Grand spectacle pour grand public.

Une salle comble. Petite, ordinaire, que l'on n'imaginait point, sans doute, promue à l'honneur d'abriter un procès historique, l'« *un des plus importants auxquels a donné lieu la rébellion algérienne* », commentent certains journaux.

Les C.R.S. cernent le Tribunal que préside le colonel Garraud.

Magistrat de carrière rappelé sous les drapeaux, volontaire pour l'Algérie, il se veut sec et impartial. De temps en temps pourtant, son côté « Algérie française » en uniforme lui fera oublier la règle. Il apostrophera les défenseurs, tentera de ridiculiser certains de leurs propos. Je me souviens de ses mimiques d'exaspération quand nous le soumettions au feu roulant de nos conclusions de droit. Mêmes réactions des onze juges. Sans aucune compétence juridique particulière, ces officiers se contentaient, comme des jurés, de prêter serment avant les débats, pour décider ensuite de la vie ou de la mort des délinquants. La loi républicaine les encombrait et servait de prétexte à retarder le jugement.

Le box, trop exigu, ne peut contenir les accusés. Ils débordent dans la salle, alignés sur des bancs par rangs de cinq ou six. A leur cou, une plaque de bois portant un numéro — 1 à 44. Ils risquent tous la peine de mort. Leur âge : vingt-cinq à quarante ans environ. Bien qu'habillés à l'européenne pour la plupart, certains d'entre eux portent la chéchia ou le turban, et des *serouals,* amples pantalons froncés à la turque. La lumière et le bruit semblent les gêner, ils se regardent et regardent dans la salle. Ils y cherchent des parents, des amis. Ils savent la difficulté pour leurs familles de franchir les barrages de police.

Depuis l'aube, des femmes voilées, des vieillards enveloppés de burnous de laine tissée se sont massés devant les portes du tribunal. Parfois, des enfants quittent le groupe agglutiné aux portes, pour faire des passes de foot sur la chaussée avec de vieilles boîtes de conserve ou des pierres.

Indifférents à la brutalité des contrôles — des ordres, des tutoiements, des coups de crosse souvent —, ils attendent avec patience et gravité. Tous les observateurs de la guerre d'Algérie remarqueront la dignité de ce comportement. Comme si les paroxysmes de la répression avaient façonné, au fil de ces années et de leur longue habitude de la domination, une sorte de maintien particulier né des meurtrissures.

Je pensais à Malraux qui définissait la dignité

comme le contraire de l'humiliation. A travers les sans-bombes, les sans-fusils et les sans-voix des tribus, ce peuple avait conquis une force irréversible.

Léo et moi nous frayons un passage parmi eux pour arriver à nos bancs. Ils s'écartent, sans un mot. « Ce sont des seigneurs », me dit Léo.

Nous savions que les témoignages n'avaient pu être recueillis qu'à partir d'aveux, tous confectionnés grâce à la violence. Démontrer leur « inexistence » ferait chanceler tout l'échafaudage accusateur.

Soutenus par un seul confrère algérien, Me Z[1], nous décidâmes de nous attaquer à ce système. Sans trop savoir, cependant, avec quelles armes.

Comment l'enquête commença-t-elle ?

L'arrestation tardive des suspects n'avait répondu qu'à des nécessités politiques, on le sait aujourd'hui. Faire une démonstration de la force de la justice française et venger les morts européens. Pour trouver des coupables, on puisa dans les dénonciations, les racontars, et surtout dans les dossiers de police fichant certains de ces Algériens comme nationalistes. Étiquetés comme « à surveiller » et, à l'occasion — qui sait ? —, « à liquider ». Et l'occasion fut...

J'eus l'impression très souvent, dans certains apartés avec des officiers de police judiciaire, de vivre un dialogue tout droit sorti de La Fontaine : « C'est un membre du F.L.N., maître.

— Peut-être... mais c'est le procès des assassins du 20 août.

— D'accord..., mais il aurait été bien capable...,

1. Il disparut après le procès et son corps ne fut jamais retrouvé. Des éléments armés « Algérie française » auraient réglé des comptes.

ou c'est sûrement quelqu'un de chez lui, de sa famille ! »

Le dossier s'ouvrait, comme tout dossier de meurtre ou d'assassinat, sur la pièce maîtresse, le rapport médico-légal.

Dès le lendemain de l'émeute, le docteur Travail, médecin légiste local, fut chargé d'examiner les cadavres, d'en faire la description et d'indiquer les causes de la mort. Ainsi, tel était décrit comme tué par balles, tel autre égorgé, tel autre encore éventré à coup de serpe, tel autre, enfin, mort le crâne éclaté à la hache.

A l'horreur de ces descriptions s'ajoutait celle des photos. J'avoue avoir ressenti un vrai désespoir en les regardant, la première fois. Je pensais à cet instant si redouté des avocats, celui où le président les sort du dossier et les fait circuler d'un juge à l'autre.

Comment, pourquoi des hommes se transforment-ils brusquement en bêtes sauvages ? Pourquoi un homme, même nié dans son identité, se métamorphose-t-il en non-homme ? Est-ce nous qui, par nos erreurs et notre mépris, avons effacé, cassé ce ressort qui nous distingue de l'animal ? A quel moment cessent donc de s'allumer les voyants de notre système d'humanité ?

« Tu rigoles ? Non ? Et les événements de Sétif[1] ? Et Hiroshima, mon amour de bombe ? »

Léo s'essaie à l'Histoire et à l'humour. Avec son intelligence et son recul, il a flairé mon coup de déprime.

1. 8 au 13 mai 1945 : manifestations dans le Constantinois (Sétif, Guelma), qui tournent à l'émeute. Après le massacre des Européens (103 morts, plus de 100 blessés), une répression impitoyable : 1 500 musulmans tués (bilan officiel), mais certainement davantage, 1 476 condamnations prononcées par des juridictions d'exception.

Danger ! Je doute..., *mes* accusés sont en danger. Je sais que je ne puis prétendre à aucun talent sans quelque foi dans la cause. Urgence. Il faut réagir. Récupérer la confiance qui, seule, me fait me tenir droite à la barre.

« Tout de même, si ceux que nous défendons ont massacré, tailladé, éventré... Regarde ces photos... ces enfants, ces jeunes femmes... tout de même... »

Je flanche. Léo le sent.

« Ces gars sont innocents, je te dis. » Et, péremptoire, il m'entraîne à l'étude du dossier. « Tu pourras vérifier demain à la prison. Tu les interrogeras, preuves en main, quand tu connaîtras les faits. »

La quasi-perfection des aveux des accusés frappait à première lecture.

Par une sorte de distribution idéale, chaque accusé reconnaissait avoir tué telle ou telle victime. Et, avec une précision peu commune, ils reprenaient, presque mot pour mot, les conclusions du docteur Travail sur les cadavres attribués à chacun d'eux.

Certains ajoutaient même le détail qui, dans toute enquête policière, fait mouche. Détail que seul l'auteur du crime peut connaître et donc donner. C'est l'histoire de la cicatrice, du tic, de la bizarrerie d'ameublement, de langage, de comportement. Ce qui transforme une hypothèse policière en une vérité indiscutable. Dans les procès-verbaux, des déclarations pétries de spontanéité — telles que « elle se débattait, je lui ai brisé le bras... », « il avait peur et il est allé se cacher sous le lit... », « le bébé, je l'ai arraché des bras de sa mère... » — foisonnaient.

Nous contestions globalement la valeur de ces confessions.

« Arrachées par la torture, monsieur le Président.

— Alors, la police a tout inventé ? » Le président

levait les bras au ciel. « Alors, la police a même inventé ce détail ? »

Ce qu'il ne savait pas — et nous non plus à l'origine —, c'est que ce procès allait permettre la plus extraordinaire mise en cause de cette « reine des preuves », l'aveu.

Le défilé des témoins commence. Le président instinctivement baisse la voix : « Vos nom, prénoms, qualités...

— J'ai vu Sehab Saïd tuer ma mère avec un fusil de chasse. Puis il a tiré sur ma belle-sœur dans le dos. Elle est morte presque aussitôt. Il a tiré sur ma sœur Olga dans la poitrine. Elle est morte sur le coup. Puis mon petit frère... Moi-même j'ai été blessée avant ma sœur. »

La jeune femme qui parle avait dix-sept ans au moment des faits. En l'espace de quelques minutes elle a vu mourir toute sa famille. Sa jeunesse, son maintien, ses mots donnent à sa présence une telle force que personne n'ose intervenir.

Un monologue dramatique. On l'écrirait presque mot à mot pour le théâtre, puisque la réalité d'aujourd'hui tarit toute imagination.

La belle rescapée se tourne avec lenteur, avec hauteur, vers les bancs des accusés. Elle va déclamer, façon Shakespeare, c'est sûr : « *To kill or not to...* tuer ou ne pas... »

Silence de mort.

Elle tend le bras et pointe l'index : « C'est lui... et l'autre, à côté... je les reconnais. » Elle ne les avait identifiés jusque-là que sur photos, en l'absence de toute confrontation. « J'en suis sûre, mon regard a croisé le leur... »

Elle se tourne à nouveau vers le Tribunal. Elle vient sans doute de condamner à mort deux hommes.

En quelques secondes, sans hésiter, sans fouiller au fond de ses images. Elle regarde autour d'elle, elle pivote un peu pour voir l'assistance. L'effet produit ne semble pas lui déplaire.

Accablés, Léo et moi ne bougeons pas. L'évocation de ces instants de vie et de mort pèse sur nos épaules comme du plomb. Chacun, dans la salle, retient son souffle.

« Pas de questions, maître Matarasso, maître Halimi ? » interroge le président, brisant enfin cette messe.

Nous hésitons. Des points sont à vérifier. Les accusés qu'elle vient de désigner disposent de sérieux alibis. L'un d'entre eux se trouvait à deux cents kilomètres des lieux, le 20 août, et le bouclage opéré par l'armée dans cette région ne permettait à personne — et encore moins à un Algérien — des allées et venues. Des témoins peuvent l'établir. Est-elle si sûre de sa désignation ?

Comment a-t-elle eu le temps — un temps qui ne compte plus comme l'autre, l'ordinaire, un temps fait des quelques minutes où des émeutiers défoncent les portes, saccagent et tuent — de voir, de photographier dans sa tête, dans ses yeux, alors que le monde basculait, s'entrouvrait, s'engloutissait avec elle ? Comment ne pas faire la part de la folie qui, dans sa fulgurance, a pu mélanger les pions, renverser les places des acteurs, brouiller les regards ? Oui, tout de même, une reconnaissance si froide, si formelle, quand le bruit et la fureur, les balles, la mort mènent leur danse infernale ?

« Pas de questions », laisse enfin tomber à mi-voix Léo.

Nous en sentons l'indécence, quelles qu'elles soient.

« Le Tribunal vous remercie... vous pouvez vous retirer. »

La jeune femme, star sans l'avoir voulu mais consciente de l'être, s'en va lentement. Je la suis des yeux. Elle nous a bel et bien réduits au silence, nous, les défenseurs.

Il nous faut nous ressaisir. Nous soulignons en douceur certaines contradictions. Dans l'atmosphère encore tendue de l'audience, s'élèvent des murmures. Une réprobation globale nous enveloppe. Aucun juge ne trouve le moindre intérêt à nos propos, de toute évidence.

Les témoins-victimes se succèdent. Ils usent de mots et de silences déchirants. Les accusés ne peuvent opposer, en bloc, que leur innocence. Partie terriblement inégale. Le Tribunal, le public, la ville, l'Algérie française tout entière les ont déjà condamnés.

Vient le tour des enfants, à la barre des témoins : neuf ans, dix ans, douze ans. Nous nous taisons et écoutons ces rescapés. Mais sans trop d'embarras, ils sourient, désignent, confirment.

Je remarque une fois de plus combien les enfants évoluent à leur aise dans l'horreur et la mise en scène. Sincères, même s'ils fabulent quand ils parlent de balles au lieu de couteaux. Ils disent ce qu'ils ont vu et retenu ce jour-là. Par leurs yeux et leur émotivité. Leur vérité, cette image fantasmatique, plus forte que celle des faits. Nous n'insistons pas. Nous nous réservons pour nos conclusions.

Les premières, sur ce point, posent la question d'une double contradiction. Le rapport d'autopsie avait conclu pour quatre des victimes à une mort par objet tranchant. Couteau, serpe, hache. Les témoins directs — pour la plupart parents proches — affirmèrent, sous la foi du serment, que les émeutiers tirèrent à coups de pistolet ou de fusil de chasse. Où est la vérité ?

Pour leur part, les accusés, dotés de ces cadavres ambigus, reconnurent, avec quelques détails, avoir tranché à coups de serpe, fait éclater un crâne à la hache, égorgé au couteau. S'il y avait bien eu mort par balles, quel sens prenaient ces aveux et surtout comment avaient-ils pu être obtenus ?

« Où est la vérité, monsieur le Président ? » répétons-nous comme un leitmotiv.

Nous voulons une nouvelle autopsie, l'exhumation de ces quatre cadavres et la désignation d'autres médecins légistes.

Bataille-poker. D'elle dépend l'issue d'un procès criminel, le verdict d'innocence ou de culpabilité. Si l'examen établit l'erreur ou la faute du docteur Travail, les aveux calqués sur le rapport perdent toute signification. Mais, du même coup, ils deviennent la preuve d'un autre crime : la violence.

Le procès de la justice en Algérie et de sa pierre de touche, la torture, pourrait prendre place aux côtés de celui-ci.

A coup sûr, l'accusation perd du terrain. Toutes les réponses la mettent en mauvaise posture. Si le premier rapport est véridique, les aveux collent mais les témoins mentent. A l'inverse, si les témoins disent la vérité, alors le docteur Travail a menti, ou n'a pas examiné les cadavres. Les accusés auraient donc avoué des actes que les constatations infirment. Ils se seraient chargés de meurtres particulièrement odieux sans les avoir commis.

Nous voilà presque au cœur d'un bon roman policier : le crime — extorquer des aveux par la « question » — n'était pas parfait.

Encore nous faut-il l'établir. Nous démontons le processus. Pièce n° 1, probante par excellence, le rapport médico-légal. Aucune raison ne peut normalement en amoindrir la force. Une certitude classique, commune à tous les dossiers. Ce constat sert de point de départ à l'enquête pour assembler le puzzle qui désigne les coupables. Puis on recense les présomptions, on répertorie les objets, on examine les alibis.

Mais dans le dossier du 20 août 1955, ni pièces à conviction, ni armes saisies, ni empreintes. Grave carence. Aucune donnée matérielle autre que les cadavres. Au moment où ils interrogent les suspects, les policiers ne disposent pas encore des témoignages qui contrediront, plus tard, l'autopsie. Alors, ils foncent. Ces Algériens *doivent* être coupables. Comme ils n'en ont pas d'autres sous la main, ils entreprennent de leur arracher des aveux. Par tous les moyens. Supplice de la baignoire, du courant électrique sur tout le corps, des brûlures de cigarette sur les testicules. On ne lésine pas sur les moyens. Le secret règne, l'impunité semble assurée.

Ils parviennent à leurs fins. Les suspects craquent, consentent, racontent. La machine à écrire crépite. Les procès-verbaux, dont la police rêvait, deviennent réalité judiciaire. Les déclarations s'emboîtent parfaitement et confirment le constat. « Toi, Nacer Ahmed, tu as égorgé... toi, Benguettar Hocine, tu as tiré à coups de chevrotine. » Nacer Ahmed, Benguettar Hocine, tous les autres acquiescent. Ils reconnaissent tout, et ce tout donne une pleine cohérence à l'enquête, du début jusqu'à la fin. A chacun son cadavre, la distribution tient. Nacer, Benguettar, Séboui et quelques autres sont bien les tueurs d'El Halia. Ce massacre appelle vengeance. On l'habillera d'un procès.

Le Tribunal nous écoute, quelque peu agacé par la rationalité de l'alternative que nous développons. Ou bien... ou bien... La question doit être posée.

Après un court délibéré, le président Garraud fait droit à nos conclusions dans des attendus succincts. Le colonel parachutiste Lartigaud est désigné pour examiner les corps des quatre victimes « litigieuses ».

Nous tentons alors de pousser l'avantage. Nous voulons mettre un nouvel ordre dans ce dossier. Un supplément d'information s'impose. Dans quelles conditions le rapport d'autopsie a-t-il été dressé ? Comment les interrogatoires ont-ils été menés ? Pourquoi les traces de sévices relevées sur les accusés n'ont-elles fait l'objet d'aucun constat médical ? Où sont les juges d'instruction qui, les premiers, recueillirent les plaintes des accusés et le récit des violences subies ? Par quelles manipulations judiciaires a-t-on établi des responsabilités individuelles du crime le plus collectif qui soit, une émeute ?

Peine perdue. Le Tribunal n'ira pas au-delà de ce qu'il vient d'accorder. Examen de quatre victimes et rien de plus. Pas de renvoi des débats, que nous sollicitions aussi.

Nous affirmons alors que les droits de la défense sont transgressés. Le ton monte.

Léo prend la parole : « Nous ne pouvons nous associer à ce simulacre de justice... »

Incident. Nous quittons la barre, suivis par nos deux confrères de Constantine, tous deux algériens.

Les journaux titrent : « *Les avocats déclarent ne plus pouvoir assurer la défense de leurs clients.* » *La Dépêche de Constantine* s'entête, fond et forme. Nous sommes toujours les avocats des « *tueurs d'El Halia* » et le barreau de Philippeville — européen, lui — « *sauve l'honneur* » en demeurant à la disposition de la justice militaire.

Le lendemain, nous faisons des va-et-vient entre les dossiers et nos tueurs.

J'avoue que nous nous mettions à bien les aimer, ces monstres ! Nous les avions écoutés sans prévention. Sans doute les premiers à le faire depuis leur arrestation. Ils nous accordèrent une confiance sans limites. Nous nous parlions avec une totale liberté. Notre présence représentait leur seul espoir. Ils savaient cependant — nous les avions prévenus — que nous ne soutiendrions pas l'insoutenable. A eux de choisir : dire la vérité et, quelle qu'elle soit, nous demeurerions à leurs côtés. Ou s'exposer, en la travestissant, à affronter la justice sans nous.

Ils se récriaient, invoquaient Allah, montraient leurs cicatrices : « Ils nous ont esquintés, comment résister ? Même le fer, tu le tords avec le feu... alors, tu imagines, un homme... nous avons dit oui à ce qu'ils avaient tapé à la machine... nous n'en pouvions plus... nous avons fait la croix [1]. »

Nous commencions à nous habituer à leurs visages, à leurs émotions. Nous voyions régulièrement leurs parents, qui nous racontaient leur enfance, leur vie sans histoire et aussi le calvaire subi. Ils nous étaient devenus familiers.

Je leur parlais un peu arabe, dans mon dialecte tunisien. Ils riaient aux différences de prononciation, aux particularismes, ils m'appelaient « *eukhti* », « ma sœur », et Léo « *el mhalem* », « le maître ». On les sentait avides de chaleur humaine. Ils regagnaient leurs cellules tous les soirs un peu plus rassurés. Le monde qui les avait abandonnés pendant leur mise à la question changeait. Il prenait d'autres formes, de nouvelles couleurs, de vrais sentiments. Ils en fai-

1. Beaucoup d'entre eux, analphabètes, avaient signé en faisant une croix.

saient enfin partie, de ce monde nouveau, puisque nous étions arrivés jusqu'à eux. Certes, l'issue du procès menaçait leur vie, leur liberté. Mais ils avaient déjà reconquis une part de dignité : ils existaient pour nous, pour d'autres, et nous leur témoignions d'homme à hommes, de femme à hommes, notre communauté.

Tant et si bien que nos parloirs d'avocats se meublèrent d'anecdotes personnelles, d'histoires populaires, de cigarettes partagées, de cacahuètes croquées et même de rires. Ils réapprenaient à raisonner, à espérer, à vivre.

Comme nous venions de décider de ne plus les défendre, ils décidèrent de ne plus participer aux débats. Amenés aux audiences, ils y assisteraient en sourds-muets.

Dès le surlendemain de notre départ, le 26 février, nous retournions à la barre. L'enjeu ne laissait guère place à l'amour-propre ou aux états d'âme.

Je fis une brève déclaration : « Nos clients nous ont demandé de revenir pour pouvoir s'exprimer. Nous estimons de notre devoir d'être à leurs côtés.

— L'audience est reprise, conclut le président sans autre commentaire. Colonel Lartigaud, vous avez la parole pour votre rapport. »

Le colonel parachutiste/médecin légiste s'avance. Il est bref. Il s'exprime en des termes d'une clarté presque brutale. Ses conclusions ? Les quatre victimes dont il vient de faire l'autopsie ont été tuées par balles. Le docteur Travail a livré à la justice de fausses constatations.

Le président rappelle le docteur à la barre : « Docteur Travail, vous avez entendu ? maintenez-vous votre rapport et vos déclarations ? »

Le président laisse voir sa mauvaise humeur. La

maîtrise des débats lui échappe et cela, à cause d'un médecin pied-noir incapable de bien ficeler ses examens. Le procès tel qu'il l'avait tracé, pour lui et pour l'Histoire, s'engage sur une voie hasardeuse.

Coup de théâtre. Le docteur Travail bégaie... Il reconnaît... Il s'est trompé... Il n'a pas de certitudes. Le colonel légiste a probablement raison... Il s'excuse...

Léo et moi fonçons, en nous relayant.

« Quel crédit accorder au reste de votre rapport ? Aux autopsies des autres victimes ? Comment vérifier la force probante des aveux des accusés si l'on ignore à quelle victime et à quelle mort ils se rapportent ?

— Je ne sais plus... Je ne sais plus... » Le docteur Travail s'effondre. « J'ai mélangé les fiches des cadavres. J'en ai égaré quelques-unes, j'ai dû en *déduire* d'autres. »

Le spectacle d'un homme fini commence. Un instant, un court instant, je ressens une vague compassion pour ce témoin abattu, humilié, au regard perdu.

Léo porte l'estocade finale : « Vous venez de vous rendre coupable du crime de faux témoignage. Nous demandons qu'en vertu de l'article 84 du Code de justice militaire, des réquisitions soient prises et que le Tribunal ordonne votre arrestation. »

Le président se ressaisit très vite. Un dérapage vient de se produire, il ne dégénérera pas. Les accusés n'accuseront pas leurs accusateurs. Tout le procès — et son issue forcément politique — se joue à cet instant. Il interrompt les avocats.

Le commissaire du gouvernement intervient. Il s'oppose à la mise en cause du mauvais médecin légiste : « Il s'est rétracté avant la fin des débats. Il n'y a donc pas faux témoignage. »

Le docteur Travail, le visage gris, la silhouette

brusquement rétrécie, quitte la salle. En quelques heures, l'affaire l'a transformé en un irrémédiable vieillard.

L'audience reprend le lendemain par l'audition du juge d'instruction Voglimacci.

Selon nos amis-clients, il avait mené les interrogatoires avec brutalité, les menaçant parfois de les remettre à leurs bourreaux s'ils revenaient sur leurs aveux. Quand l'un des Algériens montrait les traces de sévices sur son corps et demandait à être examiné par un médecin, il éclatait de rire : « Et quoi encore ? tu veux déguster de nouveau ? » Certains accusés affirmaient même qu'il ne dédaignait pas mettre lui-même la main à la pâte.

Le voilà s'avançant à la barre et s'exprimant sur un ton faussement calme.

Notre tandem se rapproche de lui. Léo me souffle : « Il va y avoir du sport... Commence, Gisèle... et prends ta voix Comédie-Française pour attaquer. »

J'attaque. Je ne jette pas un seul regard au témoin et, me conformant strictement au Code qui exige que toutes les questions soient posées par l'intermédiaire du président, j'égrène en détachant les syllades : « Le témoin, M. Voglimacci, peut-il nous expliquer... »

Suit la liste des méfaits que nous reprochions à ce « *magistrat d'une haute conscience* », comme l'écrivait *La Dépêche de Constantine* sous le titre « *Violents incidents entre la défense et le juge qui instruisit l'affaire* ».

Nous continuons. Respect absolu de la forme, jusqu'à la maniaquerie. Nous donnons du « Monsieur le Juge d'instruction voudra-t-il dire au Tribunal... », à chaque question, et lorsque, hors de lui, le juge nous prend à partie, traitant les avocats parisiens d'insolents et d'ignorants, nous nous tournons vers le président : « Mais c'est au Tribunal qu'il faut adresser vos explications », lui indiquons-nous avec suavité.

Je prononce son nom à l'italienne et il est corse. C'en est trop.

« Voulez-vous prononcer mon nom comme il faut », crie-t-il. Perd son sang-froid, injurie Matarasso. Nous répliquons. Demandons des excuses publiques.

Suspension d'audience.

L'audience est reprise. Tension insupportable. Un mot, un geste, même anodin, peut provoquer la rupture. Les juges se raidissent dans leurs uniformes. Ils évitent de nous regarder.

Toutes nos conclusions sont rejetées.

On approchait de la fin des débats.

Ce 4 mars au matin, le commissaire du gouvernement prononce son réquisitoire.

Il commence par évoquer « *les bandes sanguinaires semant autour d'elles le meurtre et l'incendie* » et leur « *long cortège d'atrocités pour ces nombreuses familles qui voulaient vivre en Algérie dans la confiance et dans la paix* ».

Il conclut sa partie descriptive par un vibrant : « *Nous n'oublierons jamais nos morts d'El Halia, les enfants surtout.* »

Frissons dans la salle.

Il entreprend alors de distinguer trois catégories d'accusés, les assassins, criminels d'action directe formellement désignés et reconnus par les témoins, les complices d'assassinats, de pillages ou d'incendies, et enfin ceux dont la culpabilité reste, à partir de certains éléments, discutable. Il cite Montaigne, Camus, et enchaîne en demandant au Tribunal la mort pour neuf accusés. Nous écoutons à peine la suite. Un dosage subtil de réclusion à vie, de peines de vingt ans, de dix ans pour les autres. Afin de décider du sort de ceux sur lesquels ne pesaient pas de charges sérieuses, l'accusation s'en remet « *à la sagesse du Tribunal* ».

L'après-midi, les avocats plaident. Ceux des barreaux de Philippeville et de Constantine d'abord, puis moi-même et Matarasso. Nous invoquons la nullité des aveux et dénonçons l'usage de la torture. L'autopsie ordonnée par le Tribunal n'en apporte-t-elle pas la preuve quasi scientifique ?

« Ne nous livrons pas à une cérémonie expiatoire. Il ne s'agit pas de venger des morts innocents. La force de la France ne se confond pas avec la répression. Rien ne peut être retenu de cette enquête entachée de violence et de trucage. Il faut acquitter. »

Nous nous rasseyons.

Tout est dit. Restent les derniers rites judiciaires, à observer à peine de nullité.

Le président annonce que les juges devront répondre à 2 815 questions[1]. La loi l'oblige à les lire. Mais les défenseurs peuvent les « tenir pour lues », afin d'éviter un interminable monologue-inventaire.

Enfin, le rituel : « Accusés, levez-vous ! Avez-vous quelque chose à ajouter pour votre défense ? »

Dernière occasion pour ces hommes de faire entendre leur voix. Ils n'auront plus jamais eux-

1. Au procès d'Oradour-sur-Glane, le tribunal n'eut à répondre qu'à 695 questions.

mêmes la parole, quels que soient les procédures et les recours. L'inattendu à cet instant peut toujours arriver. Le président feint de l'attendre, tourné vers eux.

Les larmes aux yeux, certains redisent l'innocence et la violence. D'autres secouent la tête en silence.

« Les débats sont clos. »

Le président dépose sur le bureau l'énorme dossier fait d'enfants égorgés, d'hommes torturés, de cadavres exhumés. Il extrait les quelques pièces prévues par la loi — acte d'accusation, ordonnance de renvoi —, ramasse les codes.

« Gardes, surveillez les issues ! »

Les accusés regardent leurs juges partir en conclave décider de leur vie. Machinalement ils tendent leurs poignets aux menottes. Leurs gardiens les escortent vers la prison.

L'attente, on le savait, serait longue. Elle dura près de douze heures. Douze heures pendant lesquelles nous allions, venions, supputions, plaisantions. Fuir l'obsession de l'irréversible par tous les moyens.

Comme toujours avant le verdict, je me recroqueville. J'ai peur. J'entrevois la guillotine, je tremble au plus profond de moi, mais je souris et lâche quelques drôleries en arabe.

Nous sommes dans la petite arrière-salle avec les accusés. Ils fument et échangent leurs impressions. Du cinéma. Comme nous, ils se veulent à la hauteur, ils masquent leur angoisse, ils caricaturent d'un mot tel juge, ils imitent l'inimitable sergent-chef Mérabet — interprète dans l'armée française mais fils des terres brûlées d'Algérie —, ils interrogent : « Quand partez-vous ? Et Paris, ça bouge pour l'Algérie ? »

Certains hasardent : « Et si nous sommes condamnés à mort ? Ça dure combien la cassation ? C'est à Alger, la Cour, ou à Paris ? »

Léo et moi disons notre confiance, du moins fabriquons-nous notre confiance à partir d'un raisonnement simple, trop simple : l'effondrement du docteur Travail annule toute l'enquête, ils n'oseront pas condamner...

Après huit ans de métier, je vis ce délibéré comme celui de ma première affaire. Même huis clos intérieur. Même dualité. Même masque de sérénité à l'usage des autres, ceux dont le sort dépend de ces minutes, de ces heures. Même branle-bas dans la tête et dans le cœur. Mêmes questions, auxquelles s'ajoutent quelques autres, actuelles. A quoi sert un avocat dans le droit d'exception ? A quel rôle se trouve-t-il réduit dans le jeu d'une loi hors la loi ? Et quand la justice se trouve acculée à violer ses propres principes, quand la violence, le procès-parodie prennent sa place, que choisir ? La présence-alibi ou l'absence-désertion ?

Ce soir, nous le murmurons avec lassitude, entre nous, Français : cette histoire algérienne menace la République. Le peuple algérien veut son indépendance. Tout entier, et par bribes, il s'enracine douloureusement, dans chaque dossier. Le gouvernement a choisi de le mater, par une répression sans merci. Danger, escalade. De l'arrestation arbitraire à la gifle, de l'internement dans les camps à la systématisation de la torture. Éclipse de civilisation. Avec l'autorisation du Parlement. L'armée détient tous les pouvoirs de police. Légalement[1]. Ordre des paras et règles de la démocratie.

Pour l'instant, je continue d'expliquer les délais et la procédure du Tribunal militaire de Cassation.

1. Pouvoirs spéciaux en Algérie : cf. *supra*, p. 132, note 1.

Temps immobile. Les heures s'enchaînent aux heures sans que tourne la Terre. La porte derrière laquelle — par oui ou non — les juges militaires rayent une vie ou lui laissent aller son cours reste close. Dix heures déjà que nous attendons.

« Tu ne crois pas que notre défense les a exaspérés ?... Et si leur tête allait rouler dans le panier parce que nous avons provoqué le scandale sur l'enquête... » Je soliloque tout haut.

Léo sourit.

« Te casse pas les méninges... Le vrai scandale, c'est la torture, c'est le silence. » Il veut me rassurer, se rassurer aussi. « Tu verras, d'ailleurs, ils n'oseront pas, après ces autopsies... »

La salle se remplit dès vingt heures trente. Les Philippevillois se sont habillés pour cette sortie après dîner. Comme pour une fête. Le couvre-feu a été levé pour le prononcé du jugement. Ils arrivent par groupes, bras dessus, bras dessous, s'installent sur les bancs de bois du prétoire, s'interpellent, se reconnaissent.

Quelques commentaires, « ils vont payer les salauds », « ces monstres, à la casserole ! », quand nous passons devant eux. Un homme épais et rougeaud se lève et me crache à la figure. La femme assise près de lui ponctue : « Et s'ils s'en sortent, on aura votre peau... »

Léo est resté près des accusés.

Vingt-deux heures, déjà.

La nervosité court sur quelques bancs. Je regagne l'arrière-salle. Je me répète, comme on prend un sédatif : « Ça va être fini, ça ne va pas durer, ils vont sortir. »

Vingt-trois heures. Le greffier s'agite, l'huissier demande à chacun de regagner sa place : « Le Tribunal », annonce-t-il.

La porte ne s'ouvre pas.

Ma robe d'avocate — celle du jour de ma prestation de serment et celle d'aujourd'hui, encore, l'unique, ma robe fétiche — est connue des confrères et des journalistes. A cause de ses boutonnières. Des trous béants. Cousues, recreusées par mes doigts, recousues, gigantesques, hideuses. Elles ont subi toutes les angoisses des audiences difficiles, toutes les attentes inhumaines de ces délibérés, toutes les vagues de la peur et du doute qui déferlent en l'avocat à l'heure du jugement. Debout, le visage étanche, je triture fiévreusement les petits boutons de nacre noire cousus en rangs serrés, comme sur une soutane de curé. Je force chaque boutonnière de mes deux, trois doigts dans un mouvement incessant, insistant. C'est ma manière de rester calme, mon chapelet des musulmans, l'exutoire de mes émotions rentrées.

La porte, après un siècle de deux à trois minutes, s'ouvre enfin.

Le président, ses galons et son dossier apparaissent. Impénétrable. Je scrute presque effrontément les visages des autres juges. Rien. Impénétrables aussi.

Le président-colonel dépose son képi sur le bureau : « *Au nom du peuple français* », proclame-t-il.

« C'est mauvais », me souffle soudain Léo.

Mes mains s'acharnent sur mes boutonnières. Une vraie frénésie !

Pas un souffle dans la salle, tout entière debout, comme hypnotisée par la voix du président. Monocorde. Le nez dans ses papiers, il psalmodie. « *Condamne le civil musulman X à la peine de mort... Condamne le civil musulman Y à la peine de mort...* » Un glas.

Je compte les têtes qui tombent, trois, quatre, cinq..., neuf... L'accusation en avait demandé neuf. La voilà exaucée.

Mais le président continue sa lecture. Erreur, il doit y avoir erreur. Je ne comprends pas. Onze, douze. « *Condamne le civil musulman Z à la peine de mort...* » Des hommes montent à l'échafaud, cauchemar, étrange cérémonie que nous imaginons, presque dédoublés.

Léo me regarde. Pâle, très pâle.

Treize, quatorze, quinze. Le compte fait bonne mesure. Quinze de ces hommes avec lesquels nous avons vécu ces derniers jours vont mourir. Le peuple français en a ainsi décidé. Et ils sont innocents.

Puis le verdict prononce la deuxième mort des autres accusés, « en fuite », ceux que les forces de l'ordre exterminèrent après l'émeute, des « disparus » qui ne reparaîtront jamais. Vingt et un. Les peines s'échelonnent entre travaux forcés à perpétuité, et de vingt à deux ans.

Un seul acquittement. Pas de surprise, il échoit au mouchard Hamouda Moussa, qui reconnut les faits et accusa tous ses compagnons. Donnant, donnant. L'accusation rémunérait l'un de ses auxiliaires[1].

La presse mentionna à peine l'hécatombe. *Le Monde*[2], en quelques lignes, donna l'arithmétique des peines. Seul commentaire : le ministère public n'avait requis que neuf peines de mort et abandonné l'accusation pour douze inculpés. En revanche, *La*

1. Il s'engagea dans la S.A.S. (Section administrative spécialisée) du Filfila, qui collaborait avec la répression. Un confrère de Bône avait assuré, seul, sa défense.

2. 8 mars 1958.

Dépêche de Constantine[1] tint à « *rendre un vibrant hommage au président qui sut mener les débats avec clairvoyance et au commissaire du gouvernement qui n'eut d'autre but que de faire rendre une justice bien française* ».

Des applaudissements saluent le verdict.

Je laisse mes boutons et m'avance vers le Tribunal : « C'est une honte, nous irons jusqu'au bout... nous n'accepterons jamais... »

J'ai presque crié. Inutilement, sottement. Mes nerfs lâchent. Les juges me regardent. Certains baissent la tête, le président ne réagit pas.

« L'audience est levée », se contente-t-il de dire.

Léo me prend par le bras : « Allons, calme-toi. »

Le jugement a été prononcé en l'absence des accusés[2]. Le greffier, flanqué de l'interprète, se dirige vers l'arrière-salle pour leur en donner lecture. Ils écoutent, impassibles. Pas un mot, pas un geste. Ils regardent par-dessus la tête du greffier pendant qu'il leur distribue les peines de mort. Du tricolore, sous-titré en arabe.

Ils m'impressionnent au point que je retrouve comme par un déclic mon calme. Le leur. Je dis quelques mots en arabe : « Le seul recours, c'est la cassation. » Pour les condamnés à mort, pourvoi quasi automatique. Léo les assure que nous continuerons à les assister.

L'un d'entre eux parle enfin : « Aucun de nous ne peut accepter ce jugement. Peu importe la peine. Nous signons tous le pourvoi en cassation. »

Certains devaient être libérés quelques jours après,

1. 7 mars 1958.
2. Code de Justice militaire, art. 93 et 97.

leur détention préventive avait couvert le temps de la condamnation. Ils signèrent, comme les condamnés à mort, comme les condamnés à perpétuité, comme tous. Ce recours allait au-delà de la solidarité. Il signifiait le refus de l'un des plus manifestes trucages de la justice politique.

Presque minuit. La foule, massée devant le Tribunal, veut « nous faire notre fête », à Léo et à moi. Les gardes nous raccompagnent.

Nous sortons par une petite porte latérale. Malgré cela, certains excités nous retrouvent, nous bousculent, nous hurlent des injures au visage, veulent nous entraîner. Les C.R.S. nous maintiennent dans la houle et nous ouvrent la voie. Léo monte dans une Jeep, moi dans une autre.

Mes gardes du corps me reconduisent jusque dans ma chambre et me recommandent de n'en plus bouger avant le lendemain, dix heures. Ils viendront nous chercher pour le départ. Ordre du sous-préfet qui brûle de voir enfin ce temps de tous les dangers (pour sa carrière) se terminer.

Pleine lune sur la mer, les terrasses avoisinantes prennent des allures de décor de *Pépé le Moko.*

« Nous garderons les entrées de l'immeuble », préviennent les anges gardiens.

Je passe la nuit à classer mes papiers. Un amoncellement de notes de droit, de procès-verbaux d'enquêtes, de brouillons de conclusions. Un peu à part, mon journal de bord : des mots clés pour se souvenir, des phrases-dessins d'audiences, des bribes de dialogues entre les accusés, la nuit et sa splendeur insolite dans ma buanderie, la torture, l'Algérie algérienne...

Pêle-mêle, pendant les suspensions d'audiences ou

au lit le soir, je notais quelques points de repère. Je mets le cahier dans ma serviette.

Le matin, Léo et moi sommes conduits, sous protection militaire, au petit aéroport de Philippeville.

« Eh bien, ma chère Gisèle, nous n'avons perdu qu'une bataille... »

Quand l'avion décolle et amorce son virage sur la baie d'un bleu très sombre, je cherche des yeux le restaurant à poissons de Stora. Nous nous enfonçons dans les nuages.

« Vingt jours à peine, c'est drôle, s'exclame Léo, j'ai l'impression d'avoir quitté Paris depuis dix ans ! »

Le procès d'El Halia

2

ET LA MACHINE À AVEUX SE DÉRÉGLA...

Le Tribunal militaire de cassation siégeant à Alger[1] se pencha sur le procès de Philippeville. Il s'agissait de dire le droit, de vérifier la régularité du jugement, apanage en temps normal de la Cour de cassation, à Paris.

Me P. F. Rysiger avait rédigé un solide mémoire : dix à douze moyens pour justifier la cassation du jugement. Mais ni lui ni Léo ne viendront plaider à Alger. Le verbe en l'espèce perd son importance, l'essentiel tient dans l'écrit.

Le 9 avril, je me présentai donc seule à la barre.

J'insistai sur l'inexistence juridique des aveux, puisque extorqués par la violence.

Insensibles à mon argumentation, les juges parurent seulement agacés par ces procédures truffées d'erreurs. Et par leurs auteurs, policiers et magistrats. Pire qu'un crime, une faute. Ils annu-

1. Par décret du 16 juillet 1955 (Code de justice militaire — temps de guerre).

lèrent le jugement de Philippeville pour deux motifs véniels[1] et rejetèrent les autres.

Tout devait recommencer devant le Tribunal militaire de Constantine.

Constantine. Un ciel gris et bas. La découpe insolite d'un pont suspendu au-dessus des gorges du Rummel, presque dans la ville.

28 octobre 1958.

Ouverture du deuxième procès des « tueurs » d'El Halia.

La situation politique, entre-temps, avait changé.

Sur le terrain, une répression au paroxysme. L'armée torturait, les camps d'internement débordaient, les disparitions se chiffraient par milliers, les exécutions sommaires par centaines. Les tribunaux, confortés par le vote de nouveaux *pouvoirs spéciaux*[2], condamnaient en véritables stakhanovistes de la justice militaire.

Henri Alleg, communiste algérien qui dirigeait *Alger Républicain,* journal clandestin de son parti — Parti dissous, journal interdit en 1955 —, avait été arrêté par les paras en 1957. En février 1958, il réussit à faire publier son livre-bombe *La Question.*

Bouleversantes de sobriété, ces cent dix pages racontaient la torture. Torture ordinaire, quotidienne. Le livre fut saisi. Le moral de l'armée ne s'accommodait guère de cette lumière sur ses propres méthodes.

1. Non-lecture aux accusés d'un jugement incident et absence de réponse à certaines de nos conclusions.

2. Cf. *supra,* p. 132, note 1.

Le grand débat sur la torture et son efficacité, sur la morale et la politique battait son plein. François Mauriac, André Malraux, Roger Martin du Gard, Jean-Paul Sartre protestèrent. Sartre, à propos de *La Question,* écrivit *Une victoire*[1].

Les partis politiques connaissaient impuissance et désarroi. La droite encaissait l'échec de sa répression. La gauche, avec Guy Mollet, se trahissait. Les préfets socialistes — Lacoste à Alger et Lambert à Oran — avaient choisi le camp de l'Algérie française et des Torquemada.

La gangrène menaçait la France. Gangrène morale, gangrène politique.

« Ce qu'on fait ici, on le fera en France. Ton Duclos et ton Mitterrand, on leur fera ce qu'on te fait, et ta putain de République, on la foutra en l'air aussi ! » rugissait l'un des tortionnaires d'Alleg[2].

Il ne croyait pas si bien dire. Les lois d'exception venaient d'être étendues à la métropole. On s'acheminait vers une rupture.

Ce fut le coup de force militaire du 13 mai. A Alger, l'histoire de France se fractura. La IVe République ne résista pas au choc. De Gaulle et la Ve République vinrent.

Constantine n'est pas Philippeville. Entre les deux procès, la distance, le temps, un premier jugement cassé. De quoi — peut-être — retrouver quelque sérénité.

1. Quinze jours après la parution de *La Question* (Éditions de Minuit), le premier tirage (vingt mille) fut épuisé. Un deuxième tirage ne put satisfaire à la demande.

2. Cf. *La Question.*

Le président du Tribunal militaire, le colonel Couetoux du Tertre, avocat général près la Cour de Paris, nous accueille, aimable.

« Nous ferons la vérité, comptez sur moi. »

Il s'exprime avec un certain recul, un bon ton d'aristocrate. Durant les débats, il restera à la fois lointain et distingué. Avec son allure vieux beau, il donne quelquefois l'impression de s'ennuyer. « Il préférerait être chez "Maxim's", une cocotte sur chaque genou », fantasme Léo.

Le commissaire du gouvernement s'apprête à bisser son numéro de Philippeville.

On le sent cependant ébranlé par un premier verdict trop sévère. Il n'avait demandé que neuf têtes, on lui en donna quinze. Suggéré douze acquittements, un seul tomba... dans l'escarcelle du harki-mouchard.

Un procureur, certes... Mais ni tout à fait le même, ni tout à fait un autre.

Lors des suspensions d'audience, nous nous surprenons quelquefois à parler littérature, droits de l'homme... et même érotisme. Tandis que je récite quelques bribes de Rimbaud ou mime le Chrysale des *Femmes savantes,* Léo, imprégné de culture surréaliste et ami des plus grands, lui vante le génie d'un Michel Leiris ou lui susurre quelques vers de Benjamin Péret.

A certains signes, ce deuxième procès se présente comme un autre procès.

Le président évoque avec calme le massacre d'El Halia. Trente-cinq morts, seize blessés, rappelle-t-il, et parmi eux des femmes, des enfants, des nouveau-nés même. Il ne triche pas sur l'étendue de la répression : « Avant l'arrivée des militaires, vers quinze heures, deux appareils de l'armée de l'air ont mitraillé les rues du village. »

Une révélation, en audience publique. Les opérations de « retour à l'ordre », nous le savions, avaient pris l'allure quelquefois de représailles aveugles. La presse mentionna ce mitraillage aérien, mais des communiqués s'étaient efforcés de le démentir, insistant au contraire sur la juste modération des « secours ».

Les accusés — trente-huit[1] — assis sur des bancs, comme à l'école. Quelques-uns dans le box, d'autres à l'extérieur. Ils racontent les tortures subies, protestent encore, toujours, de leur innocence. Certains ouvriers de la mine font même état d'un alibi irréfutable.

Pour contre-attaquer, le commissaire du gouvernement entreprend la lecture des aveux qui avaient entraîné les premières condamnations.

Léo et moi nous dressons aussitôt. La cassation du jugement emporte annulation de toute la procédure antérieure. D'où l'inexistence de ces aveux. L'instruction et la vérité devront se faire à l'audience.

« Le Tribunal s'y attachera », déclare le président.

Tous les jours, pendant près de cinq semaines, nous nous retrouvâmes dans la salle du tribunal[2]. Nous posions des questions, exigions des précisions. Nous avions heureusement perdu cette retenue qui nous empêcha, à Philippeville, d'interroger

1. Entre-temps, certains d'entre eux, ayant purgé leur peine, avaient été libérés avant l'ouverture du procès.

2. Mes Vergès et Courrégé participèrent à la défense des accusés pendant vingt-quatre heures. Ils quittèrent la barre après le rejet de leurs conclusions demandant la comparution personnelle du juge d'instruction.

les témoins, si proches des victimes. Une douleur, pour respectable qu'elle soit, cesse de l'être si elle cause la condamnation d'innocents.

Quelques éclairs agitent de temps à autre les débats. Ainsi à propos de l'illégalité de plusieurs arrestations.

« Nos clients ont été arbitrairement détenus, mis au secret, torturés », disent nos conclusions.

Le commissaire du gouvernement se fâche, le président élève le ton, les avocats n'en démordent pas.

Nous allons même, devant de nouvelles contradictions, jusqu'à réclamer l'autopsie — une autre — de cinq nouveaux cadavres. Le 13 novembre, le Tribunal l'ordonne. Il en charge deux médecins, le colonel Lartigaud, déjà expert lors du premier procès, et le docteur Nury.

Le 25 novembre, ils déposent leurs rapports et viennent à la barre.

J'avais, quelques minutes auparavant, croisé le président. Il se hâtait vers la salle du Tribunal, un gros dossier sous le bras. Me le montrant, il me dit, d'un air gourmand : « Vous allez voir, vous ne pouviez pas rêver mieux ! »

Je trouvai cette expression, à la vue des photos de ces cadavres deux fois décomposés — les mutilations et le temps —, et deux fois exhumés, originale. Elle éblouit Léo.

La presse prend résolument le virage. « *Coup de théâtre au procès des émeutiers d'El Halia* », titre en gros caractères un quotidien[1]. « *Les précisions*

1. *La Dépêche de Constantine,* 26 novembre 1958.

qu'ils [les experts] *ont apportées sont en contradiction totale d'une part avec le premier rapport d'autopsie établi le lendemain de l'émeute, d'autre part avec l'acte d'accusation et les aveux des inculpés* », explique un autre[1].

Nous avions ajouté, en plaidant : « ... et en contradiction avec les déclarations des témoins. Alors que reste-t-il de cette accusation, de ces débats, de cette enquête qui ont déjà permis que des hommes soient condamnés à mort ou enfermés à vie pour expier un massacre auquel ils n'ont pas participé ? »

Comment s'était donc construite l'enquête ?

Le docteur Travail — pièce n° 1 du dossier — avait décrit Lucrèce Russo, l'une des victimes, comme égorgée. Torturé, à bout de résistance, Hocine Benguettar, le suspect auquel la police « attribua » ce cadavre — sur la foi de la déposition quelque peu théâtrale de M. Russo —, avoua, confirma, signa d'une croix. Il l'avait bien égorgée.

Tout allait pour le mieux dans le meilleur des mondes policiers. Le crime, le constat, l'aveu s'emboîtaient dans un ordre imparable.

Les policiers ne pouvaient pas prévoir l'imprévisible : un non-rapport, à la place de ce rapport médico-légal qu'ils croyaient sans faille. Quand ils matraquaient, électrocutaient, asphyxiaient dans les baignoires, ils ne se doutaient pas que le docteur Travail finirait par craquer, par reconnaître avoir mélangé ses fiches et ne plus savoir quels corps il avait examinés, ou s'il les avait même examinés.

Je revois l'accusé Benguettar, au procès de Phi-

1. *Le Monde,* 27 novembre 1958.

lippeville, se dressant face à l'un des témoins, Mme Buisson, qui l'accusait formellement d'avoir tranché quelques gorges : « Vous avez été confrontée avec moi dans les locaux de la police. Vous avez vu dans quel état j'étais, je sortais d'une séance de torture... Dites-le, dites-le donc au Tribunal. » Il suppliait presque, à voix basse.

Mme Buisson hésita. Pâlit. « Je jure par le Christ que je n'ai jamais vu ce dont parle l'accusé. » Elle lança sa phrase d'un trait, la tête basse, sans le regarder, et se hâta vers la sortie.

On découvre aujourd'hui que Mme Russo a eu le crâne éclaté par un objet lourd et pointu, et une blessure au poumon par balle. D'égorgement, point.

Dès lors la machine à aveux se dérègle. Les nouvelles autopsies l'ont grippée.

Autre victime, Armand Palou, mort d'une balle au cœur. Son meurtrier présumé, Boudroumah Salah, dans un luxe de détails qui nous firent frémir, avoua à ses policiers lui avoir fendu la tête à coups de serpe... avant qu'un autre émeutier l'égorge avec un poignard... que l'on ne retrouvera pas, comme, du reste, aucune des armes du massacre.

Mêmes contradictions entre l'état des autres cadavres et les « aveux » des assassins. Mêmes conclusions de la défense.

Nous demandons la comparution du docteur Travail. Le Tribunal refuse.

Comment mettre fin à cet épisode judiciaire ? Comment se débarrasser de ce drame en trois actes, où crime, enquête et premier jugement rivalisent en horreur ?

Le commissaire du gouvernement ne veut plus de ce spectacle grand-guignolesque : « J'abandonne ce rapport d'autopsie auquel je ne puis plus accorder aucune valeur. » Et les témoins trop zélés ? Aucun crédit ne peut s'attacher à leurs dépositions, ajoute-t-il.

Le procès, commencé le 28 octobre, touche à son terme.

Les grands volets — réquisitoire, plaidoiries — occupent le dernier samedi et le dimanche. La justice militaire siège tous les jours, sans désemparer.

Quand le capitaine Le Gallais se lève pour prononcer son réquisitoire, chacun sait déjà que le sort des accusés va se jouer sur une autre réalité. Et l'histoire de l'émeute du 20 août 1955 réécrite.

Silence, comme à Philippeville, pour les premiers mots du commissaire du gouvernement. Silence qui, aujourd'hui, ressemble à l'espérance. Cette vérité que nous voulions faire naître depuis le début des débats et que le verdict des premiers juges avait étouffée, la voilà déversée par le ministère public même.

« *On a parlé, dans ce procès, de l'absence quasi totale de pièces à conviction* [...]. *Il est évident qu'il a été difficile, le jour de l'émeute, de recueillir des preuves matérielles des crimes commis.*

« *Le débat se restreint donc, en fait, à la crédibilité que l'on peut accorder aux aveux des accusés* [...].

« *Les résultats de l'autopsie contredisent* [...] *en tous points les aveux* [...] *et nous sommes donc logiquement conduits à croire* [les accusés] *quand* [ils affirment] *que* [leurs] *aveux* [leur] *ont été extorqués par la violence* [...].

« *Comment tabler notre accusation sur des aveux qui se trouvent ainsi démentis par des faits mis en lumière au cours de ce procès ? En présence de toutes ces contradictions, comment pouvons-nous retenir ces aveux pour juger les hommes qui comparaissent devant nous ?*

« Il n'est qu'une seule explication plausible : ces aveux ont été extorqués sous la violence [...].

« Je le reconnais publiquement. M. le ministre Malraux a reconnu publiquement : "On ne torture plus en Algérie[1]*." Ces mots impliquent sans doute que cela a pu être fait avant.*

« Vous devez en tirer toutes les conséquences, dans cette procédure comme en d'autres.

« Dans cette affaire où les accusés encourent la peine de mort, je ne peux me baser sur les aveux passés pour réclamer une condamnation.

« Mais si j'efface ces aveux, que reste-t-il contre les accusés ? Peu de chose : des témoignages des rescapés de la tragédie. L'intensité du drame et son horreur ont marqué les témoins qui sont venus à la barre et leurs déclarations peuvent également être critiquées.

« Je suis donc amené à abandonner l'accusation dans la plupart des cas de ce douloureux procès (c'est-à-dire contre trente et un accusés)[2]. »

L'aveu avait changé de camp. D'une certaine manière, le crime aussi.

Certes, le massacre demeurait l'une des réalités insupportables de cette guerre. Mais la répression aveugle et la volonté de faire un exemple avec *des* coupables, puisque *les* coupables avaient disparu, ajoutaient un autre crime au crime. Plus impardonnable que le premier parce que différent par nature. Parce que élaboré froidement, dans le laboratoire des codes et des lois d'exception. Parce que

1. Faux. On continua de torturer. Djamila Boupacha (1960-1961) ne fut qu'un cas exemplaire parmi des centaines d'autres.
2. *La Dépêche de Constantine,* 30 nov.-1er déc. 1958.

commis pour les besoins d'une vengeance politique. Parce que signé par le peuple français.

Voilà donc les avocats contraints à la sobriété et les juges au courage.

Léo et moi ne reprenons pas les cas des accusés virtuellement acquittés. Nous nous attachons surtout au système de l'enquête. La violence a permis la fabrication d'un dossier, nous la dénonçons comme indigne, et menaçant nos libertés. Le lendemain, lundi, Léo conclut. Seul un verdict d'honneur peut effacer quelque peu la honte de ces procès.

Le Tribunal entre en délibéré. Il doit répondre à 1 790 questions. L'attente dure huit heures.

Le Tribunal regagne enfin la salle pour rendre son jugement[1]. Le président, après avoir posé son képi, en donne lecture d'une voix qui se veut neutre. Les officiers juges se figent dans leur garde-à-vous. Impassibles. En cire, comme au musée Grévin.

Trente-quatre acquittements. Les têtes que le Tribunal de Philippeville voulait faire tomber, revissées. Des hommes voués à perpétuité aux travaux forcés recouvrent la liberté. Miracle de la contradiction, de la démonstration, de la raison.

Le Tribunal prononce cependant deux condamnations à mort. Celles du meunier Sahab Saïd et de son fils Sahab Tahar. Leur système de défense échappait à la logique générale. Arrêtés parmi les derniers, conduits devant le juge d'instruction, ils ne furent pas torturés. Ils n'avouèrent donc pas. Leur condamnation, ils ne la devaient qu'à leur reconnaissance par des témoins de l'émeute. D'autres preuves, de pièces à conviction, point.

Peut-être aussi fallait-il éviter que le massacre

1. 1er décembre 1958.

d'El Halia ne se soldât, après cet énorme déploiement judiciaire, par un constat de carence totale. Deux condamnés à mort, un lot de consolation pour les victimes.

Avant de nous atteler à une nouvelle tâche — sauver ces deux hommes —, nous nous laissons aller à la joie. Joie complexe et différente de celle, classique, du succès de prétoire. Une instruction, construite sur le mépris de l'homme, s'était effondrée. L'accusation, accusée, avait plié et remballé sa guillotine.

« On a torturé en Algérie », a-t-il été affirmé *publiquement, pour la première fois,* et dans un tribunal militaire. Le procès le plus long et le plus sensible de la guerre d'Algérie s'achevait sur cet événement.

Autre événement : le silence de la presse, en France, et l'indifférence de l'opinion publique.

La torture me remettait en question. Ce bouleversement dépassait la raison morale ou politique, il prenait sa source dans mon propre parcours.

Mon milieu naturellement inculte, en français comme en arabe, ne pouvait me transmettre que des traditions, d'ailleurs contradictoires. Beaucoup de superstitions, à la fois folkloriques et religieuses, et de tabous hérités de la Diaspora et de l'avant-colonisation. De l'écrit, point. Du parler, nous n'utilisions que l'arabo-tunisien, un dialecte impur où certains mots d'origine italienne faisaient bon ménage avec le maltais et l'hébreu.

A coups de concours et de bourses, je m'étais jetée dans les livres. Mes nuits et mes jours passés avec Villon, Descartes, Molière et Voltaire, m'avaient livrée à la France. Je ne réalisais pas encore la signification — dans le processus colonisateur — de mon aliénation. Aucune trace en moi d'autre culture, puisque je n'avais rien appris de différent. J'offrais donc à l'occupant ma disponibilité. Je succombais à l'invasion du génie français. A sa langue, à ses poètes, à ses philosophes. Avec délices. Entre eux et moi se noua une histoire d'amour infinie. D'elle naquirent mes certitudes que la dialectique, le matérialisme et l'existentialisme ne purent entamer. Hegel, Marx ou même Sartre ne changeaient rien à cette vérité universelle : la France montrait au monde les chemins de la liberté, du respect et des droits de l'autre. La civilisation, je la situais en haut sur la carte, légèrement à gauche. Paris enrhumé, le monde ne pouvait qu'éternuer. Paris torturait, le monde se noyait.

Terrible fut le choc. Ainsi ces livres avaient menti. Ainsi l'intelligence, la générosité de ce peuple, façade, « *Liberté, Égalité, Fraternité* », façade... pour les mairies.

« *Et l'on voyait marcher ces va-nu-pieds superbes sur le monde ébloui...* » La Révolution avait triché pour faire frémir l'univers. Mais depuis quand ? comment ? où avait commencé le dérèglement de toutes nos valeurs ?

Telle une midinette éprise qui ne se résout pas à la rupture, je tournais et retournais le dilemme. Je refusais la trahison. Un système que je ne connaissais pas liait les deux réalités, celle qui faisait ce pays et celle qui le défaisait. Le vrai visage de la France se brouillait, mes émotions s'y perdaient.

Aussi mes plaidoyers contre la torture devinrent-ils tout naturellement une succession de questions, presque de cris. J'interpellais les tribunaux. « Qu'est la France ? Le Siècle des Lumières, les droits de l'Homme ou cette barbarie ? Qui êtes-vous, messieurs les Juges ? Qui représentez-vous, à l'ombre de ce drapeau ? » J'avais mal, je réglais mes comptes. « Qui ment ? les philosophes, l'histoire de ce pays ou vous ? Les livres ou la réalité de cette guerre ? »

Ces débordements surprirent, puis amusèrent, agacèrent enfin. Je fus souvent rappelée à l'ordre par les présidents des tribunaux. Certains confrères me prenaient un peu en pitié. Tant de passion dans un domaine où seule doit régner la raison d'État !

Le procès de Constantine, dans ce schéma, apparaissait comme une bizarrerie.

Du rituel de la justice, de la torture, de la mort d'innocents, du trucage politique, enfin de la résurrection d'hommes qu'un premier procès conduisait à l'échafaud, tout avait été dit.

Il ne reste plus qu'à se séparer.

Quand le président annonce la clôture définitive des débats et lance son ultime « l'audience est levée », nous ne bougeons pas. Nous nous regardons en silence. Avec une sorte d'étrange consternation.

Après cinq semaines de vie commune, nous allions nous quitter, peut-être à tout jamais. Nous avions vécu un huis clos où le mot, le geste de chacun devenait celui de tous. Juges, accusés, accusateurs, défenseurs, interprètes, gardes, nous formions une sorte de groupe dont certains devaient décider du sort des autres. Nos échanges s'étaient, au fil des jours, empreints de ces habitudes qui, très vite, tissent des liens plus forts. Nous demeurions les seuls acteurs d'une tragédie qui nous attachait les uns aux autres comme une drogue. Le visage de tel ou tel, nous le connaissions dans toutes ses expressions, ses rides, ses tics. Un absent à l'heure de l'appel, et nous le remarquions. Une pièce manquait alors dans cette machine où s'engrenaient, l'un dans l'autre, tous les protagonistes.

Les gardes, qui amenaient tous les matins les « tueurs », et les ramenaient dans leur prison le soir, y avaient choisi leurs partenaires. Dans l'arrière-salle, ils leur offraient des cigarettes, libéraient leurs poignets malgré le règlement, racontaient leurs déboires d'avancement ou de changement d'affectation, leur famille, la France.

Les accusés marquaient aussi leurs préférences. Ils se plaçaient selon leurs affinités dans le fourgon cellulaire, ils promettaient de faire un grand couscous à toute la troupe, une fois remis en liberté, « quand il y aura la justice ».

J'ai entendu l'un de ces « massacreurs » inviter chez lui les enfants d'un gardien pour les vacances : « Ma femme les emmènera à la mer... Tu verras. Ils reviendront en bonne santé... »

Un autre obtint du copain préposé aux menottes la promesse qu'il lui enverrait des livres. Pour apprendre à parler et lire le français.

Le meunier et son fils — les Sahab —, condamnés à mort, s'étaient attachés pendant des jours à convaincre deux de leurs gardiens de leur innocence. Et l'affectivité aidant, ils y réussirent : « Vous nous croyez, n'est-ce pas ? Vous nous connaissez maintenant... Si nous devons mourir injustement, Allah est le plus grand. »

Nous, les avocats, nous avions eu, après quelques débuts difficiles, des rapports courtois, devenus cordiaux, avec les officiers juges. Nous bavardions souvent avec le président. Nous évitions évidemment tout propos politique, comme il se doit entre diplomates de bords opposés. Même le commissaire du gouvernement avait subi sa part de métamorphose. Le nouveau contexte politique — le gaullisme et Malraux —, l'espoir d'une solution négociée en Algérie, autant de données pour lui radicalement nouvelles. Son regard sur les accusés, son écoute des avocats, son étude des dossiers témoignèrent d'une prise de conscience différente de son rôle. Il se savait solidaire et responsable, au-delà des avatars des prétoires. Il parlait — humainement — aux accusés, avec des mots souvent rassurants. Parfois il venait vers Léo et moi, en attendant l'arrivée du Tribunal, pour insister sur la communauté de notre tâche, « faire la vérité », et il enchaînait sur des anecdotes personnelles. Une manière, sans doute, de gommer l'arithmétique macabre des peines de mort et des années de réclusion qu'il nous infligea à Philippeville.

Bref, en ces derniers instants au Tribunal militaire de Constantine, la nostalgie était au rendez-vous. Inattendue, inexprimable, insolite. Nous avions construit ensemble une histoire qui laisserait en nous sa force. Elle s'intégrerait désormais dans la singularité de nos vies.

Je crois même qu'il y eut des embrassades surprenantes. Des uniformes français en armes et des Algériens en menottes.

Léo et moi allâmes le lendemain matin à la prison leur faire nos adieux. Oui, nous nous écririons, nous reviendrions, nous ne nous oublierions pas.

Nous ne les revîmes jamais.

La plupart d'entre eux furent internés dans un camp à leur sortie de prison. Ils furent, nous dit-on, massacrés par l'O.A.S[1]. D'autres disparurent mystérieusement et à jamais.

1. Organisation de l'Armée Secrète, fusion de groupes d'activistes qui voulaient garder l'Algérie française. L'O.A.S. utilisa la violence, les ratonnades, les assassinats d'avocats, de policiers, de gaullistes pour s'opposer à l'autodétermination. Malgré sa dissolution prononcée le 6 décembre 1961, l'O.A.S. continua de sévir, même après les accords d'Évian.

3

« APPELEZ-MOI MAÎTRE ! »

Restait à sauver les deux condamnés.

Leur vie tenait à la grâce du président de la République, doté d'un droit régalien, hérité de l'Ancien Régime. Droit souverain, arbitraire, malgré l'examen des dossiers, les mémoires, les audiences à l'Élysée. Le président ne doit ni compte, ni explications. Tel est son bon plaisir. Un bon plaisir de monarque, transformé au fil des années en raison d'État.

Les avocats de cette ultime mission le savent. Leurs chances varient selon la couleur du ciel politique. Veille d'élections ? Sondage favorable à la guillotine ? Émeute ou rébellion ? Nouveau crime qui bouleverse l'opinion ?

La raison de gracier peut devenir la déraison d'exécuter.

Le 11 février 1957, Fernand Iveton fut guillotiné à Alger.

Ce jeune tourneur à l'Électricité et Gaz d'Algérie

avait déposé dans l'usine du Hamma, où il travaillait, un engin explosif à retardement. La minuterie marquait dix-neuf heures trente. Une heure où les locaux étaient, à coup sûr, déserts. Les artificiers de la police désamorcèrent à temps la bombe. Il ne pouvait y avoir de sang, il n'y eut même pas de dégâts.

Dénoncé, appréhendé, torturé, Iveton avoua et s'expliqua.

Membre du Parti communiste algérien, alors dissous, il se battait pour l'indépendance du peuple colonisé.

« J'en suis, à part entière », lança-t-il avec courage à l'aréopage d'uniformes français qui le jugeait.

Il avait pris, comme chacun dans son groupe de « combattants de la libération », un engagement : « Nous avions promis que jamais nous ne ferions un geste fatal à une vie humaine. » Son acte, disait-il, « était destiné à attirer l'attention et cela seulement ».

L'instruction révélera même qu'il avait publiquement condamné les attentats de la Cafétéria et du Milk Bar[1].

« Je suis algérien, je défends mon peuple, répétait-il lors de son procès, j'aime la France, mais je n'aime pas les colonialistes[2]. »

Quelques jours auparavant, je me trouvais à Alger en compagnie de Gaston Amblard, avocat communiste de Paris. Il me parla d'Iveton, qui lui demandait de le défendre : « Mais *ils* me l'interdisent », me dit-il bouleversé.

Ils, c'était le Parti. Une discipline qui exigeait de lui la désertion. Double. Avocat, il resterait sourd à

1. Commis à Alger, le 30 septembre 1956 (4 morts et 52 blessés) : ils provoquèrent colère et ratonnades des Français d'Algérie.

2. *Le Monde,* 27 novembre 1956.

l'appel d'un homme broyé par la répression. Communiste, il n'expliquerait pas les raisons de ce « terroriste à l'œil juste », son camarade.

Le Parti n'a-t-il donc jamais tort ?

Nous en discutâmes longuement ce soir-là, à l'hôtel Aletti où nous nous trouvions. Amblard, sous le choc, me devenait très proche. Par sa juste vulnérabilité, par son intelligence blessée, par cette sorte de grande fidélité humaine.

Dans l'histoire algérienne, la ligne communiste refusait l'imagination. Au prix d'ambiguïtés et d'erreurs, elle ne reconnaissait que ces bons vieux mouvements de masse, pétitions, réunions, manifs. Pas question d'aider les « aventuristes », les partisans de l'action directe. Crainte de la provocation, hantise de l'interdiction et du ghetto politique, sans doute.

Cette position reflétait d'ailleurs l'extraordinaire insensibilité de la classe ouvrière au drame algérien. Souvenons-nous. Pas une seule grève générale durant la guerre d'Algérie. A l'exception de celle qui rassembla plusieurs millions de travailleurs — et, malice de l'Histoire, De Gaulle y avait appelé : « *Françaises, Français ! Aidez-moi*[1] ! » — contre le putsch des généraux du 21 avril 1961, à Alger.

Longtemps, les communistes tentèrent de coller à cette distorsion. « *Paix en Algérie* » plutôt qu'« *Indépendance algérienne* », proclamaient leurs slogans. Le « *fait national algérien* » prendra son temps pour remplacer la « *nation en formation* ».

Avec le F.L.N., ils entretenaient des rapports difficiles, heurtés. Des discussions, au sein des instances

1. Discours télévisé, 23 avril 1961.

dirigeantes, mettaient en cause la représentativité du Front de libération, ses méthodes, son hétérodoxie marxiste. Faute de combattants, l'internationalisme prolétarien tournait de plus en plus au mythe. Aussi, les communistes algériens furent-ils instamment priés de n'engager en rien la doctrine ou l'appareil du Parti. A cette condition, une aide discrète leur serait dispensée.

Un nombre croissant de militants, cependant, supportait mal cette inertie. Le fantasme d'un nouveau Front populaire, à travers le Front républicain, se perdait de plus en plus dans les méandres de la tactique.

Après le vote des *pouvoirs spéciaux* en 1956 et la répression qui s'ensuivit, les communistes s'enhardirent. Avec modération. Un accord tacite couvrait quelques actions témoins, mais jamais exemplaires, celles de déserteurs tels que l'aspirant Henri Maillot, ou de soldats insoumis comme Alban Liechti.

Pour Iveton, tout alla très vite. Arrêté en flagrant délit le 14 novembre 1956, condamné à mort le 25 novembre.

Amblard, rentré à Paris pour s'expliquer, essaya de convaincre les camarades, au plus haut niveau [1]. Il ne fut pas écouté. Défense de défendre. Défense de se compromettre auprès d'Iveton.

Demeurée à Alger, une idée saugrenue me poussa à proposer à Iveton, par l'intermédiaire de militants incarcérés à Barberousse, de l'assister.

Laisser cet homme seul, face à ses juges militaires, me paraissait indécent. Notre politique l'avait contraint à cet engagement, il devait s'exprimer. Je ne songeais même pas à une éventuelle condamna-

1. Notamment Léon Feix, responsable, au bureau politique, des questions coloniales.

tion à mort. Elle semblait tellement improbable ! Après tout, Iveton n'eut jamais l'intention de tuer ou de blesser. Ni sang, ni dégâts, je l'ai dit, ne restait que la symbolique du geste.

Iveton me fit répondre combien mon offre le touchait. Mais, selon lui, un militant communiste se devait, dans un procès politique, de ne choisir qu'un avocat communiste. Il refusa donc.

Le Tribunal militaire désigna, selon la loi, deux avocats du barreau d'Alger, un jeune stagiaire, maître Smadja, et maître Lainé, partisan de l'Algérie française. Ce dernier plaida techniquement, comme pour un crime de droit commun. On n'avait jamais, de mémoire d'annales judiciaires, infligé de peine capitale pour celui qui ne blessa, ne tua ni ne voulut le faire, soutiendra-t-il avec talent.

Iveton fut condamné à mort.

Son pourvoi en cassation rejeté, son recours en grâce soumis au président de la République, René Coty, je n'entendis plus parler de cette affaire avant la nuit qui précéda l'exécution.

Les communistes ne se préoccupèrent d'Iveton qu'après l'arrêt de mort. Avec eux, avec la Ligue des Droits de l'Homme, Mgr Duval, évêque d'Alger, et certains intellectuels engagés, je me perdis, moi aussi, en démarches désespérées.

Le téléphone sonna jusqu'à l'aube. Jusqu'à l'heure fatale. Coty voulut faire un exemple. Le sens politique de sa décision n'échappa à personne. Il importait peu que le crime ne signifiât qu'« *une explosion-appel, une explosion-témoignage*[1] ». Le premier

1. Cf. P. Vidal-Naquet, préface à *Pour l'exemple : l'affaire Fernand Iveton,* par Jean-Luc Einaudi (Éd. L'Harmattan, 1986. Coll. « Histoire et perspectives méditerranéennes »).

Européen mêlé au terrorisme algérien devait avoir la tête tranchée.

Et elle le fut, au petit matin, dans la cour de la prison de Barberousse.

Iveton marcha au supplice avec ses trente ans et le courage des grands.

Léo et moi avions reçu le télégramme fatidique. Le président de la République nous donnait audience pour soutenir le recours en grâce du meunier Sahab et de son fils.

Le 12 mai 1959, seize heures, palais de l'Élysée.

Ces télégrammes, jaune pâle, et leurs quelques lignes dactylographiées, me causaient toujours le même choc. Le rendez-vous de la dernière chance. Nous y parlions, pour la dernière fois, d'un homme à sauver. Pour la dernière fois, la dernière voix. S'ouvrait après la trappe du silence. Pouce levé ou pouce baissé. Plus rien, avant un autre télégramme, toujours jaune pâle : le pouce levé, la grâce, la commutation en travaux forcés à perpétuité. Ou bien la mort téléphonée quelques heures avant l'exécution. Le Parquet général informait l'avocat qu'une aube barbare exigeait sa présence. Pour accompagner le condamné au supplice. Question d'humanité, dit-on.

Le télégramme de l'affaire d'El Halia, identique aux autres — même format, même couleur, même neutralité meurtrière des mots —, inaugurait une ère nouvelle.

Pour De Gaulle, président de la République, nous étions, nous a-t-on dit, *ses* premiers avocats. Non pas par absence d'autres recours en grâce antérieurs. Mais parce que le Général, avare de son temps ou ne tenant pas en grande estime les avocats, ne les convoquait que pour les cas difficiles. Autrement, il graciait au seul examen du dossier. Il s'évitait ainsi d'entendre « les bavards à gages ».

J'avais acquis durant la guerre d'Algérie une certaine habitude de ces audiences. J'intervenais, en effet, pour mes propres condamnés à mort, mais aussi pour ceux qui, défendus par d'autres avocats, me demandaient de soutenir leur recours. Souvent leurs défenseurs étaient arrêtés ou internés dans des camps. D'autres, disparus. D'autres, enfin, ne pouvaient s'offrir le luxe du voyage et du séjour à Paris.

Je fréquentais donc régulièrement le palais de l'Élysée et son hôte, René Coty.

Ce président de la République m'apparut, à l'époque, comme un homme très âgé et plein de bienveillance. Il me regardait paternellement et ne m'écoutait que par à-coups. Parfois, comme pour se prouver qu'il s'en souvenait, il rappelait tout haut le nom du condamné avec un large sourire.

Il m'avait reçue pour la première fois en janvier 1954, quelques semaines à peine après son élection[1]. Je me souviens qu'il se leva au beau milieu de l'entretien et que j'arrêtai mes explications.

« Continuez, continuez... Je cherche un verre d'eau pour prendre des cachets... », s'excusa-t-il, tout en parcourant la pièce d'un bout à l'autre.

Décontenancée, je ne savais quelle attitude adopter. Il me fallait l'aider, c'est sûr, à trouver de l'eau. L'eau du président. Mais à qui donc la demander ?

« Ne pouvez-vous appeler un huissier, monsieur le Président ? suggérai-je.

1. Cf. *La Cause des femmes, op. cit.*

— Oui... Mais je ne sais pas où sonner... » Il promenait ses doigts sur les murs, à la recherche d'un cordon.

Cet intermède interrompait une audience capitale. La vie d'un homme se jouait dans cette phase ultime et celui qui en décidait cherchait la sonnette pour son aspirine ! La tragédie tombait dans le vaudeville !

« Ah ! ça y est... »

Coty avait enfin trouvé le moyen d'appeler. Et, en effet, il appela. Puis se réinstalla sur son siège, tout ragaillardi. Le verre d'eau entra en scène. Le président avala ses cachets, et me fit signe de parler : « Vous comprenez, précisa-t-il en guise d'excuse, je suis nouveau dans la maison. »

Je terminai mes explications et il me raccompagna, l'air quelque peu absent.

La fréquence — toute relative — de mes visites nous familiarisa l'un à l'autre. Je m'exprimais d'une manière plus libre, plus pressante, moins officielle. Le président, de son côté, semblait touché par mon anxiété. Il m'appelait « mon petit » et alla jusqu'à me confier combien il souhaitait voir sourire mon « joli minois ». Coty m'avait à la bonne, j'en profitai : « Je ne peux sourire que si vous graciez. »

Plus le protocole s'amenuisait et plus je m'enhardissais. Au point de lui conter les méfaits des forces de l'ordre et la nécessité de comprendre les aspirations du peuple algérien.

Un jour, sur le pas de la porte, il me lança : « Félicitations ! Vous avez gagné... Très bien... »

Il avait donc signé la grâce pour X. Ce recours que je voyais sans espoir.

Je bondis de joie : « Vous l'avez gracié ! Formidable ! Vous êtes formidable ! »

Coty recula.

« Mais non. C'est pour Halimi... Halimi, celui qui

a gagné... la boxe... le champion du monde. C'est bien un de vos parents ? »

Le roi de la boxe n'était pas mon cousin et, de toute manière, peu m'importait. Je tournai les talons, en pleine irrévérence.

Le président, déjà vieux, vieillissait de plus en plus. Je constatais les méfaits de l'âge au fil du temps, chaque fois qu'une audience de grâce me voyait hanter le petit salon d'attente de l'Élysée et le bureau du chef de l'État.

Au mois de mars, ou d'avril 1958, je crois, je battis mon propre record. Trois allées et venues dans la même journée. Dans trois procès différents, des peines de mort, donc recours au président. J'en plaidai deux le matin. L'après-midi le troisième.

Je me sentais un peu déprimée. Aucun avocat ne sort indemne de ces instants dont la cadence et le caractère inexorable marquent la vie. Je m'animai cependant aux arguments de Coty. Alors qu'il écoutait en général passivement, voilà qu'il se mit brusquement à me contredire.

« L'affaire est grave... la préméditation... Un assassinat intolérable !... », et de me donner quelques détails qui se voulaient déterminants.

Pendant quelques minutes, je flottai. Je ne reconnaissais pas les faits rappelés dans mon mémoire. Ni la précision des armes, ni l'âge du condamné (j'avais insisté sur sa jeunesse).

Soudain, dans une fulgurance, je compris. Le président confondait deux condamnés et attribuait à l'un les charges pesant sur l'autre.

Je ne sais plus très bien ce que je répliquai. Atterrée, je le laissai parler. Allait-il faire guillotiner, par distraction ou par fatigue, un homme à la place d'un autre ?

Je finis par murmurer : « Nous ne parlons pas de

la même affaire. C'est le dossier de ce matin que vous évoquez. »

Que se passa-t-il alors ? Le président se mit à rire. Son embarras me sembla bien modéré.

« De toute manière... bon... je vais voir », fit-il pour mettre un terme à l'entretien.

Comment cette sainte République pourrait-elle nous protéger de la sénilité meurtrière de ses princes ?

Il en alla tout autrement avec le président de la République qui succédait au « vieux ». Chez De Gaulle, l'âge ne coïncidait pas avec la vieillesse[1].

Convoqués pour la grâce des deux condamnés de Constantine, nous ne savions rien encore de ses habitudes, en ces audiences très particulières.

Le matin du 12 mai 1959, je me levai à cinq heures.

J'avais décidé de refaire les tableaux synoptiques des deux procès, Philippeville et Constantine. Puis des tableaux des charges pesant sur Sahab et son fils. Puis d'autres tableaux encore. Du rouge, du noir, du bleu... Tous mes crayons y passèrent. Mais finalement j'avais tout déchiré et ma corbeille à papier s'était remplie tandis que je vidais force tasses de café.

Ma nervosité croissait. Je ne déjeunai pas. A quatorze heures, j'enfilai une jupe plissée et un pull, tous deux bleu marine. L'image de pensionnaire triste que me renvoya mon miroir me désola. Tant pis ! J'avais mis quelques mots-repères sur un bristol, la méthode m'avait toujours réussi. Je ne savais pas parler, ou plaider en lisant. Mais un mot que j'encerclais de ma

1. De Gaulle, né en 1890, avait soixante-neuf ans.

plume, avec des flèches vers de mystérieuses références, m'ouvrait comme par magie au verbe continu.

Je mis le carton dans ma poche, le dossier dans ma serviette et arrivai faubourg Saint-Honoré trois quarts d'heure trop tôt.

Léo n'était pas encore arrivé. J'entrai dans le petit café à l'angle de l'avenue Marigny, à quelques mètres de la place Beauvau, et commandai un whisky sec. Mon premier whisky, le seul à ce jour. Le son de ma voix me surprit. Je n'aime pas le whisky. Et je n'en ai jamais repris. Le liquide me brûla et me remplit sur-le-champ de gaieté et de gentillesse. L'envie me vint de me confier au garçon de café, de bavarder avec lui. Mais l'heure tournait.

Léo m'attendait devant la petite guérite de l'Élysée.

Fière de mon expérience, je lui expliquai que nous serions d'abord conduits dans un grand salon rond, tapissé de glaces. Mais l'huissier, à qui nous nous annonçâmes, nos télégrammes de convocation à la main, nous entraîna dans un dédale de couloirs jusqu'à un grand bureau, où officiait le général de Bonneval.

Il nous salua et nous pria de nous asseoir. Sur une petite table basse, pêle-mêle, les journaux du jour. Léo me montra du doigt *L'Humanité*. Des secrétaires accortes s'affairaient. Bonneval les appelait par leur prénom et les tutoyait.

J'allais d'étonnement en étonnement. On nous donnait le spectacle de la camaraderie sans hiérarchie, de l'ouverture, de la simplification à l'extrême du protocole. Avec ostentation. Léo et moi n'en finissions pas d'échanger des clins d'œil complices.

Un bel aviateur au regard bleu des Vosges s'installa auprès de nous.

« Le capitaine T..., aide de camp du Général. »

L'officier se plia en deux.

« Maître Halimi et Maître Matarasso. Ce sont des avocats qui viennent pour un recours en grâce », précisa Bonneval.

Le capitaine entreprit alors de nous démontrer que nous rendions un mauvais service au condamné en arrachant sa grâce : « Vous vous rendez compte, passer tout le reste de sa vie en prison... La mort est infiniment préférable pour un combattant vaincu. Question d'honneur. »

Cette exaltation laissa Léo de marbre. Quant à moi, le whisky et la fière allure de l'aviateur aidant, je voulus le convaincre : « En politique, on va chercher les négociateurs dans les prisons. L'important est de les sauver. »

Bonneval suivait distraitement la discussion, allant, venant, tripotant des papiers. Il nous présenta les secrétaires qui faisaient à tour de rôle leur entrée, comme dans un ballet : « Éliane, voici maître Gisèle Halimi, Françoise, maître Léo Matarasso. »

Soudain la porte attenante, à deux battants, s'ouvre. De Gaulle paraît, enfin ! Gigantesque, je le trouvai gigantesque.

Il me tend la main.

« Bonjour, madame... » Un temps. Il me balaye du regard de la tête aux pieds. « Madame... » Un temps. « Ou... mademoiselle ? »

Brusquement tout devient clair. Son air affable n'empêche pas qu'il a lu la fiche que les Renseignements généraux donnent, selon la règle, au président de la République sur chacun de ses visiteurs. Donc *il sait*. Il sait que je me trouve en instance de divorce. Il déteste notoirement ces situations et ne pose la question que pour me faire sentir, d'emblée, mon infamie. « Madame ou mademoiselle ? » Que doit répondre une divorcée ? J'avais été mariée, je ne le suis plus, je ne suis plus *madame l'épouse,* mais je ne suis pas davantage *mademoiselle la jeune fille.* Le *madame* tout court me semble trompeur. Il veut me mettre mal à l'aise, me faire perdre mes moyens, nul doute possible. En quelques fractions de seconde, je découvre le complot. Dans un éclair de lucidité, grâce à l'alcool.

« Appelez-moi *maître*, monsieur le Président ! »

J'ai à peine hésité. J'ai lancé ces quelques mots sans insolence, mais en levant la tête pour le regarder en face. Je ne veux pas me laisser distraire. L'heure est trop grave. Je suis là pour plaider, pas pour raconter ma vie.

Le grand De Gaulle semble tout à coup s'amuser. Avec un demi-sourire, il articule en détachant les syllabes : « Veuillez entrer, *maî-tre...,* veuillez vous asseoir, *maî-tre.* »

Nous développons nos arguments, les mêmes. Ni aveux, ni pièces à conviction, ni témoignages déterminants.

A ce moment, le président hausse les sourcils : « Et cette jeune femme ? »

Il connaît le dossier. Admirablement. Ces milliers de pages, ces centaines de questions, ces mois de débats, les deux procès, il les a étudiés.

« Cette jeune femme a reconnu Sahab, oui. Mais six autres témoins ont authentifié l'alibi du meunier. Il se trouvait, le jour de l'émeute, à deux cents kilomètres d'El Halia. Comment, après le bouclage immédiat opéré par l'armée dans toute la région, aurait-il pu se rendre — à temps — sur les lieux ? »

Le président ne me regarde pas tant que durent mes explications. J'en ressens comme un vague malaise. J'ai toujours eu besoin de rencontrer le regard de ceux que je voulais convaincre. D'où mes difficultés quand, députée à l'Assemblée nationale, je montais à la tribune devant quelques collègues qui parcouraient les travées, lisaient leur journal, rédigeaient leur courrier.

Léo prend le relais : « Cette jeune femme a vu, en quelques minutes, mourir quatre membres de sa famille, sous ses yeux. L'émotion peut l'avoir induite en erreur. Reconnaître des visages, parmi des émeutiers en pleine action, n'est guère facile...

— Et puis, monsieur le Président, il y a le racisme de la Justice. »

Il condescend à lâcher un coup d'œil vers moi. Il grommelle : « Que voulez-vous dire ?

— Je veux dire que six témoins d'un côté, et un témoin de l'autre... La balance a pesé en faveur du témoin unique, *français*. Le Tribunal n'a accordé aucun crédit aux témoignages des six autres, *algériens*. »

J'ai parlé d'un trait. Je regarde Léo, vaguement inquiète. Je suis peut-être allée un peu loin. Je baisse le ton, « c'est injuste », puis je me tais. J'ai fini. Léo aussi.

Le Général nous pose encore une question, d'intérêt secondaire, mais qui démontre sa parfaite lecture des procès-verbaux. Peut-être ne nous questionne-t-il que pour nous en donner la preuve. « Je vous ai entendus. Je vous remercie. »

Fin de l'entretien. Il se lève, comme en dépliant son corps-trapèze, et nous raccompagne.

Sur le seuil de la porte, nous tombons sur Malraux.

« Malraux, vous connaissez maître Matarasso ? et maître Gisèle Halimi ? »

Le président, presque souriant, fait les présentations. Le ministre, entre deux tics, coule un regard vers nous et assure aimablement qu'il sait qui nous sommes. Il porte un lourd dossier cartonné sous le bras. J'y déchiffre, écrit en gros caractères, un titre étrange : *Expédition polaire.* J'entends encore Malraux ajouter : « Je connais des condamnés à mort qui sont bien vivants, aujourd'hui... », avant de disparaître dans le bureau, derrière son hôte.

Le secrétaire du Conseil de la magistrature vient vers nous.

« Quand connaîtrons-nous la décision ? »

Je le presse de me donner un délai, mais il s'y refuse : « Je sais que vous allez faire du battage dans la presse. Cette affaire est trop importante, trop sensible... Je ne puis rien vous dire. »

J'insiste. Je propose un pacte d'honneur : « Je vous promets que je ne dirai rien, faites-moi confiance. Informez-moi de la décision du président de la République dès qu'il l'aura prise. »

Le secrétaire hoche la tête mais ne s'engage point.

Léo et moi nous séparâmes sur les quais, plutôt pessimistes. Nous avions remâché les quelques phrases de De Gaulle et interprété dix fois ses gestes, ses regards, le ton de sa voix.

L'effet du whisky disparu, la tension de l'audience retombée, je ressentais un vide. Je rentrai chez moi à pied. En traversant la Seine, je me demandais quel mystère culturel le dossier de Malraux, *Expédition polaire,* pouvait bien cacher.

Deux jours plus tard, à huit heures du matin, coup de fil du secrétaire de la magistrature. Les Sahab père et fils avaient été graciés. « Félicitations... », ajouta-t-il avant de rappeler : « N'oubliez pas votre promesse, maître. »

La nouvelle demeura secrète. Seuls le meunier et son fils en eurent immédiatement connaissance.

Un jeune homme que la vie voulait combler

Aujourd'hui, je n'appellerai pas Camus. Je ne lui raconterai pas cette aventure unique : la justice militaire contrainte à la justice par l'effondrement d'un complot policier.

Je me revois, quelques mois avant ce procès, accrochée à un téléphone que je voulais charger de toutes mes forces de conviction. Je désirais, cette fois encore, que Camus intervînt auprès de Coty, de l'Élysée ou de je ne sais quel responsable gouvernemental.

Mohammed Ben Hamdi devait être gracié et j'avais besoin du soutien de Camus. Au même moment, il semblait amorcer son grand silence sur l'Algérie : « Les tueurs de femmes et d'enfants, je les méprise. »

Ce jour-là, il me refusait toute aide. Brièvement et sans fioritures. J'essayais d'argumenter. Pour n'avoir pas disposé d'une armée régulière au service de sa cause, un militant devait-il mourir comme un quelconque malfaiteur ? Un assassin est-il toujours l'assassin que l'on croit ?

Camus écoutait. Je l'entendais se taire au bout du fil et je m'enhardissais.

« Même un terroriste, peut-on accepter qu'une aube le coupe en deux, à Barberousse ? »

Pas de réaction. J'avais dû faire mouche. Puis soudain : « Parlez plus fort, je vous entends mal... parlez plus fort..., mais *exceptionnellement.* » Il appuyait sur le mot. « Oui, je dis bien *exceptionnellement* », insistait-il.

Avec lui, comme avec tous les autres, j'élevais très rarement la voix. Plus que maîtrise de soi, ma manière de parler exprimait un choc d'enfance. Une enfance traversée par les hurlements, l'exagération du verbe, la présence constante d'un Dieu menaçant (« *Il* te voit, *Il* sait tout, *Il* peut te réduire en cendres... »). J'ai gardé, de ce genre de démesure, une horreur inhibitrice. Même sous le coup d'une violente émotion, je fuis la dispute, j'évite les menaces, je ne lance pas d'anathèmes.

Ceux qui ont croisé ma vie, occasionnellement ou de manière plus permanente, m'en ont souvent fait le reproche. Ils se sentaient, en quelque sorte, agressés. « Tu es calme, sèche. Avec ta voix, toujours la même, douce, tu peux dire des choses horribles, tu peux assassiner par tes mots... en souriant presque. »

Camus, au contraire, appréciait mon ton neutre, une bizarrerie, sans doute, pour l'homme natif d'Afrique du Nord. « Dans nos pays, me confiait-il, la voix, le geste sont souvent excessifs. Nous devons, par notre mesure — la mesure méditerranéenne —, influencer l'Europe. »

J'avais fait la connaissance de Camus un dimanche de l'été 1956, chez l'avocat Yves Dechezelles. Tous deux avaient fréquenté la même université, à Alger.

Avec un courage et une détermination exemplaires, Dechezelles avait choisi son camp : l'indépendance algérienne et la défense de Messali Hadj et de ses militants. Le F.L.N. lui reprochait d'influencer Camus en faveur du M.N.A. [1] et voyait d'un mauvais œil l'amitié des deux hommes interférer dans les tentatives de médiation des Français libéraux d'Algérie [2].

Ce dimanche de septembre, j'étais venue travailler à quelques dossiers algériens avec Dechezelles. Paris ruisselait de lumière. Il faisait chaud, chaud comme on l'aime sur nos plages, sur nos peaux. Pieds nus et en robe légère, je relisais les documents que j'avais apportés. Yves n'en finissait pas de discuter au téléphone. Myriam son épouse, née en Algérie de la bonne bourgeoisie juive, roulait un couscous.

Autour des couscous de Myriam, je rencontrais des responsables messalistes, des militants trotskystes, des poètes surréalistes.

Je me souviens d'André Breton, assis sur un divan bas, son assiette à la main. Il dissertait, éblouissant et impérieux, de poésie, d'indépendance algérienne, d'art catalan.

Voir, écouter ceux que j'avais découverts avec passion dans les livres me fascinait. Mais je n'osais

1. Mouvement Nationaliste Algérien, dirigé par Messali Hadj, et qui fut supplanté par le Front de Libération Nationale.

2. Notamment l'appel à une trêve civile, le 22 janvier 1957, auquel Camus prit une part prépondérante.

me mesurer à un échange direct avec eux, je craignais d'être ridicule, je me taisais.

Quand Breton évoqua Barcelone et les merveilles recélées par les églises de ses environs, je me hasardai cependant à décrire l'une d'elles, qui m'avait enchantée. Je l'avais visitée entre deux procès d'étudiants antifranquistes. Avec un enthousiasme un peu primaire, je m'exclamai : « Cette petite église romane était si pure, si belle ! » Breton darda alors sur moi son œil de flamme et, secouant sa belle crinière, me lança, comme un ordre : « Mademoiselle, apprenez qu'une église n'est belle que lorsqu'elle brûle ! »

Ukase de la beauté convulsive, sans doute... Je m'inclinai.

On sonna, j'allai ouvrir.

Camus. Surpris, il me toisa de son regard mauve : « Bonjour, printemps ! » me lança-t-il. Puis, se ravisant : « Non, bonjour, été ! » Un temps. « Je viens voir Yves Dechezelles. »

Il fallait dire quelque chose, vite, pour sortir de l'émoi qui me clouait sur le seuil de la porte.

« De la part de qui ? » murmurai-je. Je n'avais rien trouvé de moins absurde !

Je le fis entrer, le priai de s'asseoir, cherchant, jusqu'à la crampe, à dissimuler mes pieds nus sous le fauteuil. Nous parlâmes de la Tunisie qui venait de proclamer son indépendance, de la guerre d'Algérie et de l'arrestation de son ami, le libéral Jean de Maisonseul.

Aborder des thèmes politiques que je connaissais un peu me redonnait quelque contenance. Je brûlais de lui dire la magie qu'avaient exercé sur moi

L'Étranger, ses criques blanches de soleil et les ombres tragiques de Meursault, condamné pour n'avoir pas pleuré à l'enterrement de sa mère, plus que pour avoir tué. Impressionnée, volubile, j'appréciai : « Quel récit superbe... cette pureté linéaire, cette sobriété... » *La Chute,* qui venait de paraître, m'avait moins bouleversée, ce n'était pas la même sensualité, je n'en parlai point.

« Oui, avoua-t-il avec une certaine chaleur, (enfin) touché, les gens comme vous ou moi ressentent Meursault dans toute sa complexité... parce que nous sommes de là-bas, n'est-ce pas ? »

Ce « nous » complice... Quelle joie... Il nous quitta vite, trop vite. Il ne pouvait partager le couscous de Myriam. Des rendez-vous ou une répétition de son adaptation au théâtre du *Requiem pour une nonne*[1].

« Si je puis vous aider, pour certains de vos condamnés, appelez-moi. » Un peu officielle, sa voix. Mais comme, en même temps, il me gratifiait d'une série de numéros de téléphone, les siens — chez Gallimard, chez lui, à Paris, au Théâtre des Mathurins, à Lourmarin dans le Midi —, je demeurai euphorique. Jusqu'au lendemain matin, où je l'appelai à la première heure. Assez patienté. Le délai d'attente me sembla décent et, surtout, je ne tenais plus en place devant mon téléphone.

Je le revis, lui remis mes notes, plaidai mes causes auprès de lui. Je continuai de rêver.

Je devais rentrer en Tunisie quelques jours plus tard et revenir en bateau pour rapporter ma vieille Peugeot 203. De Marseille, je roulerais jusqu'à Paris en voiture.

« Pourquoi ne pas vous arrêter à Lourmarin pour

1. Camus dirigeait lui-même la mise en scène de la pièce, tirée du roman de W. Faulkner.

un soir ou deux ? » me proposa Camus qui comptait y prendre quelque repos en compagnie de ses deux enfants.

Il me donna une panoplie de croquis, de noms de routes, de repères.

« Impossible de vous perdre, armée de tout ça. De toute manière, appelez-moi d'Avignon ou d'Aix, je viendrai vous chercher s'il le faut », insista-t-il.

Un ami, journaliste à *France-Observateur,* décida que je ne pouvais, en ces temps difficiles et débarquant de ma province africaine natale, conduire seule de Marseille à Paris. Il s'offrit à m'accompagner. Nous nous retrouvâmes à mon arrivée au port et l'aventure commença joyeusement par une merveilleuse bouillabaisse.

La route que nous devions emprunter se confondait avec la dynamique de ma vie. Je « montais » à Paris m'installer comme avocate et prendre part au combat des intellectuels pour la décolonisation. La Haute-Provence éclatait de beauté. L'été m'inondait de ses lumières et se fondait parfaitement aux miennes. Fête unique, fête essentielle que la nature, l'amitié chargeaient d'un bonheur sensuel.

Je savais pourtant les difficultés du parcours. Séparée de mon mari, j'avais confié à ma mère mes deux jeunes enfants. Ce provisoire prendrait fin dès que j'aurais trouvé un gîte à Paris, une école pour eux, un embryon d'organisation domestique. Il me fallait emprunter de l'argent, explorer les appartements, trouver une étudiante au pair.

Qu'importe, je dirigeais ma vie comme je le rêvais, je m'engageais dans une bataille politique. Bien que *femme,* j'avais le sentiment de peser sur l'événement dans ma mesure, ma mesure d'*individu.*

Nous en bavardions mon ami et moi, pendant qu'il me conduisait d'une main ferme vers le Lubéron.

Mon impatience s'attachait à toutes les manifestations de mon indépendance. Cette route, ce compagnon, ces lendemains d'action. Je ne voulais rien sacrifier de cette approche multiple. Et dans l'immédiat, ne pas renoncer à mon obligeant chauffeur. J'irais donc à Lourmarin dîner, je n'y passerais pas la nuit, je pourrais revoir Camus à Paris, plus longuement.

Au téléphone, sa voix se fit chaude, précise : « Je vous attends, au croisement tournez à droite... appelez-moi de nouveau si vous êtes dans l'embarras. » A quelques kilomètres de sa maison, je larguai mon accompagnateur et arrivai, seule, au volant de la vieille voiture.

Les vignes ceinturaient Lourmarin, au pied des vallonnements du Lubéron. Tout vivait ici dans ce calme particulier qui ignore le monde. L'indiscrétion et le tapage se cognaient à ces frontières.

Camus se tenait devant le portail. En jean et chemise à col ouvert, souriant, il ressemblait au jeune homme que, parmi des millions, la vie voulait combler.

La maison — une ancienne ferme — s'étageait sur différents niveaux. J'entrai dans la pièce commune occupée, au centre, par une belle table rustique, immense. Camus m'emmena aussitôt contempler le paysage, avant la tombée de la nuit. D'un côté la Durance, plus loin le cimetière.

« Regardez, me dit-il, ici les catholiques sont enterrés d'un côté du mur, les protestants de l'autre. Même la mort participe à la guerre de religion. »

Je trouvais à cette fin de journée une douceur limpide. Camus me montra un petit patio que je qualifiais aussitôt d'arabe. « Je ne sais pas si le soleil est arabe... mais je l'ai mis dans ce mur. » Il voulait que j'admire son dessin. Il m'entraîna : « Venez voir où je travaille, tout en haut. »

Je ne l'avais jamais vu aussi détendu, presque gai. « J'ai du mal à vous croire né sous le signe du Scorpion, ce soir ! » Il rit.

Deux enfants d'une dizaine d'années apparurent, « Jean et Catherine, mes jumeaux », et disparurent, cette présentation sommaire terminée.

« Je ne les vois pas beaucoup. Je profite de ces vacances pour les avoir avec moi. »

Le couvert était mis. Il voulut me montrer ma chambre. Je lui expliquai, je devais repartir le soir même, désolée..., rejoindre un ami qui est venu de Paris pour me conduire.

Camus balaya d'un geste ce projet : « Téléphonez, dites que vous restez, nous l'avions prévu.

— Je ne peux pas. Cet ami m'attend, vous comprenez... »

A ce moment, la femme de ménage entra.

« Nous allons dîner tous les quatre, avec les enfants... Vous pourrez repartir pour Paris demain matin, de bonne heure. »

Je m'entêtai doucement, je devais quitter Lourmarin d'ici une heure ou deux. Il changea légèrement de ton, s'arrêta de sourire et se crispa un peu dans son insistance.

Je pensais, en le regardant, qu'à certains égards nous nous ressemblions. Comme lui, je pouvais passer de l'euphorie la plus douce aux sentiments les plus grisâtres. Comme lui aussi, je me cabrais quand tout ne se déroulait pas comme je l'avais prévu.

Camus se taisait, au milieu de la grande pièce, pour marquer sa contrariété.

Jusqu'alors il m'impressionnait tellement que je ne savais pas le contredire. Jusqu'à me faire manger des huîtres, moi qui pouvais vomir à leur seule vue !

Un soir qu'il m'avait emmenée souper au Dôme, il commanda des fines de claire et des belons. Rouge de confusion — comme je devais faire province ! —, je déclarai ne pas aimer les huîtres et confessai même que je n'en avais jamais mangé.

« C'est leur apparence, je ne peux pas expliquer...

— Il faut essayer », trancha-t-il.

Tu es folle, tu dînes avec l'un des plus célèbres écrivains de ce temps, tu vas paraître idiote. Il a raison, me disais-je encore, tu n'y as pas goûté. Il va se demander ce qu'il fait avec une fille débarquée tout droit de son bled tunisien. Il ne sortira plus avec toi, c'est sûr !

Terrorisée, je pris une belon et l'avalai cul sec. « C'est étrange. » Je grimaçai un sourire pour cacher ce haut-le-cœur qui me faisait frissonner tout entière.

Sourire triomphant de Camus.

La chose protoplasmique se livrait à des ébats mouvementés dans mon estomac. J'en voulus à l'idole.

« Cela suffit pour aujourd'hui. » Je venais de repousser fermement l'huître qu'il me tendait de nouveau.

Il avait gagné. Moi aussi, car je lui dois aujourd'hui d'aimer les belons.

Mais ce soir, à Lourmarin, je n'essaierai pas, je ne resterai pas, je retournerai à Aix où l'on m'attend.

Camus sembla ne plus s'intéresser à moi, et assez peu aux débuts de la bataille d'Alger, dont je l'entretenais par bribes.

Je pris congé. Il me raccompagna à ma voiture. Dès son retour à Paris, il m'appellerait, promis, non, il n'est pas fâché, il comprenait très bien.

A cette époque, en septembre 1956, le F.L.N. lançait ses premières bombes.

Quelques semaines après, l'armée française intercepta l'avion transportant Ben Bella et trois autres chefs historiques du F.L.N[1]. Le général Salan devint commandant en chef en Algérie et, à la veille de ce Noël 1956, éclata le complot du général Faure[2].

Camus avait déjà dit son désarroi.

L'homme révolté, plus tard, c'est lui, dans ses actes et dans ses refus. Il préféra sa mère à la justice.

Ce dilemme me sembla faux, éloigné d'un homme confronté à sa liberté de militant. Sa mère, la mienne nous mettaient en situation, comme les luttes entreprises.

Mais nos discussions tournèrent court.

Le prix Nobel couronna un Camus dépassé, différent. Celui de la lutte contre le nazisme, de l'antifranquisme, celui qui, dans *L'État de siège,* explique en quelques mots simples comment tombent les dictatures : « *Il a toujours suffi qu'un homme surmonte sa peur et se révolte pour que leur machine commence à grincer.* »

A Stockholm, en septembre 1957, se déroulèrent les cérémonies d'usage, toutes de mondanités et de confort. Quel Camus sacrait-on là-bas ? Celui des engagements passés, des constats présents ou des refus pour l'avenir ? Aux hommes qui revendiquaient leur dignité en Algérie — l'un d'entre eux l'interpella à l'université d'Uppsala, où il faisait une confé-

1. Ahmed Ben Bella, Hocine Aït Ahmed, Mohammed Boudiaf et Mohammed Khider furent arrêtés le 22 octobre. Dans le même avion, Mostefa Lacheraf, jeune intellectuel algérien.

2. Cf. Pierre Vidal-Naquet, *La Torture dans la République* (Éd. de Minuit, 1972).

rence —, il répondit, il répéta qu'il défendrait sa mère avant la justice.

J'avais cessé depuis quelque temps de le voir, il n'intervenait plus à l'Élysée en faveur de *mes* condamnés à mort algériens, et je n'eus guère l'occasion de défendre, en lui parlant « *exceptionnellement* plus fort », mon point de vue.

Dans l'une de nos dernières discussions, il martela : « Ceux qui déposent des bombes dans les autobus n'ont rien à attendre de moi... des criminels de droit commun. »

Entre nous, la cause fut entendue.

La Havane, 5 janvier 1960.

Invitée par Fidel Castro, avec Claude Faux, pour le réveillon de fin d'année, j'avais interrompu quelques jours mes défenses algériennes pour découvrir à Cuba la révolution des *barbudos*.

L'ambassadeur de France nous bouda avec ostentation. Il est vrai que j'expliquais publiquement et en toutes occasions le système de la justice en Algérie, tout entier dépendant de l'armée et de la torture.

Ce matin-là, en présence des journalistes, je faisais le point des événements depuis que le général De Gaulle avait proclamé le principe de l'autodétermination et que des remous, dans l'entourage du général Massu et parmi les ultras, agitaient l'Algérie française.

Feu roulant de questions.

Je répondais sans le moindre souci de ménager le gouvernement. L'ambassadeur de France s'en offusqua : « On ne critique pas la France à l'étranger », rappela-t-il[1].

1. Je crois même qu'il câbla à Paris pour que des poursuites soient engagées contre moi dès mon retour en France.

Cette mise en garde me laissa de marbre. Je ne me sentais rien de commun avec ceux qui s'enveloppaient de nos couleurs pour supplicier ou se taire. La France continuait, mais ailleurs et autrement.

Un journaliste s'approcha de moi : « Vous connaissez bien Sartre, n'est-ce pas ? » Et, en hésitant quelque peu : « Il est mort hier, un accident de voiture », dit-il à voix basse.

Devant ma pâleur soudaine, un second journaliste s'avança pour me conforter, tandis que le premier s'engageait aussitôt dans le : « Non, il n'est pas mort, on vient de me le dire, Sartre est blessé... sérieusement, mais blessé seulement. »

Abasourdi, son confrère intervint : « Mais qu'est-ce que c'est que cette histoire avec Sartre ? C'est Camus qui s'est tué en voiture hier. Pas Sartre. » Il insista, certain de me redonner ma sérénité. Et, avec un geste sévère pour son voisin : « Il s'est trompé en vous disant Sartre. C'est Camus qui est mort. Remettez-vous... »

J'appris ainsi la fin absurde de l'homme qui aurait pu être, selon Sartre justement, « *l'admirable conjonction d'une personne, d'une action et d'une œuvre*[1] ».

J'avais déjà perdu Meursault, Sisyphe et le Camus de la révolution permanente. Celui qui me fascinait par sa beauté, son talent, son nihilisme dépressif. L'intellectuel sensible qui portait sur ses épaules une part de nos espoirs. Et qui nous tourna le dos, à propos de l'Algérie.

L'autre, le moraliste des équilibres, je m'étais, depuis deux ans, habituée à son absence.

1. Cf. *Les Temps modernes,* août 1952.

Missions

Place Vendôme.

En ce jour de l'automne 1956, j'ai obtenu audience du garde des Sceaux, pour l'entretenir de recours en grâce d'Algériens condamnés à mort. Le ministre n'intervient qu'à titre consultatif, mais son avis pèse lourd dans la balance.

Un bureau avec ses grandes fenêtres donnant sur la Colonne. François Mitterrand vient à ma rencontre. Il s'assied à mes côtés, dans le coin salon.

Il m'interroge sur Tunis (je suis encore inscrite à son barreau), sur les projets de Bourguiba et de son peuple indépendant de fraîche date.

Il se fait tout velours. Le regard, la voix, le geste. Chez lui, la séduction naît de la volonté de séduire. Et d'une intelligence étonnante par l'impression d'harmonie, de cohérence tranquille qu'elle donne. Un homme comme lui ne peut se résigner à envoyer à la guillotine des patriotes, fussent-ils algériens.

Je me répète cette évidence en lui exposant les grandes lignes de mes dossiers.

Mitterrand écoute, regarde. Ni notes, ni questions. Il n'interrompt que pour connaître un peu plus mon parcours personnel, comment, pourquoi ce choix qui me contraint à la fréquentation des tribunaux d'exception.

Je l'assure que l'Algérie sera indépendante : « Pourquoi, monsieur le Ministre, ne pas s'y préparer dès à présent, et dans les meilleures conditions pour la France ? »

Mon plaidoyer ne le convainc guère. « Comme vous y allez !... Tenez ce discours aux Français d'Algérie et vous verrez ! » Non, le ministre de Guy Mollet pense que des avancées vers l'autonomie sont nécessaires, mais que le gouvernement se doit de conserver un rapport de forces favorable. « Il faut quelquefois frapper, pour l'exemple. » Il ajoute, pour atténuer le tranchant du propos : « Vous savez, en politique, il faut apprendre la patience. »

Il a repris son ton engageant, proche même, un moment abandonné, pour contrer mon point de vue sur l'avenir algérien.

Je reviens à la charge : la première exécution d'un condamné musulman, le 19 juin, au contraire, a durci les positions. Le F.L.N. ne vient-il pas d'arrêter sa plate-forme de lutte [1], au lieu, comme le gouvernement l'espérait, de désigner ses interlocuteurs pour des pourparlers de paix ?

Mitterrand sourit. Ma naïveté, sans doute. « On fait toujours les deux choses à la fois, vous savez. »

Je sais. Les deux fers au feu !

Il avait raison.

Des entretiens secrets venaient, en effet, de réunir à Rome, au début du mois de septembre, trois leaders du F.L.N. et le secrétaire général adjoint de la S.F.I.O.

Mendès France avait démissionné quelques

1. Congrès de la Soummam, 20 août 1956.

semaines auparavant. Tel qu'en lui-même sa pureté, incurablement, le changerait. Je l'avais rencontré, informé comme je le pouvais sur l'engrenage de cette guerre, le danger des pouvoirs spéciaux.

Il me sembla découragé : « Ce gouvernement ne fera pas la paix. »

Daniel Mayer, alors président de la Commission des affaires étrangères de l'Assemblée, m'écouta, lui aussi. Avec émotion.

D'où venait que notre garde des Sceaux — intelligence et charme — me parut quelque peu lointain, lorsque je me lançai dans les mêmes récits ?

« Donnez-moi votre téléphone. Je vais étudier les dossiers et nous en reparlerons. »

Mitterrand me raccompagne : « Je vous le promets. »

Nous en reparlâmes en effet. Vaguement, et sans résultat. Des exécutions eurent lieu à Alger.

Mais je le revis souvent et nous devînmes amis.

L'année se termine sur l'expédition de Suez-la-honte.

La veille de Noël, Paul Teitgen, secrétaire général à la préfecture d'Alger, chargé de la police depuis le mois d'août, découvre que le général Faure voulait instaurer une dictature militaire en Algérie.

Nous l'avons échappé belle... Mais ce n'était qu'un début.

Février 1957. Je me rends à Rome pour y rencontrer le roi du Maroc, Mohammed V.

Il s'agissait de l'informer des projets de Messali Hadj [1], que j'étais allée voir à Belle-Ile.

Les autorités françaises avaient assigné à résidence le leader algérien dans cette île, tout en mimosas et lumière bleue.

Arrivée à l'aube, après une nuit de voiture, j'en découvris la splendeur. Je humais l'air marin et, tel un chien de Pavlov, je me retrouvais régénérée, lavée de mes fatigues, lisse comme l'enfance. Le déclic avait joué.

Physiquement, Messali évoquait pour moi un pope de Zagorsk. Grand, altier, une barbe somptueuse, un regard aigu, un maintien solennel qui dérangeait à peine les plis de l'ample djellaba. Une icône.

Quand il parla d'une belle voix grave, je découvris un humaniste. Rousseau, Voltaire, et Allah en plus. Il invoquait la dignité de tout être humain, s'interrompait de temps en temps pour dire : « La France... une telle guerre... » Ou : « Heureusement, beaucoup de Français comprennent. » Ou encore : « On ne peut pas avoir fait la Révolution française, et exiger que nous restions sourds et aveugles à son message. »

Il se voulait conséquent pour deux, la France et lui-même, convaincant avec la dialectique de l'autre. Je fus conquise par sa douceur, sa largesse d'esprit et j'achevai à regret ce déjeuner frugal, en compagnie de ses deux enfants et de quelques fidèles.

Autour, à l'extérieur, sur les marches qui menaient à la villa fortifiée, des gardes. Au loin, la mer, pâle et puissante.

Je repris dans l'après-midi la route de Paris.

1. Ahmed Messali Hadj (1898-1974), fondateur du M.N.A. (Mouvement Nationaliste Algérien) en 1954.

Sous le couvert d'une croisière et d'un voyage touristique, Mohammed V quitta, à la mi-janvier, Casablanca pour Cannes.

Il y rencontra Maurice Faure, le secrétaire d'État aux Affaires étrangères, puis parcourut l'Italie.

En Italie, comme en Espagne où il termina son périple, il poursuivait un objectif politique précis : développer les liens des pays méditerranéens avec le sien.

Audience m'était fixée à Rome, le 4 février. J'espérais bien m'octroyer deux ou trois jours pour découvrir la ville qui, souvent, m'avait fait rêver. Mais des contretemps en décidèrent autrement.

En venant m'installer à Paris, j'avais confié mes deux fils, quatre ans et dix-huit mois, à mes parents. A Tunis.

Ma tâche se hérissait des mille difficultés que peut connaître une femme à Paris, seule, et sans grandes ressources. Avec un métier difficile, parfois dangereux.

Des compagnons politiques d'alors, devenus mes amis d'aujourd'hui — Claude et Ida Bourdet, Louise et Gabriel Ardant, Myriam et Yves Dechezelles —, m'aidèrent. Ils me prêtèrent de l'argent et me conseillèrent judicieusement. Plus tard, Simone de Beauvoir n'hésita pas à m'avancer une somme importante. Elle demanda aux Éditions Gallimard de me la verser directement. Je remboursai ces emprunts petit à petit, par versements fractionnés. Cela dura des mois, quelquefois des années.

Mes enfants chez leurs grands-parents, je vivais un état bienheureux. Je m'enveloppais de certitudes : leur sécurité, leur épanouissement affectif. Je pouvais ainsi, sans trop me faire mal, jouir de la liberté d'aller et venir, vivre ma bohème, faute de temps et de moyens.

Je savais que, dès que j'aurais repris mes fils avec moi, je ne pourrais pas les bercer tous les soirs. Aussi, dans un réflexe de fuite, renvoyai-je l'échéance fatidique : le jour où il me faudrait, dans un appartement (j'en avais enfin trouvé un), vide et sans organisation, pourvoir à notre vie commune.

Le tout sur fond de procès en Algérie.

Fortunée s'impatientait. Elle écrivait, téléphonait. J'avais demandé un délai de deux ou trois semaines, et voilà près de deux mois que rien n'avançait, elle se sentait fatiguée, je devais assumer mes devoirs de mère...

Un jour, sans crier gare, elle décida de mettre les enfants dans un avion pour Paris, accompagnés d'une cousine éloignée. Un télégramme m'informait du vol, de l'heure où il me faudrait récupérer les « précieux colis », écrivait-elle. Impossible de reculer.

Et ce voyage à Rome qui tombait en même temps !... Plus le choix : je ferais l'aller-retour en quelques heures. Le roi n'attend pas.

Rome.

Taïbi Benhima, le jeune ambassadeur de Rabat, est venu m'accueillir à l'aéroport de Fiumicino. Il m'installe dans une chambre voisine des appartements du monarque, à l'hôtel Excelsior.

Il me donne quelques indications protocolaires, je n'avais jamais rencontré de sultan, sauf dans mes lectures. Une sorte de révérence, des expressions équivalentes à « Sa Majesté toute-puissante », etc., et me voilà en face de Mohammed V.

Seul Taïbi assiste à l'entretien. Je bénéficie, comme souvent en des circonstances analogues, du phénomène de curiosité de mes interlocuteurs. Le roi m'écoute, bienveillant, généreux. Il insiste sur sa solidarité avec la lutte algérienne. Mais ses moyens, limités, l'obligent à la prudence. Il croit en la nécessité d'une paix rapide. Il promet cependant son aide.

Je me risque alors à lui démontrer l'importance d'une tentative de médiation de sa part. Ce conflit risque de dégénérer, il faut y mettre fin. Il hoche la tête d'une manière ambiguë, sans un mot.

« Il va voir », me dit Taïbi, qui sert d'interprète.

L'audience est terminée.

Taïbi m'emmène faire le tour de la ville en voiture : le Colisée à toute allure, les lumières du Capitole, les grandes artères encombrées. Puis nous dansons toute la nuit dans une boîte de la Via Veneto, la *Rupe Tarpeia.* Envolées la guerre d'Algérie et les préoccupations du jeune Maroc indépendant !

Je rentre à l'aube, ramasse mes quelques affaires et file à l'aéroport.

De retour à Paris, dans mon grand appartement sombre près de la gare du Nord, je m'aperçois que j'ai des jambes d'éléphant, enflées, énormes, indolores. Je ne les sens plus. La curieuse sensation d'être cul-de-jatte, avec de faux membres d'étoupe.

Je téléphone à un médecin. Sans doute une dépressurisation de l'avion, diagnostique-t-il, en tout cas, il faut rester étendue, les jambes surélevées, ne pas bouger. Risque de phlébite, de caillot.

Seule, sur une sorte de sofa hérité de mon prédécesseur, je me laisse couler. J'ai envie de disparaître, de mourir. Je n'en peux plus. Mes enfants vont arriver le lendemain. Je ne les accueillerai pas. Leur chambre est nue, les meubles de Tunis errent encore sur les routes.

Tant pis ! ils se débrouilleront. Moi, c'est fini. Personne ne vient à mon secours, heureusement. La nuit tombe, je reste dans l'obscurité, je m'y sens mieux.

Sonnerie du téléphone. Le fil très long m'avait permis de le déposer sur le parquet, près de moi.

François Mitterrand. « Comment allez-vous ? » Voix enjôleuse des grands jours. Je ne m'y attarde pas. Je craque. Je vais mal, je suis seule, mes enfants à Orly demain, mes jambes monstrueuses. Peut-être ai-je même pleurniché dans l'appareil. J'oublie mes dossiers, le ministre, les missions...

« Ne vous inquiétez pas, je vais arranger tout ça. » Très calme, Mitterrand me demande les noms de mes fils, le numéro du vol. Il doit noter mes réponses puisque je ne l'entends plus, au bout du fil.

« Mon chauffeur ira les prendre à Orly, et je téléphonerai demain pour avoir de vos nouvelles. »

Les enfants me furent amenés à l'heure, ahuris par le voyage et le changement. Nous passâmes, sur des couvertures, une nuit à trois, heureuse, gaie comme la promesse d'un autre temps.

Comme pour quelques-uns de ses amis, François Mitterrand a su marquer de sa présence des moments essentiels de mon parcours.

Il a gardé de cette époque certaines constantes. Il déteste la gesticulation, la dramatisation. Dans l'inquiétude, il sécurise avec une sobriété presque impersonnelle, il préfère les considérations objectives plutôt que sentimentales. Il ne pardonne guère l'indiscrétion. Au reste, il ne se confie jamais. A personne.

Avare de promesses : « Il faut voir... Il faut voir », dit-il au quémandeur. Pudique dans sa fidélité : « Ça fait combien de temps que nous nous connaissons, hein ?... Ça fait bien vingt-cinq ans... Un quart de siècle, quoi ! » Il n'exige de l'autre qu'une vertu, l'inconditionnalité. Ses amis, en désaccord ou en disgrâce, doivent se taire, s'ils veulent refaire surface. Ils y arrivent, en général, en souscrivant au pacte.

François Mitterrand n'oublie pas, n'oublie rien, n'oublie personne.

Pour être un homme politique, nul besoin, disait Chateaubriand, d'acquérir des qualités. Il suffit d'en perdre. François Mitterrand, lui, possède un extraordinaire privilège. Le parallélisme de deux personnalités. A l'intérieur de chacune, un registre, indépendant de l'autre, de qualités hors du commun.

L'homme qui flâne, contemple les arbres de Latché, lit Chardonne et écrit ses Mémoires, coexiste avec le chef de parti, le chef de campagne, le chef d'État. Machiavel et Lamartine, il peut exécuter — politiquement — l'adversaire, tout en mâchant des violettes.

Je dirai un jour nos pas communs dans la campagne de 1967 et dans celles — présidentielle, législatives — de 1981. Entre les deux, en 1968, sa courageuse tentative, comme président de la Convention des institutions républicaines, d'organiser un colloque pour la paix au Viêt-nam. L'Unesco enfin, et son intérêt/désintérêt.

En cette même année 1957, je lui fais quelques couscous, nous discutons décolonisation, littérature. Nous renforçons notre amitié.

Nos connivences politiques trouvaient leurs limites dans nos choix respectifs. Il ne se laissait aller à un « coup » gauchiste que... pour faire un coup. Son humanisme — justice sociale et libertés individuelles — le rapprochait de la social-démocratie et l'éloignait de toute démarche marxiste.

L'indépendance algérienne dont je lui rebattais les oreilles ? Prématurée, disait-il. « Ils vont trop vite, trop loin... vous aussi, d'ailleurs. »

Le féminisme le hérissait, le hérisse encore. Il ne le tolère que masqué. L'égalité, la dignité, oui. Mais le pantalon, le refus des fards, du jeu classique de la séduction, le discours « idéologique », tout ce bagage l'irritait profondément.

Nous rompîmes des lances. Mais, complices du même changement, nous avancions ensemble.

Quelques semaines avant mon équipée de Rome, je m'étais rendue à Tunis. A Carthage, plutôt, au Palais présidentiel.

Il faisait si beau en cette fin de journée, que, sur la suggestion de Bourguiba, je plongeai avec lui dans la Méditerranée. Avec volupté. Nous nagions, suivis par une meute de gardes du corps contraints au crawl.

Le « Combattant suprême » s'en tirait bien, il avançait vite et à grandes brasses régulières, comme un vrai fils de la mer. « Je suis de Monastir, me dit-il.

— Et moi, de la Goulette », rétorquai-je, histoire d'être à la hauteur... de nos vagues.

J'abordai mon sujet en regagnant la rive. Messali Hadj, la guerre d'Algérie, la solidarité, aussi nécessaire que la paix.

« Nous parlerons de tout cela avant le dîner », coupa-t-il.

Et, à l'heure choisie par lui, il m'écouta. Je décelai cependant quelques signes d'impatience, le coup de menton, le regard au plafond.

Jeune avocate de Tunisie, je lui avais rendu visite en juillet 1954, au château de la Ferté, en France[1]. Yves Dechezelles, son avocat, m'y avait emmenée.

Déjà le « Combattant suprême » perçait sous le militant assigné à résidence : lippe volontaire, éclats de voix, références historiques implacables (et françaises). Surtout, cette manière unique d'être à la fois celui qui harangue et celui qui s'applaudit. Sa femme — française — l'écoutait en silence. De temps à autre, elle changeait son mouchoir de main, mais rien de plus, avant de nous saluer, au moment du départ.

Il me témoigna, depuis, beaucoup de sympathie. A chacun de mes séjours à Tunis, il m'invitait à sa table et rappelait les temps héroïques de ses combats. Avec les mêmes mots, les mêmes gestes. Les mêmes images et les mêmes sanglots, au fur et à mesure que ses facultés déclinaient.

Pour l'heure, il se redresse, superbement vif, étincelant même. Dans un français châtié, il me résume Mao. Compter sur ses propres forces, d'abord. Le reste viendra de surcroît. Et, de ce reste, il prendra sa part.

J'insiste, maladroite. Il s'enflamme : « Ça suffit, l'Algérie !... Après tout, vous êtes tunisienne, non ? »

Debout, il ordonne : « Et ne l'oubliez pas ! *Enti, tana*, tu nous appartiens. »

Je rengaine mes arguments sur l'importance de sa médiation, sur son prestige de chef arabo-occidental, j'abrège et nous dînons.

1. Assigné à résidence en France depuis le 22 mai 1954, à l'île de Groix, il avait été transféré au château de la Ferté, à Amilly près de Montargis, le 17 juillet.

Dîner morose. Je prends congé très vite. Il ajoute seulement : « Bourguiba prendra ses responsabilités, tout le monde le sait, ça ». Et enfin : « Revenez nager... et oubliez un peu les Algériens. »

Ma baraka

Jusqu'alors, j'avais traversé la guerre d'Algérie avec une fraîcheur d'âme doublée d'une confiance superstitieuse en mon étoile.

Pendant les premières années, du moins, j'eus le sentiment que les événements que nous vivions — « des opérations de police, maître Halimi ! », me rappelait-on sèchement quand je parlais de « guerre d'indépendance » — se déroulaient selon certaines normes. Une nation revendiquait une terre, une autre — qui l'occupait — la lui refusait. L'évolution se ferait d'une façon, et non d'une autre. Ma naïveté tenait en la conscience d'un sens nécessaire de l'histoire.

Bardée de certitudes morales et philosophiques, j'allais mon chemin.

Mes lectures — désordonnées, parcellaires — ne m'avaient guère permis de synthèse solide. Par pans juxtaposés, Aristote, Hegel et Machiavel me dévoilèrent le dilemme : unité/opposition de l'éthique et de la politique. Mais, au fond de moi-même, je ne consentais pas qu'un État pût se trouver investi d'une légitimité indépendante du bien des individus. Une politique ne valait que par le respect de certains principes. Priorité à la « substance morale », bien sûr ! Le droit de l'homme ne me paraissait ni trop général ni trop abstrait pour n'être pas absolu. Et, selon moi, la dialectique hégélienne avait beaucoup à gagner en marchant sur ses pieds, en terre d'Algérie. La théorie de l'exploitation selon Marx me séduisait davantage. La gauche, tout naturellement, ne pouvait qu'aider dans leur combat les peuples colonisés.

De tout cela, je ficelais des évidences ou, du moins, je les vécus comme telles.

Je n'eus donc pas à me poser la question : faut-il soutenir le peuple algérien dans sa lutte ? Et n'ayant pas à y répondre, je fus présente pendant huit ans aux barres des tribunaux d'exception d'Algérie, sans être sollicitée par l'héroïsme. Mon destin ne se confondait pas avec la force de l'Histoire. Je m'étais jetée dans le courant, j'y participais de toutes mes forces, mais je ne m'y dissolvais pas.

Ainsi aurais-je détesté mourir dans l'un de ces attentats perpétrés par les tenants de l'Algérie française contre les avocats « traîtres à la France ». Je n'avais pas — comme les nationalistes que je défendais — fait par avance le don de ma vie. Ils étaient des héros. Moi, une jeune avocate convaincue de la justesse de leur combat. Ai-je seulement fait preuve de courage ? Je me le demande. Comme tous ceux qui plaidaient en Algérie, je connaissais certes les risques de l'entreprise. Mais je crois les avoir assumés davantage comme des hypothèses romanesques que comme de sérieuses probabilités.

Les *furiosi* qui nous guettaient utilisaient, pourtant, leur vaste panoplie de la violence. Depuis la manœuvre d'intimidation jusqu'à l'assassinat, en passant par les coups et les crachats dans la rue, les huées et la bousculade à l'arrivée au tribunal.

Ils ne répugnaient pas, non plus, à emprunter au « milieu » beaucoup de ses usages. Par exemple, le coup de fil en pleine nuit dans la chambre d'hôtel, à Alger ou Constantine : « Sale pute à bicots, si tu n' fous pas le camp par le *postal*[1], tu partiras les pieds devant. »

Nouvelle sonnerie à peine avais-je raccroché : « Tu devrais avoir honte, une mère de famille, occupe-toi de tes gosses, plutôt ! Salope ! »

Quelquefois l'interlocuteur fantasmait. Il évoquait des images obscènes où, pêle-mêle, partouzaient les fellaghas « enculés », les avocates « putes » et les paras « qui en ont ».

« Si tu plaides demain pour ton Mohamed, tu prends l'avion en pont inférieur, en cercueil. »

Le cercueil, je l'avais déjà reçu, en miniature, bien ficelé et sans lettre d'explications. Au début, je fus tellement interloquée par ces procédés que j'en oubliai d'avoir peur.

Ma fraîcheur d'âme, toujours elle.

Je me rendormais sans avoir réalisé le danger. « Des fous, des fous... » Je maugréais dans l'oreiller.

Et mon côté psy reprenait le dessus. L'auteur, un para ou un homme des Unités territoriales ? Un obsédé sexuel, en tout cas, cet homme de main de l'O.A.S., l'autre soir.

Ma mort ? Je ne pense pas l'avoir imaginée. Jusqu'à ce que l'O.A.S. se soit manifestée comme dotée d'un véritable réseau de tueurs, j'ai failli à l'analyse sérieuse de ce phénomène. J'identifiais ce fatras téléphonique à des canulars nocturnes de mauvais goût. Une très vulgaire comédie. Je ne me sentais pas vraiment en danger. Je prêchais l'inéluctabilité de l'indépendance algérienne dans les prétoires. Mes convictions me portaient et ma baraka me protégeait.

1. Avion à hélices (Breguet Deux-Ponts), qui décollait d'Alger vers minuit et arrivait à Orly au petit matin.

Il arrivait quelquefois à des confrères plus imaginatifs que moi de réagir autrement. Ainsi l'aventure survenue à cet avocat parisien, envoyé, pour la première fois, sur le front de la défense en Algérie.

Ni communiste ni engagé dans une action politique particulière, il n'aimait pas que l'on touchât aux droits de la défense. Il pensait — tranquillement, sans plus — que la cause algérienne valait le détour. Il accepta donc, à l'occasion, de défendre des militants du F.L.N.

Il s'envola, guilleret, pour son baptême du feu à Alger, sans se douter du caractère un peu spécial de l'entreprise. Il descendit à l'hôtel Aletti, en plein centre. Nous y avions nos habitudes, comme dans trois ou quatre grands hôtels de la ville.

Le couvre-feu et l'insécurité n'incitaient guère aux virées nocturnes. Aussi, après avoir dîné dans un petit restaurant proche de l'hôtel, notre candide du barreau réintégra sagement sa chambre.

Quelque deux ou trois heures plus tard, sonnerie du téléphone. Il dormait du sommeil dit du juste (à tort, car le juste se sent responsable de l'état du monde et l'injuste se repose sur le mol oreiller de son cynisme). Il sursaute, décroche et s'entend dire qu'il lui faut déguerpir à l'aube, qu'il est un traître comme tous ses confrères parisiens, que s'il se présente devant le Tribunal militaire pour défendre les assassins du F.L.N., il sera abattu. Clair, non ?

Il nous avoua que cette voix haineuse, qui crachait les mots dans l'appareil, l'avait pétrifié. Il grelottait de peur. Il ne put répondre. Et, d'ailleurs, que pouvait-il répondre ? Il n'eut qu'une idée, une seule : fuir. Et une question, une seule : à quelle heure décollait le prochain avion pour Paris ?

Sans attendre, il ramasse ses dossiers, boucle sa

valise, dégringole à la réception, demande sa note, un taxi et file à Maison-Blanche, l'aéroport d'Alger. A peine le temps d'appeler Paris et d'informer l'un d'entre nous de sa mésaventure. Il embarque sur l'avion postal et débarque à Orly au petit matin.

Il nous fit plus tard le récit des menaces, de sa panique, de sa honte : « Je ne suis pas un héros... Je ne savais pas... Je suis désolé. »

Plus personne pour plaider le lendemain. Mais, dans les heures qui suivirent, une avocate prit l'avion dans l'autre sens. La chaîne avait ressoudé le maillon défaillant. La défense, plus violente dans sa nécessité que la violence elle-même.

Pourtant, les nervis se dépensaient.

Je me souviens de l'agitation de certaines nuits passées à l'hôtel Saint-Georges. J'avais une prédilection marquée pour l'endroit. Juché sur une petite colline, tout au bout de rocades en colimaçon, le Saint-Georges semblait ignorer les tumultes de la ville basse. Ses terrasses ajourées et ses moucharabiehs bleus se dissimulaient au milieu des fleurs et des arbres exotiques aux noms savants, étiquetés sur leurs troncs. Un royaume de luxe et de paix où l'écho des luttes, des procès, des tortures ne semblait pas pouvoir parvenir. La première fois que j'entrai au Saint-Georges, je me sentis transportée dans la luxuriance d'un catalogue de voyages. L'oasis, pourtant, avait vécu les soubresauts de l'histoire : une plaque, toujours fraîchement astiquée, signalait les appartements qu'occupèrent, après le débarquement allié en 1942, quelques-uns de nos généraux.

La nuit, je laissais presque toujours ma fenêtre ouverte. Depuis mon plus jeune âge, même à distance, je savais écouter et sentir la mer. Je la recherchais, au pire des moments, comme un moyen de me rassembler. Dans un demi-sommeil, je revivais mes courses solitaires au bord des plages tunisiennes. Ces retrouvailles avec mes racines me donnaient du recul. Je redevenais forte pour affronter le monde réel.

Un soir, je perçus un cliquetis de ferraille insistant. Je regardai d'abord du côté de la terrasse, inondée de cette clarté bleu-noir dont les ciels méditerranéens sont prodigues. J'écoutais la nuit et ce bruit, qui semblait venir de la chambre voisine, m'agaçait. J'allumai. Et, tournant les yeux vers la porte de communication, je vis la poignée qui s'agitait lentement. Quelqu'un tentait d'ouvrir. Sans bien comprendre le sens de cette manœuvre, je décrochai mon téléphone et fis mine d'appeler. Je haussai le ton. En réalité, je n'espérais pas le moindre secours, je savais que, sauf miracle, le personnel de l'hôtel ne m'en apporterait pas. Mais l'intrus l'ignorait peut-être. Sans autre but, je pense, que celui de m'effrayer, il continua de tourner la poignée dans tous les sens, puis il cessa son manège. Quelque peu perplexe, je me rendormis pourtant presque aussitôt.

Au fil des années, les menaces se firent plus sérieuses.

Comme beaucoup d'intellectuels opposés à la poursuite de la guerre en Algérie, j'écopai de mon lot de lettres et de coups de fil de « patriotes ». Ils m'annonçaient le plasticage prochain de mon appartement, l'enlèvement de mes enfants, parfois mon exécution.

En 1961, je reçus un curieux papier à l'allure officielle, avec en-tête de l'O.A.S. Ma condamnation à mort. Un *tribunal* avait, semble-t-il, rapidement tranché mon cas. L'acte singeait les jugements de la République, jusqu'à inclure la formule exécutoire.

Ordre était donné à chaque militant de l'O.A.S. de m'abattre « *immédiatement* » et « *en tous lieux* ».

Je n'accordais pas une importance exagérée à ces gesticulations. Sur le conseil d'amis, je fis cependant parvenir au Procureur général ma troisième condamnation.

Sans illusions. Les activistes de l'Algérie française évoluaient dans le pays comme des poissons dans l'eau. La police elle-même en était infiltrée. Une enquête sérieuse n'aurait aucune chance d'aboutir. Puisque mort-née. Aussi me hâtai-je de refuser toute protection policière. Comme certaines personnalités menacées. J'en avais parlé avec Sartre, Laurent Schwartz et d'autres. D'un commun accord, nous avions courtoisement récusé nos inspecteurs. « Ce serait se mettre dans la gueule du loup », dit Daniel Mayer.

Le plastic cependant causait des ravages à Paris. Le journaliste Wladimir Pozner fut défiguré par une déflagration. La tragique histoire de la petite Delphine Renard, qui perdit un œil dans un attentat dirigé contre Malraux, bouleversa la France entière[1].

Avant tout, il me fallait protéger mes enfants.

Ma mère et tant d'autres justiciers continuaient de hanter mes cauchemars : « Tu sacrifies tes fils, des *innocents* ! » Bradeuse de l'Algérie française, complice des assassins du F.L.N., et mère indigne.

Un Comité universitaire antifasciste, qui réunissait les étudiants et les professeurs favorables à l'indépendance algérienne, venait de se créer. Il dressa une liste des intellectuels qu'il voulait protéger. Je fus du

1. Attentats du 7 février 1962.

nombre. Des équipes d'étudiants, dont certains armés, venaient la nuit pour nous garder. La « mienne » arrivait tous les soirs vers vingt heures. Les policiers qui faisaient des rondes régulières autour de l'immeuble les regardaient s'installer, goguenards. Ils s'étaient résignés à ce parallélisme des polices, signe de temps agités. Au centre, les étudiants, les « petits » — selon l'expression quelque peu ironique des flics en tenue. Tout autour, ces flics eux-mêmes. Et dans le cercle le plus large, des barbouzes bien intentionnées.

Un soir, c'était fatal, ces trois variétés de patrouilles, dont chacune connaissait fort bien l'existence des autres, se rencontrèrent :

« Qui gardez-vous ? s'enquirent les officiels.

— Gisèle Halimi, répondit le Front antifasciste.

— Nous aussi, dirent les gaullistes, quelle emmerdeuse ! »

Et chacun de reprendre sa place, dans son propre système.

Souvent, les étudiants montaient échanger quelques mots avec nous. Cet épisode, je m'en souviens, marqua l'imagination de mes fils, alors âgés de cinq et huit ans. Au point qu'ils confectionnèrent une véritable bande dessinée. Ils en écrivirent, presque phonétiquement, les légendes.

« *Les étudiants qui gardent maman.* » Le dessin montrait une farandole d'anges gardiens faits de bâtonnets. Puis, sous « *l'O.A.S. avec ses bombes* », des hommes mi-père Noël, mi-Raspoutine à cagoule, aux mains chargées de boules noires. Le troisième dessin, légendé par « *Maman fait du thé aux gentils étudiants* » et « *ils prennent des couvertures* », chevauchait une guirlande qui devait représenter des immeubles éclatés, entourés de « *Boum ! Boum !* », et laissant échapper des éclairs. La conclusion séparait les bons des méchants. « *Merci !* » pour les premiers, avec un bouquet de fleurs qui s'étalait sur la moitié d'une page. Pour les dynamiteurs, une multitude de bonshommes qui s'amenuisaient et disparaissaient dans des nuages de fumée, « *ils sont partis* ».

Ce *happy end* me rassura. Mes fils ne devaient pas ressentir une angoisse excessive. Avec la malléabilité de leur âge, ils s'accoutumèrent aux rythmes inattendus de leur vie. Des allées et venues à toute heure, jour et nuit, de brusques changements de projets et de destination, des échos qui leur parvenaient sur les attentats. Tout cela les amusait plutôt. Ils ressentaient même de la fierté à participer à ces séquences cinéma. Ils les racontaient volontiers à leurs petits copains de classe, Frédéric et Nicolas, dont les parents Guitte et Roger Grenier hébergèrent Jean-Yves et Kamoun au moment où vivre avec moi devenait véritablement dangereux. D'autres amis — parmi eux, l'avocate gaulliste Jacqueline Sarda — les prirent à tour de rôle, en attendant l'accalmie.

Ils vécurent ces périodes itinérantes avec la joie de l'enfance, qui aime l'insolite, l'imprévu. Je crois même qu'elles prirent place dans leurs souvenirs heureux.

Le soir où Michel Debré appela les populations à se rendre « *à pied ou en voiture* » à Orly, pour stopper les parachutistes qui devaient investir Paris, nous dînions, avec des amis, dans un restaurant proche de l'Étoile[1]. A la table voisine, Alain Resnais, avec un groupe de comédiens. Jean-Pierre Darras, Annie Fratellini et son mari, Pierre Étaix. L'appel de Debré s'engouffra, comme un vent d'hiver, dans le bistro.

1. Dimanche 23 avril 1961.

L'adversité crée des liens : les tables se rapprochèrent. Et nous allâmes tous ensemble chez moi, transistors à l'oreille.

J'avais laissé mes fils à la garde d'une étudiante. Les nouvelles se faisant plus alarmantes, je décidai de les confier à des amis sûrs. En cas d'arrivée des paras, je voulais assumer seule les risques.

Je les réveillai donc, vers trois heures du matin, pour les emmener, avais-je prétendu, à une fête impromptue. Bien qu'hébétés de sommeil, ce lever en fanfare, parmi cette troupe de saltimbanques en goguette, leur sembla tenir du joli rêve. « Chouette ! une fête la nuit ! » se réjouissait Jean-Yves, neuf ans. Kamoun, six ans, regardait les vêtements de la veille, que je leur avais jetés à la hâte : « Non, non, pas ça... Je veux les habits neufs, pour la fête. » Kamoun refusait de se vêtir « comme à l'école ». Jean-Yves lui emboîta le pas.

Leur détermination — ils restaient nus au milieu de la pièce, répétant : « On veut les beaux habits » — me parut, dans le contexte de l'heure, loufoque. Pas le temps de palabrer. J'éclatai de rire et obtempérai. Je sortis des armoires les chemises blanches et les pantalons du dimanche. Les petits, décidément doués pour l'inattendu, se laissèrent aller à leur joie en se faisant beaux. Nous descendîmes prendre la vieille 403. En ouvrant la portière, j'y découvris, installé au volant, un jeune voleur. Il prit la fuite aussitôt.

Rarement nuit nous gratifia d'événements aussi disparates, mêlant le gag au drame politique.

Les enfants à l'abri, nous achevâmes la nuit au Grand Palais. Alain Savary, officier supérieur des Fusiliers marins et compagnon de la Libération, y avait installé une sorte de bureau de recrutement, pour parer à toute éventualité.

Entre-temps, l'O.A.S., dans le délire du désespoir, multipliait les attentats à l'explosif et les assassinats.

Je fus moi-même contrainte, quelques semaines avant les accords d'Évian de mars 1962, de passer dans la clandestinité.

Des amis m'offrirent leur maison de campagne, sans aller pourtant jusqu'à prendre le risque de la partager avec moi. Une fois dans le village, je décidai de me faire appeler Élise Lamielle, mais par égard pour Stendhal j'épelais le nom avec soin, « ... deux l, e ».

Ce fut seulement après le cessez-le-feu que je regagnai Paris et retrouvai mes enfants.

UNE JEUNE MÈRE INDIGNE

A l'approche des fêtes en cette fin d'année 1958, je me sentais détendue. Je venais de mettre mes deux fils dans l'avion de Nice. Destination : Édouard et Fortunée.

Fortunée avait bien rechigné un peu, sa santé incertaine, son cœur à surveiller, elle ne pouvait s'occuper à plein temps de deux moutards de six et trois ans, difficiles, turbulents, d'ailleurs mon père parlait d'aider, mais paroles, paroles... il ne faisait rien sauf les balader sur la Promenade des Anglais l'après-midi... Elle finit quand même par y consentir.

Je les avais vus s'embarquer dans la Caravelle, la main dans celle d'une hôtesse aux petits soins. Ils s'étaient retournés et j'avais vérifié qu'ils portaient bien au cou cette pancarte de plastique destinée aux enfants « non accompagnés ». Ils ne risquaient donc pas de se perdre !

Au retour d'Orly, je conduisais en chantonnant. Je rentrais chez moi avec une allégresse particulière.

Comme chaque fois que Jean-Yves et Kamoun s'en allaient pour quelques vacances chez mes parents, je me sentais revivre, autrement. Je récupérais ma liberté. Enfin seule dans mon appartement-cabinet du Xe arrondissement, sans étudiante au pair ni concierge pour rôder autour de moi. Enfin seule pour déambuler de mon bureau au lit, une pomme sous la dent et un bouquin à la main. Enfin seule pour flirter tout mon soûl au téléphone avec le chevalier servant du moment. Je faisais peau neuve, je perdais mes chaînes, je redevenais disponible, curieuse, vivante.

La présence de mes fils déclenchait en moi le mécanisme de l'*amour maternel* : priorités, transgressions, dilemmes, culpabilités, tout ce lot de l'imagerie de l'amour plus que de sa vérité.

Eux partis, l'angoisse disparaissait.

Provisoirement. Car je ressentais la faute atavique de me consacrer à des choix *extérieurs*, même s'ils exprimaient une dynamique, pour moi, essentielle. J'avais beau lutter contre les tabous, je vivais une grande indignité, celle de ne pas consacrer, à part entière, mon temps, mon cœur, mon intelligence aux chers petits.

Ma mère ne manquait pas une occasion d'agrandir la plaie : « Tu ferais mieux de t'occuper de tes fils au lieu de défendre les Arabes ! Quand tu vas là-bas, tu les abandonnes à la concierge, à l'étudiante... entre des mains *mercenaires* ! » (Elle disait « *mercenaires* » comme elle aurait dit « *tortionnaires* » et professait que la rémunération excluait l'affectivité.)

J'en souffrais. Mais ne rentrais pas pour autant à la maison. Je maintenais mon double cap.

Je me disais qu'en pareille situation un homme n'aurait pas connu cet accablement. Qui a jamais reproché aux mâles révolutionnaires — quelle que fût l'époque — d'être de mauvais pères ou de mauvais époux ? Et de faire bon marché de la sécurité de leur famille ? Les femmes et les enfants suivent, aident ou subissent.

J'agissais comme un homme, mais j'étais jugée

comme une femme. Je ressentais bien ma dépendance affective et mon conditionnement culturel. J'avais beau chasser de mon esprit tous les stéréotypes sur l'amour maternel et son cortège de sacrifices, ma mauvaise conscience me coupait en deux.

Une certitude me permettait parfois de surmonter ce conflit. Mes fils, je les aimais. Plus que personne, quelquefois contre moi-même. J'aimais mon *Sciuscia*[1] aux yeux de braise et mon *Kamoun* au goût d'épices. Ma mère, les religions, mes ennemis pouvaient insinuer le contraire. Rien ne changerait cette évidence : je les aimais.

Et je n'en faisais ni alibi, ni substitut, comme certaines mères. Depuis ma séparation d'avec leur père, je m'en sentais seule responsable. Jour après jour, je mettais tout en œuvre pour que rien ne leur manquât, sinon quelquefois ma présence.

Avant de partir pour l'Algérie, j'affichais dans la cuisine une série de recommandations : le linge à changer, les heures de sortie dans le petit square de l'église Saint-Vincent-de-Paul, les vitamines, les menus quotidiens. J'y ajoutais les histoires à leur raconter pour les endormir — Perrault, Andersen ou notre *Shah* ancestral[2] —, le bain du soir obligatoire et une liste de numéros de téléphone en cas d'urgence : le médecin, mes parents (à Nice), celui encore d'une amie avocate.

Je les envoyais dans des *homes* d'enfants pour la neige et les petites vacances, et partageais les gran-

1. Mes amis appelaient Jean-Yves du nom des petits cireurs napolitains mis en scène par Vittorio De Sica.

2. Sorte de gribouille du folklore populaire tunisien.

des — interminables ! — comme je pouvais. A l'exception d'une seule maison, *L'Isard blanc* dans les Pyrénées, Jean-Yves et Kamoun détestaient cette déportation. L'aîné le manifestait en opposant un mutisme absolu à toute autre personne que moi et pissait au lit avec obstination. Le cadet devenait anorexique. Dans ces moments-là, je ne me voulais guère de bien. Je me sentais si coupable que je vivais dans une cyclothymie déséquilibrante. J'oscillais entre le désamour de moi-même (être dénaturé, inapte à l'amour maternel inné, « pain merveilleux qu'un Dieu partage et multiplie », donnée immédiate de l'utérus, etc.) et une réaction d'indépendance iconoclaste à l'égard de ces fariboles.

Conflit qui culmina lors du premier procès d'El Halia, à Philippeville.

Je revois encore la scène.

Je développais à la barre des conclusions de droit. Un jeune avocat vient vers moi, me prend par la manche : « Vous avez bien un fils qui s'appelle Jean-Yves ? »

Je dis « oui », distraite, puis, très vite, la chape de glace. Le souffle court, sans un mot, je reste le bras tendu vers le Tribunal militaire, les feuillets dactylographiés à la main. J'entends à peine le confrère constantinois bredouiller son nom, « Monsieur le Président », des excuses à l'intention des juges.

Il se tourne vers moi : « Votre fils vient d'être transporté à l'hôpital, une appendicite opérée d'urgence, à chaud. »

Je ne sais plus très bien ce que Léo Matarasso, qui s'était avancé vers le Tribunal, jugea utile d'expliquer. Je crois que je pleurai à sec, sans bruit, sans larmes, sans bouger.

Jean-Yves, mon fils, ses yeux immenses, son

demi-sourire un peu triste, Jean-Yves anesthésié. Une appendicite, une péritonite peut-être... Sa mère absente. Une mère, cette avocate qui avait choisi d'être auprès des Algériens et loin de son fils ? Je ne pourrais pas le tenir par la main sur le chariot, le long des couloirs blafards, jusqu'à l'ultime ligne rouge qui barre l'entrée de la salle d'opération : « Non, madame, c'est interdit, vous ne pouvez pas entrer. — Mais c'est mon fils ! — Désolé, au-delà de cette ligne, le ticket d'une mère comme vous n'est plus valable. » A son réveil, il chercherait en vain mon regard. Absente, indigne.

Je me tiens un discours pitoyable. Je me condamne sans appel. Je me fouette de mots enfouis au fond de chacune de nous, indigne, incapable d'aimer, « mauvaise graine », c'est ça, mes parents le disaient, je dois même porter malheur, en plus.

Jean-Yves, seul, sans moi, tu peux mourir, et moi, je fais le guignol ici, à Philippeville.

Le Tribunal suspend l'audience. Le président exprime sa compréhension. Dans une sorte de brouhaha, je vois Matarasso échanger quelques mots avec lui, puis revenir vers moi : « Tu vas pouvoir profiter d'un avion militaire qui part pour Lyon, cet après-midi. »

J'embarquai dans un petit avion à cocarde tricolore. Le lendemain, je pris le train à Lyon-Perrache pour Paris. Je sautai dans un taxi, destination hôpital Lariboisière.

« L'heure des visites est terminée. » Le dragon de service me barre la route. Implacable.

Je plaide sans doute mal ma cause, El Halia, le Tribunal qui a lui-même renvoyé l'affaire, l'avion militaire, le train, Jean-Yves sur le point d'être opéré...

Inflexible, le dragon.

L'interne de garde, appelé en renfort, se montre plus humain : Jean-Yves a été opéré, il somnole, un réveil, après l'anesthésie, parfaitement normal, une intervention réussie en somme.

Je devrais me réjouir, je me sens accablée. Tant de gesticulations pour être là, avant la salle d'opération. Inutiles. Inutiles, ces acrobaties pour tenir sa main quand il ouvrirait de nouveau les yeux. Inutile, cet acharnement pour prouver que j'étais une mère « normale ». J'avais agi à la manière d'un homme indépendant qui en défend d'autres, qui eux-mêmes défendent l'indépendance de leur pays. Au lieu de pouponner, écouter, tripoter, promener, embrasser mes enfants.

Très tôt, j'ai ressenti cette contradiction fondamentale : être femme-sujet dans un monde qui ne s'y prêtait guère.

J'avais commencé par rejeter les traditions et, peut-être inconsciemment, le carcan des religions, des cultures, des habitudes. Se comporter comme tout le monde — « c'est pourtant facile ! » — me semblait au-dessus de mes forces. Je voulais être une avocate à part entière, et non une femme qui plaide. J'empiétais ainsi sur le territoire des hommes, j'échappais au rôle qu'ils m'avaient assigné.

En plaidant la cause des femmes, je me décalais à peine. L'ennemi ne changeait guère, je le reconnaissais malgré ses masques. Sottise, intolérance, injustice, mépris de la différence.

Tout naturellement, j'en vins à l'iceberg du féminisme.

A l'origine, je n'en démêlais point toutes les racines. Je n'en vis que la partie émergée, la conquête de nouveaux droits, d'une égalité en quelque sorte formelle avec l'homme. Je revendiquais, sans encore me mettre en mouvement, mon *autre principe de réalité.* Je ne vis que plus tard à quel point toute approche — libertaire — de notre condition remettait en question notre sujétion entière.

Tout s'entremêlait, mais pour mieux s'ordonner.

Ainsi, par exemple, le droit, pour une femme, de choisir ses maternités — éducation sexuelle, contraception, avortement — implique forcément d'autres changements en profondeur. Notre corps nous appartient, certes, mais il porte aussi une intelligence, une sensibilité. Notre sexualité ne deviendra adulte que dans une relation différente avec l'homme, débarrassée de la peur et de la fatalité. Une famille, peut-être... mais avec des parents tous deux responsables, sans division des rôles ni des pouvoirs, un havre, un refuge affectif. Que signifie l'égalité professionnelle d'une femme, si une maternité-accident peut, à tout moment, entraver l'avenir ?

Je compris que d'une bataille féministe pouvait naître une nouvelle culture.

La France de mes dix-huit ans, je l'ai dit, me contraignit à quelques révisions déchirantes. Ma sotte idéalisation, à partir de Molière ou des humanistes, m'avait caché les lois d'airain du pouvoir, de la discrimination. Je me sentais divisée, depuis mes déboires antisémites. Je recherchais une nouvelle unité.

Le féminisme me l'apporta.

La chance voulut que mon époque coïncidât avec quelques événements historiques auxquels, dans la mesure de mes moyens, je participai. Guerres de libération, luttes contre le racisme. Grâce à elles, grâce à un refus émotionnel de l'injustice — « physiquement intolérable », avais-je affirmé lors de ma première plaidoirie —, je parvenais à transgresser le monde d'interdits dont j'étais née.

En prenant aux hommes ma part de responsabilités, en les partageant très tôt avec eux, je catalysai un choix : *la cause des femmes.*

La dualité de mes racines — ma Tunisie d'enfance, ma France de culture — m'agitait de ses contradictions. L'exil de mes soleils me brûlait comme un amour absent, mais la grisaille des amphis parisiens effaçait comme par miracle ce manque. Ils nourrissaient ma soif de liberté et mes certitudes d'autres lendemains.

Mon avenir, je le voulais *mien,* indifférent aux forces qui parquaient les femmes dans le *deuxième* sexe. Je refusais le modèle féminin. J'étudierais, je travaillerais, j'agirais comme un homme. Mais, comme en chaque féministe, deux cultures — féminine, masculine — coexistaient en moi. A la première, j'opposais la revendication égalitaire, la reconnaissance de mes capacités. La seconde se nourrissait de mes différences de femme et me nourrissait en retour.

Ainsi, le monde universaliste — celui des hommes — et mon affectivité particulariste — celle des femmes — se trouvaient-ils en conflit permanent. La déviance me fut à certains moments riposte, à d'autres, blocage qui me paralysait. Je ne pouvais faire mon deuil d'une partie de moi-même, choisir d'être homme, ou choisir d'être femme et, comme toutes les femmes, je me révélais ambiguë[1] (au sens psychanalytique du terme).

1. Cf. Rosiska Darcy de Oliveira, *La Formation des femmes en tant que miroir de l'ambiguïté* (Thèse dactylogr., Genève, Faculté de psychologie et des sciences de l'éducation, 1987).

A ma place, bien dans ma peau de femme, quand je m'éprenais d'un homme, à la manière d'une midinette. A ma place aussi et dans ma peau de mère, quand je tremblais du mal ou vibrais de l'émoi de mes enfants, comme mon aïeule juive. J'aimais l'amour, j'aimais mes fils, j'aimais être aimée par eux et par les hommes. Mes désirs ne s'annulaient pas entre eux, j'allais d'un registre à l'autre, je prétendais les préserver tous. Plaider des dossiers comme un homme, me perdre de passion comme une femme, le monde m'était, d'évidence, dichotomie. Ce défi m'acculait, certains jours, à l'échec. Allant d'un système de valeurs à l'autre, je me retrouvais la tête vide, le cœur blessé.

Mon mal-être s'appelait culpabilité.

Coupable, non pas d'occuper les fiefs masculins, au contraire. Cette insertion, je la trouvais positive, nécessaire et ne me lassais guère de la prôner aux autres. Mais coupable de mes dérobades de femme, de mes insuffisances de mère. A chaque incident de parcours, je vivais ce désarroi, particulier à l'androgyne innocent. J'avais mal. Mal pour le mal causé aux maris, aux amants, mal pour le mal causé à Jean-Yves, Kamoun, Manu, en manque d'une vraie mère, unisexe et lisse, mal enfin à chaque moitié de moi-même, lorsque l'autre moitié tirait la couverture à soi.

Je surmontais mal l'ambiguïté de ma vie.

Pourtant, ce chemin, je l'ai fait, je le referais. Un inconscient douloureux, un comportement ambigu n'ont pas empêché un certain bonheur. Celui de partager, depuis l'entêtement venu de l'enfance, l'aventure des non-résignés. Et, parmi eux, *elles,* les plus exposées. Les femmes, dont le mouvement me façonna telle que je suis, individu égal(e) et différent(e).

Jean-Yves somnolait dans son petit box quand, en crapahutant le long des couloirs, je me glissai dans la salle.

J'avais décidé de le voir.

Dès que les cerbères en blouse blanche eurent le dos tourné, je me faufilai vers les lits.

« Jean-Yves, Jean-Yves, mon ange... Je suis là... »

Il ouvrit les yeux, ne reconnut pas immédiatement ma voix. Je le trouvai très pâle malgré la pénombre.

« J'ai pris l'avion... j'ai abandonné le Tribunal... je voulais être avec toi pour l'opération... mais voilà... je suis arrivée en retard... »

J'accumulais les phrases, je voulais qu'il sache le miracle accompli pour lui, pour l'embrasser.

Jean-Yves tourna la tête vers moi. Il ne parlait pas.

« Tu vas bien. Tu n'as pas mal ? C'est fini ton bobo, c'est fini... » Je voulais le bercer, le rassurer, l'endormir avec mes mots, ma tendresse.

« Reste avec moi, maman. »

Il bafouilla, la bouche pâteuse, me fixant de ses yeux plus sombres et plus cernés qu'à l'ordinaire. Sa main s'agrippa à la mienne : « Maman, je t'en prie...

— Je resterai jusqu'à ton retour à la maison, mon bébé, sois tranquille. » Une surveillante surgit au fond de la salle. « A demain, mon amour. »

Je repartis, toujours pliée en deux, comme une voleuse. Il avait besoin de moi. Il me l'avait murmuré, comme pour me dire qu'il m'aimait.

Mon casier judiciaire de mère indigne redevenait vierge.

Jean-Yves quitta l'hôpital quatre jours plus tard. Tous les matins, je me rendis à son chevet. J'oubliai Philippeville, le procès, les tortures. Occupée, seulement occupée à vivre ces instants de ma propre réhabilitation.

Répit de courte durée. Je m'envolai de nouveau pour l'Algérie. Léo avait assuré seul une ou deux audiences, les autres furent renvoyées par le Tribunal.

Et, de nouveau, je réintégrai ma double vie.

Quelques semaines après ma naissance, j'avais failli causer la mort de mon père.

Histoire que l'on m'asséna à plusieurs reprises dès que j'eus l'âge de comprendre. Un drame, une appendicite à chaud, comme pour Jean-Yves. Ma mère en rajoutait toujours un peu, en incomparable Cassandre, avec gestes, soupirs, invocations à Dieu tout-puissant : « Tu as failli tuer ton père. »

Bébé insupportable — le plus insupportable des cinq, selon elle —, hurlant à pleines nuits, j'empêchais mes parents de dormir. Ils tentaient de me faire taire, n'y parvenaient pas, finissaient par se disputer, mon père s'exclamant : « Mais qu'est-ce que tu lui fais ? Tu la pinces, ou quoi ? » Personne ne savait ce que j'avais. A dire vrai, rien, sinon l'envie de me faire des poumons, comme beaucoup de nouveau-nés.

Une nuit où je criais plus que de coutume, suffoquant presque, mes parents épuisés finirent par me prendre dans leur lit, entre eux. Je m'endormis. Mais en m'enroulant dans tout le drap. Mon père ne bougea pas, de peur de me réveiller. Il dormit donc « le ventre nu ». Ma mère accompagne toujours ces mots du même geste, comme pour dépouiller le pauvre ventre paternel de toute protection.

« Le ventre nu », l'appendicite le frappa, comme la foudre le paratonnerre. Une appendicite à chaud, peut-être même une péritonite ou quelque chose d'aussi grave.

Une ambulance, toutes sirènes déployées, emmena Édouard. Émoi dans le voisinage, attroupement.

Une commère, sur le pas de sa porte, lança : « Qu'elle meure... elle qui veut *manger* la tête de son père ! » Résumé d'une longue malédiction arabe, qui renvoie le bébé dans les limbes pour que l'adulte continue sa course.

Ainsi, ma seule venue au monde manqua de provoquer — c'était indiscutable, inscrit dans l'enchaînement des faits — la mort de mon père.

Mes parents ignoraient tout des traumatismes et des souvenirs qui marquent au fer rouge l'inconscient des gosses. Ils ne pouvaient se colleter avec les abîmes psychologiques de l'enfance. Et penser au-dessus de leurs moyens. Ainsi, pour eux, mon fauteuil d'osier provoqua la mort de mon petit frère. Mais je lui avais survécu. L'appendicite de mon père, ma faute aussi. Coupable, sûrement je devais l'être. Deux fois.

J'aurais dû sans doute devenir une enfant sombre et renfermée. Tout au contraire, je restai gaie, turbulente, extravertie. Les paysages de mon enfance, ses amours et ses jeux me prédisposaient plutôt à la joie de vivre.

Je souffrais, pourtant, d'un handicap, d'une infirmité. Je pissais au lit. Abondamment, quotidiennement, jusqu'à l'âge de quatorze ans environ.

Je crois que cette *maladie* bouleversa ma vie d'enfant, déjà proche de l'adolescence. Honte, impuissance. Toute la gamme de ces sentiments rentrés qui blessent inexorablement. « Gisèle... la pauvre !... elle pisse au lit... », chuchotait-on dans la famille.

Édouard et Fortunée avaient tout essayé. La répression prônée par la *vox populi,* « une bonne raclée dès qu'elle se réveille trempée, et elle fera attention ». La persuasion : « Si tu ne fais pas cette nuit, je te donnerai un franc. » Ou : « Nous t'emmènerons au cinéma, si tu es assez grande pour te retenir. »

On eut même recours aux services d'une *deghaza*, une diseuse de bonne aventure, un peu sorcière. Elle m'examina. « *Majnouna* », possédée, fut le diagnostic. Seul remède connu : la séance d'exorcisme. Cela consistait à faire danser, au son débridé de la *derbouka* — une sorte de tam-tam que l'on tient sous le bras —, de la flûte et du tambourin, la *majnouna*. Jusqu'au moment où, entrée en transe, elle s'écroulerait, le démon enfin chassé.

Je refusai catégoriquement cette thérapie, impraticable sans l'accord du patient. Mes parents y renoncèrent.

La vieille bédouine, qui aidait à la lessive, vint à la rescousse.

L'opération lessive se déroulait en plein air, dans un coin d'une impasse ou du jardinet. Elle exigeait un énorme feu de bois sur lequel reposait la lessiveuse. Le linge bouillait joyeusement et la bédouine, ma mère, ou moi, si j'étais bien lunée, le surveillions en le remuant avec un manche à balai.

Un jour, lasse de guetter la lessiveuse, je me mis à marcher, pieds nus, sur un tuyau de pierre apparent, probablement une conduite d'égouts. Exercice difficile, car le tuyau, de gros calibre, d'une matière lisse, brillante, ne permettait pas au pied de trouver prise. Je jouais à la funambule sur un énorme fil de pierre, je devais contourner le feu, tenir en équilibre en avançant, en quart, pied gauche puis pied droit, faire osciller mes bras en croix pour coordonner le mouvement. Arrivée près de la lessiveuse, je glissai. J'essayai de trouver appui d'une main, je la mis dans les cendres brûlantes. Je hurlai. Le feu, toujours lui.

La bédouine agite mes draps trempés. Elle ameute le voisinage : « Regardez, dit-elle sur un ton de tambour-major, elle a dix ans et elle pisse encore au lit. »

Je ne bouge pas, au comble de l'humiliation.

La vieille femme ajuste ses haillons bleus rayés de rouge, retenus sur les seins par deux grandes boucles et des clous de métal. Elle se penche sur le feu, armée de pinces, et en retire un charbon incandescent. S'approche de moi.

La sorcière tient d'une main mon drap souillé, de l'autre la braise : « Tu vois ça, tu vois ça. » Elle me prend par le bras, me secoue : « Tu sais où je vais te le mettre ? » Elle jette le drap, relève brutalement ma jupe, s'accroche à ma culotte : « Je vais te brûler là, si tu pisses encore, comme ça tu ne pourras plus pisser du tout ! »

Je protège mon sexe de mes deux mains, je crie que je ne recommencerai plus, je jure que je resterai éveillée, je resterai debout toute la nuit, plus de nuit, plus de lit, plus de draps mouillés, tu verras ce soir, mais arrête, sorcière, arrête, ce feu me donne froid, je tremble, arrête...

La bédouine arrête. Je m'enfuis.

Je ne guéris pas.

On me montra à un docteur, à plusieurs docteurs. L'un prescrivit de m'empêcher de boire à partir de quatre heures, l'après-midi. L'autre de me faire manger au coucher une tartine badigeonnée d'huile d'olive avec du gros sel en prenant un bain de pieds chaud. Pour compléter le traitement, ma mère me réveillait au milieu de la nuit. Quand elle arrivait trop tard, qu'elle me découvrait noyée dans ma peur et retournait, accablée, à son lit, je restais les yeux ouverts sans bouger, sans vouloir même me changer.

Un médecin finit par dire : « Laissez-la tranquille, quand elle aura ses règles, ça passera. » Je comprenais mal ce phénomène de substitution, mais j'espérais chaque jour me réveiller pubère. Par malchance, je ne fus réglée que vers quatorze ans. Et je guéris enfin.

Je connus, cependant, quelques accidents.

Je me souviens de cette traversée du retour quand, étudiante à Paris, j'embarquai à Marseille sur un vieux rafiot, le *Sidi-Brahim,* pour retrouver ma famille à Tunis. Je voyageais en quatrième classe, la plus économique, sur le pont, ni lit, ni nourriture.

Mais la combine avec le personnel navigant (subalterne) était de tradition. Contre une pièce, un marin cédait sa couchette et quelques victuailles. J'avais, cette fois encore, soudoyé l'un d'entre eux. Il m'emmena manger une excellente bouillabaisse avec d'autres marins, puis me conduisit à ma couchette.

Je dormais à poings fermés quand la côte tunisienne apparut. Sidi Bou Saïd. Ses falaises couleur d'ocre rouge qui se dressent, le blanc des maisons et le bleu des volets en aquarelle, les palmiers comme surgis des eaux, happés par le roc.

Je voulus me lever en hâte. Pour mon rendez-vous de l'aube avec la colline inspirée[1]. Je restai immobile, foudroyée. Horreur ! J'étais trempée. Jusqu'aux

1. Sidi Bou Saïd, à quelques kilomètres de Tunis, résidence des peintres, poètes et intellectuels.

oreilles. Les draps, les couvertures, mon pyjama, inondés. J'aurais voulu disparaître comme par magie. Seule la magie pouvait me sauver de cette honte.

La veille, autour de la marmite à poissons, j'avais parlé de mes études à Paris, de politique, de la différence entre les cultures. Mes compagnons marins hochaient la tête : « Elle en connaît des choses... les écoles tout de même ! » Comment surgir de ces draps souillés, sortir de la couchette, affronter leurs regards, leur ironie, leur pitié. Je les entendais déjà, avec leur accent marseillais, commenter le drame, comme dans un film de Pagnol.

« J'ai mal à la tête, attendez. » Mais mon marchand de sommeil s'impatientait. Il devait, avant l'arrivée, effacer toutes traces du trafic de couchettes. L'infraction pourrait lui coûter cher. « Allez, allez, ma p'tite demoiselle, on arrive, faut vous lever ! Je reviens dans deux minutes pour tout ranger. »

Dès qu'il eut le dos tourné, je m'habillai sous la couverture, recouvris le lit et m'enfuis, sans regarder derrière moi.

ACCOUCHEMENT (AU FORCEPS) DE LA Ve RÉPUBLIQUE

« *Tous au G.G. !* »

Alger. 12 mai 1958. J'arrivais de Rabat. J'y avais rencontré le roi du Maroc et quelques amis. Le ministre de l'Économie, Bouabid, auquel j'étais alors liée, me gratifia d'une immense boîte de chocolats pour mes fils. Les proportions de l'engin étaient telles qu'il ne put trouver place dans ma valise. Je la portais sous le bras au moment de mon arrestation. Dans leur fouille, les paras éventrèrent, un à un, les chocolats. Par superstition, je conservai la boîte vide tout au long de l'aventure.

Hôtel Aletti. Parmi les groupes — militaires et civils — qui s'agitent, dans le hall, j'aperçois Pierre Braun.

Braun appartenait au collectif des avocats communistes pour l'Algérie. J'admirais son courage et son talent. Comme certains de ses camarades — Paul Vienney, Marie-Louise Cachin ou Nicole Dreyfus —, il assumait avec sérénité une contradiction, selon moi, insurmontable. Ils dénonçaient à la barre les enlèvements, les tortures, les liquidations physiques par l'armée et acceptaient, comme militants d'un parti qui l'avait votée, une légalité d'exception.

« Ça bouge dur ici », me dit-il avec son sourire d'enfant.

La situation prenait un tour inquiétant, en effet.

« Les semaines à venir seront décisives », entendait-on partout. Selon le ton, la phrase se faisait menace ou espoir.

8 février. Bombardement de Sakhiet Sidi Youssef[1]. Saisine immédiate du Conseil de sécurité par la Tunisie. Félix Gaillard, président du Conseil, voulait empêcher l'internationalisation de l'affaire. Il accepta donc une offre anglo-américaine de bons offices. Son gouvernement tomba. Vingtième crise ministérielle de cette vieille IVe République.

Depuis ces événements, les députés d'Algérie ne siégeaient plus au Parlement. Ils se répandaient en sombres prédictions sur la formation d'un « gouvernement d'abandon ».

Le nom du général De Gaulle, déjà, commençait à traîner sur les lèvres et dans les journaux. Le 11 mai, dans l'hebdomadaire *Dimanche Matin,* Alain de Sérigny, connu pour ses sympathies pétainistes, lançait un appel pathétique : « *Parlez, parlez vite, mon Général !* » Quelques jours auparavant, dans *Le Courrier de la colère* de Michel Debré, s'étalait un édito au titre significatif : « *S.O.S. De Gaulle* ».

« Mais pour faire quoi, l'Algérie française ou l'indépendance ? »

Pierre Braun hausse les épaules : « Personne ne sait. Et c'est le côté rigolo de l'histoire. »

Rigolo... Voire ! Délirant plutôt.

Le général Aumeran ne préconisait-il pas la reconquête de la Tunisie et du Maroc ? Pour garder l'Algérie, certes, mais aussi pour « *donner à ces*

1. Village tunisien, près de la frontière algérienne : l'aviation française tua 70 civils et en blessa 150.

deux territoires mal dirigés la leçon qu'ils méritent[1] ». Et quand Lacoste rembarqua pour la France, il dénonça le danger d'un « *nouveau Diên Biên Phu diplomatique* ».

En attendant, à Alger, la vie continuait, et les procès allaient leur cours, plus expéditifs que jamais.

Je plaide le matin du 13 mai. Acquittement inespéré. Je défendais un chef de maquis de l'Armée de libération nationale (A.L.N.). Il reconnaissait les faits, expliquait son engagement, faisait face. J'avais choisi une démonstration de droit : la procédure — arrestation, interrogatoire, procès-verbaux divers — transgressait lois et codes.

État de grâce de nos juges ou signe du dérèglement général qui se préparait ? Le Tribunal militaire déclara l'instruction nulle et relaxa le *moudjahid.* Décidément, la chance me souriait. Exceptionnellement.

A Paris, ce même jour, Pflimlin sollicitait l'investiture de l'Assemblée nationale.

Un comité de vigilance hétérogène — anciens combattants, partis politiques, groupements divers — se forma pour l'Algérie française. Au plateau des Glières, au cœur même d'Alger, un rassemblement devait réunir les foules et toute activité cesser à partir de treize heures.

Midi. Magasins fermés, transports publics arrêtés, administrations en grande partie désertées. Sous le soleil, et par petits groupes, les Algérois se dirigent vers la place où se dresse, dans toute sa superbe, le gouvernement général. Bras dessus, bras dessous, ils

1. Revue *L'Africain* (Alger), 13 mai 1958.

bavardent, s'interpellent, entraînent les passants. Je les croise sur mon chemin vers le Palais de Justice.

Décidément, les lumières de la Méditerranée et la faconde de ses riverains donneront toujours un air de kermesse à toutes les révolutions.

Des rumeurs circulent. L'on sent alors croître la nervosité. Trois soldats français viennent d'être fusillés par le F.L.N. Puisque Paris se révèle incapable de protéger la vie de nos soldats, Alger décide de rendre un hommage public à ces trois martyrs, au monument aux morts. Premier signe de sécession.

Dix-huit heures. Il devient à peu près impossible de circuler dans les rues avoisinantes. En tête du cortège, des jeunes. Le flot grossit au mot d'ordre de « *Tous au G.G.* [1] ». Lagaillarde, en uniforme léopard des paras, veut s'emparer des bâtiments. Entre-temps, des manifestants mettent à sac le Centre culturel américain, luxueusement installé depuis peu.

Rentrée à pied à l'hôtel, j'attends l'avocat algérois Pierre Garrigues. Nous devons dîner ensemble.

Tout en réalisant, avec lucidité, les dangers qui le menaçaient chaque jour, Garrigues plaidait pour les nationalistes algériens. Il nous servait aussi de correspondant. Il rendait visite à nos clients, nous informait des procédures, nous adressait copie des procès-verbaux. Ainsi, parmi les affaires à risques, il défendit avec moi Djamila Boupacha [2].

Nous essayons, non sans peine, de nous frayer un chemin vers *El Djazaïr,* restaurant plutôt chic, réputé pour son délicieux couscous. Je choisis une table dans le fond de la salle, donnant sur des fenêtres en rotonde. Je ne veux rien perdre de l'événement.

1. Gouvernement général ou ministère de l'Algérie, symbole de la présence française.

2. Cf. *Djamila Boupacha, op. cit.*

L'agitation grandit de minute en minute. Klaxons, slogans contre le « *système* », clameurs « *Algérie française* », « *L'armée au pouvoir* ».

Pierre me raconte, avec drôlerie et en prenant l'accent des *fellahs*[1] du Constantinois, comment on fait aimer la France aux Algériens. « On les colle contre un mur et on leur ordonne de dire : vive la France. Ils crient, l'arme dans les reins : "*Vive la FR-R-AN-CE*", mais ils ajoutent, avec une merveilleuse dérision : "*Et les Ar-r-rabes, silence !*" Ce qui ne choque personne ! »

Le flot des Algérois converge vers le Forum. Je ne tiens plus en place.

« Tu as assez mangé, allons voir ! » Je bouscule Pierre, encore à ses premières bouchées de couscous. Le temps de régler, et nous voilà mêlés aux manifestants.

Au loin s'élève l'odeur particulière des grenades lacrymogènes. Les C.R.S., sur le plateau, résistent. Pour la forme. Mal éclairée, la foule, comme une énorme bête invertébrée, change d'aspect à chaque mouvement.

« *Fusillez Ben Bella* », « *Massu, Massu* ». Les vivats, les « *A mort* », les cris tournent à l'hystérie. Des centaines de dossiers, des objets hétéroclites, une petite machine à écrire atterrissent sur la place, venus du ciel. Pas de blessés. Sur le toit, les jeunes plantent un fanion.

« Il faut un gouvernement de salut public », hurle quelqu'un.

La République — la bradeuse ! — vient d'être symboliquement exécutée par la prise du G.G. Salan, que l'on disait parti, revient. Il est hué. Enfin Massu paraît.

1. Paysans.

Il n'aime pas ce « bordel », il le clame haut et fort, il rétablira l'ordre. Une ovation immense salue le baroudeur bien-aimé. Mais la foule, toujours en délire, piétine. Elle ne se disperse pas. Elle veut montrer le droit chemin aux pourris de Paris.

J'évolue, difficilement, d'un groupe à l'autre. Je perds Garrigues un moment, le retrouve, le perds de nouveau.

Ça y est ! L'information circule, ils constituent un Comité de salut public. Pour que l'Algérie, partie intégrante de la France, reste française.

« Ils n'y vont pas de main morte », grommelle Garrigues.

Ma curiosité devient fascination. Je me sens projetée au cœur même de l'Histoire. Aux premières loges.

« C'est Halimi, la pute du F.L.N. ! » Quelqu'un vient de me cracher l'insulte au visage. Il tente d'ameuter ceux qui l'entourent. Sans un mot, Garrigues me tire par le bras et fend la masse agglutinée, pour semer mon accusateur. J'étouffe, mais quel autre moyen pour respirer ? Pour rester vivante, en somme.

« Tu es dingue, gronde encore Garrigues, avec ta manie d'être de tous les spectacles ! »

Et quel spectacle ! Les voitures brûlent, juste en bas du plateau.

« Regarde, Pierre... »

Mais cette fois-ci il ne veut rien entendre. « On se tire », ordonne-t-il. Il m'ouvre le passage, je le suis et, têtes baissées, nous regagnons l'hôtel.

Il me laisse dans le hall : « Et surtout ne bouge plus. C'est pas le moment de faire de la provoc. »

Un doublé de l'O.A.S.

Pierre Garrigues fut assassiné le 1er mars 1962, dans le cabinet même où l'avocat Pierre Popie avait été exécuté quatorze mois plus tôt.

Un doublé de l'O.A.S.

Popie détenait la preuve que Lagaillarde, alors officier para, avait torturé de ses mains l'Algérien Sefta, son client. Il entendait produire ces documents accablants en justice[1]. Il n'en eut pas le temps. Des hommes de main, Peintre et Dauvergne, lui portèrent quatorze coups de poignard. Arrêtés, ils dénoncèrent deux complices, Agay et Thibaut, présents dans l'entourage de Lagaillarde pendant les « Barricades » d'Alger, en janvier 1960. L'enquête ne permit pas de remonter au véritable cerveau du crime. Peintre et Agay, en fuite, furent condamnés à mort par contumace, Dauvergne, à la réclusion à perpétuité.

1. Il voulait profiter de sa déposition en février 1961, au procès des « Barricades », pour dénoncer les crimes de Lagaillarde, l'un des principaux inculpés. Il fut assassiné le 25 janvier.

Garrigues ne dissimulait ni ses opinions ni les causes qu'il défendait.

Plus que Popie, certainement, il avait pris position dans le débat algérien. Je savais — et l'O.A.S. également, à n'en pas douter — qu'il disposait de pièces et de témoignages contre certains activistes.

Il estimait l'Algérie française condamnée. Ses tueurs le condamnèrent. Et l'assassinèrent. L'un des chefs locaux de l'O.A.S. avait déclaré à un envoyé spécial de *L'Express*[1], la veille du cessez-le-feu : « Garrigues, c'était un traître, il aidait le F.L.N. Nous lui avions envoyé un avertissement. Il n'en a pas tenu compte, il a pris ses risques. »

Après l'assassinat de Popie, Garrigues était venu à Paris. Nous discutâmes ensemble du trou laissé, pour la défense libérale en Algérie, par cette disparition.

« Si je prenais sa suite, me dit-il, pensif, je deviendrais à mon tour leur cible. »

Je refusai de m'attarder à ce problème. Je répétai, avec un certain entêtement : « Ils veulent nous intimider, il ne faut pas céder. Nous devons continuer à plaider. »

Avoir parlé d'intimidation, alors qu'il s'agissait d'une véritable politique de liquidations physiques de l'opposant, me fait aujourd'hui un peu honte.

F.L.N., O.A.S. et barbouzes, avec les mêmes principes — ou absence de principes —, tissaient un chassé-croisé d'attentats, de représailles. Un terrorisme double au quotidien. L'Algérie de 1961 hors la loi. Les politiques apparaissaient, en leurs discours, comme d'absurdes prêcheurs. Les appels aux trêves, à la non-violence, aux dialogues, tombaient d'une autre planète.

1. 22 mars 1962.

L'épreuve de force triangulaire — F.L.N., De Gaulle, O.A.S. — connaissait son paroxysme.

N'importe ! J'exhortai mon ami à prendre en main les dossiers de Popie, tragiquement en déshérence, et à leur montrer de quel sérieux des avocats engagés sont capables !

J'espère, pour ma bonne conscience, que mes conseils ne furent qu'anecdotiques, parmi d'autres, dans sa décision.

Il quitta son cabinet de Bab el-Oued et s'installa au 2, rue de l'Abreuvoir. Dans celui de Popie, en ce lieu où ce dernier tomba et où lui-même fut abattu de plusieurs balles de revolver. Ce 1er mars 1962, il s'apprêtait à partir pour Paris. Trop tard !

J'ai sous-estimé la force tranquille de mon ami. Souvent je le houspillais. A tort et à travers. Pour le silence qu'il opposait aux propos provocateurs de l'Algérie française. Pour certaines précautions que je jugeais excessives. Pour son refus — « pas de risques inutiles », disait-il avec douceur — de certains dossiers du F.L.N.

Aumale

L'aventure du procès d'Aumale faillit donner raison à Garrigues.

La justice militaire se faisait itinérante en Algérie. Histoire d'exprimer la volonté politique du gouvernement de terroriser les terroristes, les tribunaux siégeaient jusque dans les maquis. Pour l'exemple. Pour faire connaître la France à travers la répression. Ce qu'une citation décernée à un haut magistrat avait traduit, dans un humour noir : « *A apporté aux populations d'Algérie le réconfort de la justice française.* » L'heureux promu, officier de réserve, volontaire pour l'Algérie, devait sa célébrité dans le monde judiciaire et sa promotion à l'ordre des armées à une prouesse : il avait condamné à mort — et fait guillotiner — le plus grand nombre de patriotes algériens. Sur son tableau de chasse record, il épingla cette décoration.

En 1958, il devenait ridicule de parler d'« événements d'Algérie ». Le conflit avait pris définitivement un caractère révolutionnaire. D'où la volonté, pour faire contrepoids, de manifester partout la présence française.

Je devais défendre un maquisard arrêté dans la région d'Aumale. Le Tribunal militaire d'Alger le jugerait donc à Aumale. L'accusé avait déjà été transféré lorsque je me présentai à la prison de Barberousse. Je m'inquiétai alors de mon propre voyage. Un train, partant d'Alger, conduisait jusqu'à Bouira. Pour parcourir les quelque cent vingt kilomètres qui séparaient Bouira d'Aumale, rien. Pas le moindre moyen de transport. La région se trouvait en zone opérationnelle. Après seize heures, les voitures, sauf laissez-passer délivré par l'autorité militaire, ne pouvaient circuler.

Le Tribunal, pour sa part, bénéficiait d'un convoi. Je demandai à m'y joindre. Refus. Choisie par l'accusé et non commise d'office par le président, je n'obtiendrai, m'expliqua-t-on, aucune facilité ni autorisation officielle pour le voyage. « Il vous faut vous débrouiller pour arriver jusque-là, mon cher Maître », me dit le président avec une onctuosité satisfaite.

J'allai voir Garrigues.

« Allons ensemble à Aumale, lui proposai-je.

— Tu es folle. Complètement folle. Traverser en ce moment les gorges de Palestro..., on nous tirera dessus. Pas question. »

J'insistai, allant jusqu'à insinuer qu'il cédait à la peur, aux menaces.

« Écoute, me dit-il calmement, t'énerve pas. Je ne prends pas de risques inutiles, c'est tout. »

Je ne partageais pas cette acception des « *risques inutiles* ». J'eus quelques mots assez durs pour lui. Malgré la réputation sinistre de ces gorges de Palestro — les journaux leur consacraient tous les jours le récit d'embuscades, d'opérations de nettoyage —, je pensais qu'il fallait aller à Aumale.

« C'est non, trancha Garrigues.

— Très bien. J'irai seule. Passe-moi ta voiture. »

Il essaya de me dissuader : « Fais pas l'idiote. De

toute manière, il sera condamné à mort, ton chef de maquis. Il vaut mieux agir à Paris, après. »

Une demi-heure plus tard, dans sa petite voiture, une 2 CV je crois, je pris seule la route pour Bouira et m'engageai dans la zone militaire.

Je tombai en panne sur une route presque déserte. La nuit venait et j'avais beau fouiller dans ma cervelle ou dans mon moteur, je ne trouvais ni idée ni moyen pour redémarrer. Ma baraka semblait m'abandonner. Garrigues avait raison, dans cet endroit exposé, l'on entendait sans cesse des coups de feu.

Trois quarts d'heure passèrent. Une voiture s'arrêta. Ses occupants, trois Algériens, m'emmenèrent. Ils ne me demandèrent aucune explication. Je remarquai qu'ils étaient armés. L'un d'entre eux me dit en quelques mots qu'ils savaient quel procès se déroulerait le lendemain.

Le téléphone arabe fonctionnait bien.

Le Tribunal avait réquisitionné toutes les chambres du seul petit hôtel-restaurant d'Aumale. Où aller ? « Il vous faudra vous débrouiller », me répéta, toujours avec la même délectation, le président.

Mes cicérones d'occasion me laissèrent à Aïn Bessem, à une vingtaine de kilomètres de la ville. Ils me souhaitèrent bonne chance — sourire chaleureux — et ils disparurent.

Je passai la nuit dans l'unique chambre de l'unique boui-boui du village. Chambre sans eau, glaciale, garnie d'un lit défoncé et d'une petite table avec une cuvette. Je n'avais pas prévu, au soleil de midi d'Alger, ce froid, cet inconfort. Je m'emmitouflai dans ma robe d'avocat, demandai du café. Les fellaghas avaient fait sauter peu auparavant les pylônes électriques, plongeant ainsi Aïn Bessem dans une obscurité complète. Mains gantées, j'étudiai le dossier à la lumière d'une lampe de poche.

Le lendemain, je trempai mes doigts gourds dans l'eau bouillante et hélai une voiture militaire qui passait. Elle me déposa à Aumale.

Je me présentai au président quelques minutes avant l'audience. Je le crus ému lorsqu'il s'exclama, l'œil humide : « Comment? Vous êtes là? Chapeau ! » En fait, je m'aperçus qu'il larmoyait en permanence sous l'effet de l'alcool.

La salle minuscule de la Justice de Paix d'Aumale. Pas plus que celle où se déroula le premier procès d'El Halia, rien ne la destinait à accueillir un jour un tribunal militaire. Encore une fois, ambiance surréaliste.

Des dizaines d'Algériens, amenés par la troupe le matin au petit jour, s'entassaient déjà sur les bancs. Étrange spectacle! Un public contraint, par l'autorité, à suivre ce drame judiciaire. Dans une langue qu'il ignorait. Mis en scène et joué par une armée qu'il haïssait. Au nom d'un auteur qu'il rejetait de toutes ses forces, « le peuple français ».

L'intermède devait servir de moyen d'intimidation. La réaction des spectateurs malgré eux importait peu.

Le président ouvre l'audience.

Il déclare l'affaire fort simple, les aveux font foi, il espère bien expédier le tout — y compris les deux condamnations[1] — dans la matinée.

Je dépose des conclusions. Nullité des aveux car, une fois de plus, extorqués par la torture. Pour les rejeter, le commissaire du gouvernement choisit l'injure. Inutile de répondre à la « vacuité oratoire » des arguments de « cet avocat qui s'inscrit au bar-

1. L'autre accusé était défendu par un confrère algérien.

reau de Paris et qui a perdu son temps à la faculté »... et autres amabilités de prétoire.

Suspension d'audience.

Dans les couloirs, je croise les juges. Tous avaient prêté serment le matin même avant de siéger. Quelques heures auparavant, encore dans le djebel, ils s'occupaient à casser du fellouze. Le colonel se plaint à moi de la longueur des débats : « Voilà trois heures que vous nous obligez à discuter de ces paperasses... Et tout ça pour un seul bicot... Quand je pense... cette nuit nous en avons tué une douzaine », lâche-t-il, indigné.

Dans l'après-midi, un autre officier s'approche de moi : « Une femme comme vous, venir jusqu'ici pour défendre les Arabes ! » Et il me lance au visage avec une rage à peine rentrée : « Alors que vous êtes faite pour l'amour... », avant de tourner brutalement les talons.

Le drame prenait un air de farce.

A la fin de la première journée, je monte dans un camion militaire pour regagner mon bouge d'Aïn Bessem. Pas le choix. Mais je m'en repens dès le lendemain, lorsque le commissaire du gouvernement me lance publiquement : « Ces avocats qui ont la trouille le soir et qui crachent sur l'armée sont bien contents de trouver des convois militaires pour les raccompagner. »

Je commençais à me blinder. Je ne relève pas la vulgarité du propos.

Un peu plus tard, il fait allusion à « ces défenseurs parisiens qui traînent leur robe d'avocat dans la boue en acceptant de pareilles causes ». Cette fois, l'injure s'adresse au barreau de Paris.

Je quitte la barre après une brève déclaration. En forme de conclusions écrites pour me ménager des preuves. Les droits de l'avocat ne sont pas respectés, l'honneur de notre profession bafoué, la défense impraticable dans ces conditions.

Le président, qui semblait somnoler, s'agite tout à coup. Il avait planifié l'heure de la fin des débats, les plaidoiries, la condamnation, le retour à Alger. Cet incident — un accusé devant le Tribunal militaire ne peut être jugé en l'absence d'un avocat — dans ce bled perdu l'« emmerde prodigieusement », m'avoue-t-il dans son cabinet, où il me demanda de le rejoindre.

J'accepte de retourner à l'audience si des excuses me sont présentées. Le président, dont les yeux rouges s'embuent de plus en plus, me prie de « dialoguer » en privé avec le commissaire du gouvernement : « Faites ça pour moi », ajoute-t-il, comme si un quelconque rapport personnel s'était établi entre le Tribunal et la défense.

Je refuse. A agression publique, excuses également publiques. Au-delà du principe même, il me semblait important, pour les Algériens, de donner l'image d'une certaine dignité de leurs défenseurs.

Le commissaire du gouvernement, de plus en plus sanguin, n'en démord pas.

Je sors définitivement du prétoire.

Commence alors l'odyssée du retour. Six heures du soir. Couvre-feu. Aucune aide à attendre, après ce « sabotage », que l'on m'impute, de la cérémonie judiciaire. Je ne peux ni demeurer dans la Justice de Paix, ni regagner Aïn Bessem, ni rentrer à Alger par mes propres moyens.

Coincée... j'étais coincée.

Par chance, et par politique (le F.L.N. possédait un grand nombre de réseaux diffus à l'intérieur de toutes les administrations), un jeune greffier algérien téléphone à Paris. Mon ami Dechezelles, également chargé de cette défense mais dans l'impossibilité de se rendre en Algérie, alerte aussitôt le bâtonnier et le ministère de la Justice.

Réaction rapide. Des militaires viennent me chercher dans la petite pièce du Tribunal où je me morfondais. « On vous raccompagne à Alger », me dit le chef, sans autre explication. Je monte dans une Jeep, encadrée par quatre hommes.

Traversée du djebel. J'oublie mon anxiété dans l'insolite beauté de ce paysage. Accidentée, sauvage, une vallée de bout du monde, balayée par une lune indifférente. Des nuages que le vent chasse par paquets et qui coupent ce décor de leurs ombres intermittentes.

Arrivée sur une sorte de plateau, la voiture s'immobilise. Un hélicoptère accroupi, comme un énorme animal préhistorique, attend. J'hésite un peu, quelques secondes, avant de monter. Un silence hostile avait accueilli toutes mes questions. Où me transporte-t-on ? A l'intérieur de l'appareil, je découvre, déjà installés, le président, le commissaire du gouvernement, le greffier.

Procès suspendu faute de défenseur.

L'hélicoptère vrombit. Un écho géant s'abîme sur les flancs de la montagne mais ressuscite aussitôt, rebondit, ébranle, rythme la nuit. Décollage à la verticale. Nous survolons le maquis tantôt noir, tantôt blanc, selon la force des vents et l'humeur de la lune.

Enfin, magique, la baie d'Alger. Jamais encore je ne l'avais effleurée ainsi. De si haut et de si près. Caressé le rivage tout découpé dans le sable, comme décalqué à la loupe sur une carte d'atlas. Découvert les maisons, les lumières, disposées en jeu de cubes qu'on croirait à portée de main.

Le lendemain, jour férié.

Le Tribunal militaire reprit à Aumale ses audiences. Le même hélicoptère ramena un avocat algérois, commis d'office. Il ignorait tout de l'affaire et du dossier.

Une heure d'audience suffit. Peine de mort pour les deux accusés[1].

1. Après cassation — que je plaidai à Alger —, les accusés furent condamnés à la réclusion perpétuelle.

« La République ? Coty ? Tout ça, c'est zéro ! »

Tard dans la nuit du 13 mai, intervint l'investiture de Pflimlin. Il confirme Salan dans ses pouvoirs. Ceux que Félix Gaillard lui avait la veille attribués.

Le coup de force se trouve légalisé, en quelque sorte.

Pierre Braun frappe à ma porte. « C'est un putsch, nous sommes dans la merde. » Ses sombres pronostics gardaient toujours je ne sais quelle fraîcheur. Il souriait doucement pour annoncer la fin du monde, d'une voix presque tendre et dans les yeux, cette lumière verte étonnée.

J'argumente — encore — en légaliste. Nous sommes des avocats régulièrement en mission et la situation n'a pas franchement viré au coup de force militaire.

« De toute manière, attendons ensemble », conclut-il en tassant sa forte silhouette dans un fauteuil.

Les klaxons, les cris « *Algérie française* », les slogans contre la République décadente de Paris trouent sans cesse la nuit. Je regarde par la fenêtre. En face de l'hôtel, un grand immeuble administratif éclairé. Des uniformes vont et viennent. Aux balcons, des hommes répondent joyeusement aux passants qui les interpellent.

Vers cinq heures, Pierre regagne sa chambre. Nous nous donnons rendez-vous vers midi. Il va tenter de trouver des places d'avion. Puisque les liaisons avec Paris sont interrompues, je lui suggère Tunis, ou Rabat. Mais sitôt les billets délivrés, ces vols se voient, à leur tour, annulés.

Si bien qu'on me trouvera, au moment de notre arrestation, en possession d'une série de passages pour l'étranger... et pour des pays plutôt proches du F.L.N. De là à m'imputer une tentative de fuite et une complicité avec les tueurs... Les paras franchirent ce pas comme une évidence.

14 mai. Cette journée marque à la fois l'écroulement de l'administration en place et le ralliement de toute l'Algérie. A Paris, les partisans de la République, nombreux et unis, s'organisent.

Que faire dans Alger en ébullition ?

L'attente passive favorise l'angoisse. Je décide donc d'aller voir mes clients à la prison de Barberousse. Je rendrai visite en même temps à Henri Alleg, comme m'en avait chargée Léo Matarasso, l'un de ses avocats parisiens.

Je demande au juge d'instruction militaire un permis de communiquer avec Alleg. Ce lieutenant-colonel, je l'avais connu à Tunis, où il commençait sa carrière de magistrat.

« Aujourd'hui, Maître, aller visiter le F.L.N. dans ses prisons, vous ne trouvez pas ça exagéré ? »

Non, je trouvais la démarche normale, du moins je l'affirmai. La loi reste la loi et la République mande et ordonne, rappelai-je à la cantonade.

Heureusement, le juge s'en tient, pour le moment, à ces principes : « Voici votre permis, Maître. »

L'honnêteté de cet officier me conforte quelque peu. Si la justice continue, pourquoi s'inquiéter? La démocratie ira quand même son chemin, ce premier soubresaut retombé, qui sait?

J'arrive à Barberousse. Je sonne. Attente. Je sonne à nouveau. Le guichet s'ouvre : « Qu'est-ce que c'est? » me jette le gardien, plus goguenard qu'à l'ordinaire.

« Avocate. » Et je montre, à travers les trous de la petite porte, ma carte.

La routine. Mais le gardien plaque sur les barreaux de l'ouverture un œil effaré, comme devant un fantôme ou une extraterrestre.

« Voici mes permis. Le dernier, daté d'aujourd'hui. »

Il en suffoque presque. Un permis daté d'aujourd'hui ! Ces avocats du F.L.N. croient que tout continue comme avant. Comme avant le 13 mai.

« Impossible, Maître, plus de visites d'avocats... »

Je l'interromps, qu'il me conduise auprès du directeur. Va-et-vient entre le petit bureau de l'entrée et les portes de la prison. Je l'entends expliquer l'inexplicable. Sans doute couvert par un supérieur, il me fait enfin entrer dans la petite loge.

Commence alors le ballet des manœuvres dilatoires. Attente encore. Enfin, se présente le sous-directeur, qui s'essaie à la méthode persuasive : « Soyez raisonnable... c'est impossible... vous êtes la seule avocate ici. »

Les parloirs d'avocats sont en effet déserts. Pas de visites de famille non plus. En général, devant l'entrée de Barberousse, se déroule une vraie foire. Les parents de prisonniers, encombrés de paquets, de couffins, font la queue : on parle, on crie, on trébuche, on sort des papiers.

Aujourd'hui, personne. Alors que, de toute la nuit,

le Forum n'avait pas désempli, les Algériens s'étaient barricadés chez eux. Comme à un signal.

Le directeur, appelé en renfort, reconnaît qu'il n'a pas d'ordre particulier. Les militaires, quelquefois, cafouillent, ils ne contrôlent pas tout, d'où certaines scènes imprévues, comme ma visite à la prison.

« Alleg... vous comprenez, ce n'est pas du menu fretin... » Il me toise, sans sympathie excessive. Je le contrains à prendre une initiative alors qu'il ne sait qu'exécuter des instructions. Il téléphone au juge. Les lois de la République ? Toujours en vigueur, lui est-il confirmé.

Ouf ! J'entre dans le parloir, je m'assois sur l'une des deux chaises qui, avec une petite table de bois, en composent le mobilier. Un gardien arrive... Sans Alleg. « Il est à la douche... » Coup classique ! « Je vais l'attendre. » Et, au bout de dix minutes, retour du gardien : « Il dit qu'il n'a pas besoin de vous voir. » Je me fâche : « Qu'il vienne lui-même me le dire. »

Finalement, Alleg paraît. Un homme de petite taille, portant des lunettes à gros foyers, voûté, pâle. Il me conte, avec une anxiété manifeste, que les gardiens de prison ont formé, eux aussi, un Comité de salut public. Je lui tends une coupure de journal. A propos de l'O.N.U, et de la mission de bons offices. Le gardien bondit, il avait laissé les portes du parloir ouvertes. La loi prescrit bien le secret de l'entretien entre avocat et inculpé, mais l'atmosphère permet les humeurs, depuis cette folle nuit au Forum. Cet article fait partie de la défense d'Alleg... Je discute, mais en vain, mon explication ne convainc guère. Je reprends le papier et le gardien sort.

« Nous sommes en danger, poursuit Alleg, ils veulent liquider sur place les condamnés à mort. Les grâces, y en a marre ! disent-ils. Même ceux qui n'ont pas encore été jugés sont menacés. »

Dans cette prison que ne troublent ni le brouhaha des familles, ni le dialogue des avocats, ni la rumeur qui descend des couloirs, l'inquiétude se fait épaisse.

J'élève la voix, je veux que les gardiens, collés à notre porte, entendent : « N'ayez aucune crainte, il y a la loi. Pour tous, Comité de salut public ou pas. »

Alleg insiste : « Dites à Paris que *vous* êtes notre seule sauvegarde. » J'ai compris le contenu du « *vous* » collectif.

Je prends congé. Alleg m'embrasse.

Ce geste, usuel avec mes autres clients politiques, prend, de sa part, un sens particulier. Les communistes ont longtemps maintenu leurs distances avec les autres. L'heure grave les abolit. Sans doute, le temps d'un putsch.

Alleg est ramené par ses gardes dans sa cellule.

Je me hâte de voir un autre prisonnier. Il a subi de dures brimades. Dans les prisons, règne une atmosphère insurrectionnelle et les détenus politiques risquent le pire. Mon client me dicte la liste de leurs noms. Une manière d'assurer, de l'extérieur, leur sauvegarde. Et de prouver que la pratique solidaire fonctionne comme jamais, à l'intérieur.

Dans le passé, certains prisonniers, régulièrement nantis d'un numéro d'écrou, d'un avocat et d'un juge d'instruction, étaient parfois repris par les paras enquêteurs, et de nouveau torturés.

Je me souviens, pendant la bataille d'Alger, à l'automne 1957, de ma visite au Q.G. de Massu. Je voulais que l'on me restitue l'un de mes clients détenu à Barberousse.

« Absent, Maître, absent de sa cellule », m'assura, avec sérieux, un gardien, alors que j'attendais au parloir d'avocats. Plus drôle eût été un : « Monsieur est sorti. » Des codétenus m'informèrent de son enlèvement par des militaires. La tête couverte d'une cagoule, on l'avait poussé dans une Jeep.

Je décidai d'aller voir Massu lui-même ou l'un de ses officiers. L'entreprise, peut-être vouée à l'échec, ne comportait guère de risque sérieux. Le général Massu me reçut aussitôt. Contre toute attente. En colère, je déverse le trop-plein. Je qualifie d'« *arbitraire* », d'« *inhumain* », d'« *illégal* » son procédé.

Il écoute, avec attention. Il acquiesce presque, par moments. « Vous voulez quoi ? demande-t-il enfin.

— Que X réintègre immédiatement la prison.

— Je vais voir », dit-il vaguement. Et après un silence : « Je sais que vous condamnez la torture... d'accord... mais vous trouvez acceptable, vous, que des enfants soient déchiquetés dans des autobus par les bombes du F.L.N... Vous, une mère de famille ? » Il appuie sur le « *vous* » à chaque fois.

Je comprends enfin pourquoi, sans rendez-vous ni recommandation, le général reçoit ainsi l'avocate de ses victimes. Il a envie de causer. Envie de communiquer les grandes lignes de ses théories sur la torture. Peut-être même de les tester sur quelqu'un qui les a sans cesse dénoncées.

Le général se lève, va et vient. « Si vous condamnez ces attentats aveugles, vous devez comprendre que l'important, dans cette lutte, c'est le renseignement... »

Voilà un débat que je ne saurai mener avec Massu. En guise de réponse, je me cantonne à l'objection éthique. La torture déshumanise victime et bourreau. Je reste prudente, silencieuse. Pourquoi donc tente-t-il l'impossible, me rallier à ses méthodes ?

« D'ailleurs, vous parlez de souffrances, d'atrocités... foutaises tout ça. » Il retrousse un peu l'une de ses manches et montre son bras : « Je l'ai essayée sur moi-même, la torture... par électrodes... et ce n'est rien du tout. » Vrai, pas la moindre trace de brûlure sur ces muscles hâlés. « C'est psychologique, c'est tout, ça leur fait peur et ça les fait parler... croyez-moi ! (Il hausse le ton, un peu bafouillant.) C'est efficace, la torture ! »

Nous nagions en pleine absurdité. Je répète seulement que la torture doit être condamnée. Dans l'absolu. Un monde disparate m'effleure l'esprit. Le Christ et les Épîtres, les philosophes de la liberté, Rousseau et Voltaire, la Révolution française, tant et tant de choses. Et puis le respect de l'autre, en particulier s'il pense différemment. Et puis, surtout, zut... je n'aime pas que l'on abîme un homme, quoi ! Un instant, quelques secondes, je suis tentée d'en parler.

« Les autorités morales et religieuses de notre pays condamnent ces méthodes. Depuis la Gestapo... » Découragée, je me suis réfugiée dans un refus collectif. Hypothétique aussi.

« Vous vous trompez, s'exclame-t-il, vous vous trompez... regardez. » Il s'affaire, il cherche sur son bureau le document qu'il avait en main quand j'étais entrée. « Voilà, voilà, lisez. » Il me tend, avec une certaine excitation, une feuille dactylographiée.

Je lis. Il faut choisir un « *interrogatoire efficace, sans sadisme* » sur un « *bandit... qui du reste mérite la mort* » plutôt que de « *laisser massacrer des innocents que l'on pourrait sauver grâce aux révélations de ce criminel*[1] ». Signé : le R.P. Delarue, aumônier parachutiste de son état.

« C'est encore secret, précise curieusement Massu.

— Quelle histoire ! lui dis-je en me levant. Et l'Évangile dans tout ça ? »

Encore quelques mots pour obtenir de lui de nou-

1. Cf. P. Vidal-Naquet, *La Torture dans la république*, *op. cit.*

velles assurances sur le sort de mon client, brève poignée de main, au revoir, Maître, au revoir, général, et je rentre, cafardeuse au possible, dans ma chambre d'hôtel.

Le soir même, toujours couvert d'une cagoule, le maquisard regagne Barberousse.

La fiesta des ultras et des paras bat son plein. Où va la République, ce 14 mai ? Et De Gaulle ?

Et Pierre Braun et moi, comment rentrerons-nous à Paris ?

Je descends à pied de Barberousse. La mer, toujours présente, surgit à chaque lacet de la route. Je traverse la *Kasbah.* Pas âme qui vive. Les étroites ruelles semblent imbriquer davantage leur blancheur, se perdre l'une dans l'autre, se figer dans l'immobilité. *Les Ar-ra-bes, silence !* Dans quelques bistrots, à demi ouverts, le patron, inquiet, surveille son espace désert.

L'Alger algérienne absente, pour cause de putsch. Mort momentanée au milieu de l'effervescence de la ville française.

Un haut-parleur beugle : « Algérois, tous au travail. Laissez l'armée à son rôle qui est de combattre les fellaghas. » Des troubles, déjà. Des civils se sont hâtés de mettre la main à la pâte. Mais le Comité tient à maintenir l'ordre, et le rappelle.

A l'Aletti, je retrouve Pierre Braun.

Pas de vol, aucun départ possible. L'après-midi se passe en conciliabules, commentaires, pronostics. Dans l'Algérie entière, les Comités de salut public se multiplient comme des petits pains.

En fin de journée, l'espoir. Pierre apprend que le *Kairouan* lèvera l'ancre le lendemain, à dix heures trente, pour Marseille. Il s'acoquine avec le concierge, nous avons deux couchettes.

15 mai. Bien avant l'heure prévue, nous sommes au port. Moi, toujours encombrée de la boîte de chocolats marocains sous le bras. Contrôle des billets et de police. Pas de questions, pas de problème. Nous voilà très vite installés. Tout va bien.

Sur le pont, je rencontre Pierre Popie. Je l'emmène dans ma cabine pour lui donner une série d'articles du *Monde,* qui l'intéressent.

Avocat libéral chrétien, Popie plaidait pour le dialogue avec le F.L.N. Il acceptait d'être quelquefois notre intermédiaire. Il avait reçu des lettres de menaces, échappé de justesse à un attentat sur la route d'Oran. Il s'entêtait. Il détestait le déni de justice et la sottise. Le C.R.I. (Comité de répression individuelle) le mit sur sa liste de condamnés à mort. Dans les premiers. Avec des prêtres, des hauts fonctionnaires, des journalistes, d'autres avocats (dont moi-même d'ailleurs).

Petit, brun, l'œil vif, Popie débordait d'activité. Il voulait préparer l'avenir algérien pour tous les Européens décidés à renoncer à leurs privilèges.

« Tant qu'on n'aura pas compris que les Pieds-Noirs sont des Algériens, on ira vers ce genre de dérive... On n'en sortira pas. » Il explique, menace. Avec fougue : « Tu verras, au procès des “Barricades”, il y aura du sport. L'affaire Sefta, ça va faire du bruit ! »

En ce 15 mai de lumière et d'insurrection, accoudés au bastingage, nous bavardons.

« J'ai été “Algérie française” (il parle avec force gestes), assez con pour ça ! Mais maintenant, je les empêcherai de tout gâcher ! »

En attendant, ce matin, le général Salan a crié, depuis le balcon du Forum : « *Vive la France* », « *Vive l'Algérie française* », « *Vive De Gaulle* ». Pas de « *Vive la République* ».

Heureusement, nous voguons vers elle, ou du moins nous allons voguer, car le bateau n'a pas encore largué ses amarres. Nous déjeunons tous les trois, les deux Pierre et moi. « Table 22, ironise Braun, pourvu que ça nous porte bonheur. » Café. Puis nous sommes conviés à une séance de cinéma, en bas, dans l'attente du départ.

« Tous les passagers sont priés de se présenter sur le pont, munis de leurs papiers, pour un contrôle de police. » Le haut-parleur du cinéma a couvert le dialogue du film, aussitôt interrompu.

Popie se rapproche de moi, nous sommes dans une semi-pénombre : « J'ai mis mon revolver dans ta cabine, en bas », me souffle-t-il à l'oreille.

« Qu'est-ce qui te prend ? Tu es fou ou quoi ? » Je réagis violemment et, sans doute, à trop haute voix.

« Chut, voyons... attention ! Te fâche pas. Je me charge de le récupérer tout à l'heure. »

Je me tais, piégée. Je lui en veux.

« Pas le choix », dit-il encore. Puis, m'entraînant avec gentillesse par le bras vers la coursive : « Je te revaudrai ça un jour. »

En attendant, je me trouve devant le fait accompli, embarquée dans une aventure que je n'ai pas choisie. Et dont j'ignore tout. Je me ferme et ne lui adresse plus la parole.

La file des passagers s'est formée. Ils tiennent leurs papiers en main et s'apostrophent avec cet inimitable accent pied-noir.

« On doit chercher des gangsters », suggère Pierre

Braun, pince-sans-rire. Popie se met derrière lui. Je me place entre les deux.

Contrôle rapide, un simple contretemps. Je ne suis pas vraiment inquiète. Arrive le tour de Pierre Braun. On lui enjoint d'attendre près de la table derrière laquelle sont alignées plusieurs personnes, civiles et en uniforme. Un troufion de service prend les papiers, les tend à son voisin, un capitaine[1], en ânonnant les noms. Ce dernier décide, fait un geste vers le troisième contrôleur, ou parle.

« Vous êtes Mademoiselle Halimi ?

— Oui.

— Mettez-vous là, je vous arrête. »

Je m'approche de l'officier blond, physique très race supérieure, qui vient de m'interpeller, sans animosité apparente : « Mais pourquoi, capitaine ?

— J'ai des ordres.

— Et mes affaires ? » Je viens de penser à mes bagages et au revolver.

« On s'en charge... Au suivant. »

Au suivant, Popie, je jette un regard de haine. Il m'a mise dans le bain. Aucune charge ne pouvait être retenue contre nous... avant cette histoire d'arme.

Popie s'amène, souriant, se dandinant, dit à voix basse quelques mots au capitaine, qui sourit à son tour, fait signe. Il peut passer. Libre ! J'écume. Pierre Braun et moi arrêtés, lui range ses papiers, et disparaît, tranquille.

Nous débarquons, encadrés par quatre militaires. Deux autres suivent, portant nos valises.

Sur le quai, un camion de l'armée, bâché. « Montez », ordonne un sous-officier. Mon mauvais caractère prend le dessus, l'heure a beau être grave, je dis non. Pierre Braun s'est déjà lourdement hissé sur la

1. Le capitaine de La Bourdonnaye.

plate-forme. Deux uniformes veulent me soulever. Je gigote. Comble de ridicule, ma robe craque sur les épaules. Pierre me tend la main, une manière de me signifier qu'il faut arrêter cette résistance guignol. Me voilà debout, à côté de lui, encerclée par une escouade de paras.

« On va nous fusiller », siffle Pierre entre ses dents. Il est livide.

« Pourquoi ?

— Pourquoi crois-tu qu'on nous ait arrêtés ? »

Argument qui me glace par sa logique.

Je ne connaissais que par l'Histoire et les livres la violence politique, le formidable totalitarisme des colonels au pouvoir. Mais je vivais aujourd'hui, pour la première fois, la réalité de la fracture. A Paris, la République. A Alger, l'armée, qui la conspuait. Dès lors, le pire devenait presque certain. L'exécution sommaire d'opposants (fussent-ils des avocats), comme le choc de la sécession.

Oui. Pourquoi nous avaient-ils arrêtés ? Pierre a raison. Si nous n'étions qu'indésirables à Alger, il suffisait de nous laisser partir sur ce bateau...

Je le vois lentement s'éloigner, le bateau. Vers la France, terre libre.

Toujours à l'arrêt, je rumine mes craintes. Le revolver... s'ils ont fouillé, notre compte est bon. Nous ne sommes plus les-avocats-en-mission-pour-les-droits-de-la-défense, mais des complices de terroristes. Qui nous viendra en aide ? Comment faire savoir à Paris notre enlèvement ?

Au moment de notre descente forcée, un cameraman filmait les événements. Pour les actualités françaises, avons-nous appris par la suite. Nos photos de prisonniers des militaires, que certains journaux publièrent, viennent de cette séquence.

Peu avant l'ordre de départ du convoi, j'aperçois Eugène Mannoni, correspondant du *Monde*. La veille, dans le hall de l'Aletti, il m'avait proposé de passer un message à Paris. Je griffonne quelques lignes sur mes genoux et jette le papier à Mannoni. Les paras n'ont pas vu ou pas bronché. Ils s'occupent à commenter les appels à la fraternisation. Des haut-parleurs s'adressent aux Arabes. Quelques bribes seulement nous parviennent. L'impression de désordre s'en trouve accrue, sur les quais et dans l'air. « Tout peut nous arriver, dans ce bordel... », souffle encore Pierre.

Je n'ai jamais connu le sort de ma bouteille à la mer du *Monde.*

Le camion démarre, bâche baissée. Debout, nous essayons de repérer l'itinéraire. Sortie du port, route de la Corniche, une dizaine de kilomètres, une banlieue proche, Saint-Eugène, arrêt. Pierre regarde par un trou de la bâche. Casino de la Corniche, tout le monde descend.

Le Casino était un restaurant-dancing populaire, et même populo. Pour le samedi soir après le turbin. Genre guinguette et chambres d'amour, plein à craquer les jours de fête.

Un soir d'affluence, un samedi, je crois, le F.L.N. le prit pour cible. Bombe, morts, blessés, piste ruisselante de sang... la tuerie. L'endroit resta démoli.

Symboliquement, les paras l'aménagèrent en centre de torture. Sa réputation porta même ombrage à celle de la villa Sésini, sur les hauteurs d'El Biar.

Au pied du camion, les soldats attendent les ordres. Nous aussi.

On nous emmène. Pierre d'un côté, moi de l'autre. Une femme me fouille minutieusement. « Qu'est-ce que vous avez fait ? demande-t-elle d'une voix neutre.

— Rien. Je suis avocate. »

Elle hoche la tête tout en continuant l'inventaire... et la confiscation. Dans mon foulard, elle jette pêle-mêle mon stylo, mes papiers, mon portefeuille.

« Laissez-moi au moins les photos » — celles de mes fils dans un étui de plastique.

« Impossible. »

Un garde vient me chercher. Me voilà sur un tabouret, dans un réduit minuscule.

Les heures passent.

Comment savoir à quel moment l'attente devient ce cauchemar gluant dans lequel on s'enfonce sans pouvoir crier ?

J'avais beau essayer de me convaincre : écoute, ils ne peuvent pas faire n'importe quoi, Paris, l'O.N.U., des avocats comme nous, reprendre pour la vingtième fois la chronologie des événements, non, tu te trompes, le revolver, c'est après le contrôle, m'intimer, grotesque, du sang-froid, je baignais dans la peur. Mon seul exercice se réduisait à me remémorer les récits de tortures subies par nos clients. Avec une précision presque anormale.

J'entends un hurlement de bête.

Là, tout près. Pierre. On est en train de le torturer. Je me précipite dans le couloir. Par une porte entrouverte, je l'aperçois, nonchalamment étendu sur un lit de camp. Le garde, d'abord médusé, me rattrape.

Fin de l'hallucination.

Je reprends mon tabouret. Je reprends mon raisonnement, celui de Pierre. S'ils nous ont arrêtés, pourquoi veux-tu...., Pierre a raison. Tout à coup, je sais, ils vont nous torturer avant. Nous avons tellement parlé de ces tortures. Vous allez déguster, les amis, comme ça, vous saurez, vous en parlerez en connaissance de cause... Si vous vous en sortez...

L'idée revient. Je grimace en silence. Ça y est, je suis montée sur le tabouret, je veux sauter par la petite fenêtre. Le tabouret glisse. Patatras ! mes gardiens me prennent par le bras : « Si vous recommencez, on vous ligote. »

J'ai trop honte de cette tentative minable pour récidiver. De nouveau, le temps immobile. Par l'ouverture, je vois le jour mourir. Lui aussi.

Il fait nuit. Les uniformes m'emmènent. Des couloirs, une sorte de cour bouffée par les mauvaises herbes, une cellule de plain-pied, au rez-de-chaussée. Pas de fenêtre. La porte se referme sur ses verrous. Obscurité complète. Aucun meuble, pas une chaise, juste une paillasse sur le sol. Je m'étends.

J'essaye de trouver des gestes. Je ne peux pas inventer, alors je me mime le quotidien. J'enlève ma robe, je me secoue les cheveux, que faire d'autre en guise de toilette ? Je n'ai pas le moindre instrument avec moi. Le temps est beau, doux, ça sent le sel d'une mer d'été. Je me recouvre de ma robe de toile.

Les gardes ont bu, je les entends derrière la porte, paras et territoriaux.

« On va la fusiller. » Accent pied-noir qui donne à la condamnation un goût de blague à l'anis, un U.T.[1], pas de doute.

« T'es dingue ou quoi ? Le colon n'est pas là, pas touche ! » Accent titi parisien, il se fait des souvenirs, le pauvre.

« Pourquoi y sont là, tu crois ? Des assassins, j'te dis, comme les fellouzes. » Accent indéfinissable, mais sérieusement éméché.

Un quatrième intervient, de trop loin pour que je l'entende. La ronde des « Faut l'faire. — T'es fou » continue. Je perçois encore un « Moi, j'ai pas ordre », avant de... m'absenter.

1. Unités territoriales : milices en uniforme, constituées de réservistes « Algérie française », dissoutes après janvier 1960.

Depuis le tabouret manqué, j'avais commencé mon évasion. La vraie. Celle qui met hors de portée des balles, des hommes, de la douleur, de la mort. Et depuis quelques secondes, je venais de la réussir.

Ma baraka s'était taillée, je me croyais inatteignable, vernie, et me voilà sur le point de passer de l'autre côté. Autant se remplir à l'avance de ce vide, anticiper. Ne plus être, le décider. Alors plus rien ne peut rien.

Ma panique m'occupe une heure ou deux, je ne sais plus. Puis, je me mets en ordre.

Je passe. Je suis passée de l'autre côté. C'est la règle du jeu, le risque pris au départ. Je me suis pourtant débattue, collée à l'impossible, rien n'est plus anormal que la mort normale. A plus forte raison, en de telles circonstances.

Le désordre majeur me vient de mes fils. Si jeunes, six ans, trois ans. Ils auraient peut-être aimé me garder plus longtemps, encore que... Une mère si absente, si loin de leur besoin de tendresse. Avais-je seulement pensé à eux, en m'embarquant dans cette aventure ?

Cette étape-culpabilité m'aide. Une fois dépassée, mes enfants me deviennent abstraits. Ils évoluent dans le monde parallèle, croisé, temporel. Dans la vie, quoi ! En quelques secondes, après plusieurs heures de folie, je franchis la ligne.

Les paras, territoriaux, gardes de tous acabits discutent inutilement. Absence déjà signifiée. « Maurice, du calme, du calme », dit encore le titi.

La mer monte jusqu'à moi. Elle me couvre de son écume. Morte, je ne crains plus rien.

Je m'endors, enfin apaisée.

Grincement de porte. Bruit de clefs. J'ouvre les yeux. Un adjudant de gendarmerie tient un broc à la main. La lumière du matin s'engouffre goulûment par la porte entrouverte. Un caporal imberbe me tend un quart en aluminium plein de café chaud. Imbuvable. Je l'avale avec délices. Cette brûlure dégueulasse, le goût de la vie retrouvée.

J'essaie une question : « Dites-moi...

— Je ne sais rien, coupe sans méchanceté l'adjudant, le commandant va venir vous voir.

— Et mon confrère ?

— Sais pas. »

La porte se referme.

Deux ou trois heures plus tard, je suis conduite dans une grande pièce au rez-de-chaussée ou au sous-sol, du côté opposé à l'entrée principale.

Interrogatoire d'identité, m'annonce un homme en civil, petit et trapu. Un militaire à la machine, deux autres à la porte. Nom, prénom, date de naissance...

Le civil, après cette formalité, se met à lire des notes dans un grand calepin. Avec un accent méridional. Je ne comprends pas très bien. Il parle de lutte du peuple algérien, de sa justesse, de la dégradation de la torture, du non-sens du racisme... Il conclut, en y mettant le ton : « *L'Algérie, comme l'Indochine, sera indépendante...* »

« Inutile de continuer, je crois », dit-il en levant les yeux de ses papiers.

Je me sens plutôt gaie soudain — sans trop savoir pourquoi. Un rien provocatrice, je lâche : « Je trouve ça très bien...

— Vous vous foutez de moi ? » Le petit noiraud écume, il froisse une liasse de documents sur le bureau. « Salope... Ce sont tes ordures que je lis... Ce sont toutes les saloperies que tu as sorties dans les tribunaux. Pour tes bougnoules... Salope !... »

Hors de lui, debout, il m'injurie, visage contre visage. Il va me frapper, c'est sûr. Non, il ne me frappe pas.

« Je n'avais pas reconnu... Je n'écris pas mes plaidoiries en entier... Mais je suis d'accord... Forcément. »

La colère du type fond. Il se rassoit, dicte. Je signe le procès-verbal. Cérémonie des empreintes digitales.

En regardant mes doigts noircis d'encre, je souris. Décidément, les putschistes n'ont ni le sens de l'humour ni celui de la dialectique. Ils perdront toutes leurs batailles.

Énorme soulagement. Aucune allusion au revolver. Une vraie chance... Plus tard, Popie m'apprit qu'avant de quitter le *Kairouan,* il profita de la confusion qui régnait à bord pour se glisser dans ma cabine, reprendre son arme et la jeter dans la mer...

Le soir même, quarante de fièvre. Une sorte d'angine qui me vaut un lit de camp confortable et quelques injections de pénicilline d'un médecin militaire. Je me rétablis aussitôt.

Notre détention au Casino de la Corniche dura six jours.

Un isolement rigoureux nous sépara, Pierre et moi. Excepté une rencontre, plutôt longue et en présence de nos gardiens, dans la cour-jardin. Seul événement marquant de mes journées, une brève promenade au soleil. Menu quotidien : des pommes de terre, du pain, de l'eau, quelques sardines. « Le régime des terroristes », commenta l'un de nos geôliers.

Peu après notre arrivée au Casino de la Corniche, je demandai à reprendre dans mes affaires un télégramme. Il émanait de l'Élysée. Il me fixait audience au 18 mai pour un recours en grâce.

Je le donne à lire au colonel : « Je dois répondre à la convocation du président Coty, lui dire que je suis empêchée, que vous m'avez arrêtée. »

L'officier tourne et retourne le papier, d'un beige officiel, entre ses doigts, comme étonné par cette procédure : « Coty ? Qu'est-ce que vous voulez que ça me foute ?

— Mais... colonel, le président de la République...

— Quelle République ? » demande le colonel. Il éclate de rire, bon enfant, puis il ajoute, grave : « Tout ça, c'est loin maintenant... L'armée tient le pouvoir... et c'est elle qui va mettre un peu d'ordre dans cette pourriture de politique. » Je tente de discuter. Il coupe : « Votre Coty, maintenant, c'est zéro. Compris ? »

Compris, colonel, je romps et réintègre mon réduit.

La République au bord de l'abîme et nous ne savions rien. Rien. Aucune information ne nous parvenait. Une phrase captée de temps en temps sur le transistor d'un garde. Nous vivions un état de manque, comme tout prisonnier politique.

Ainsi avons-nous ignoré la conférence de presse de De Gaulle. Le 19 mai, à Paris, il fustigeait le « *système* » et le « *régime exclusif des partis* ». Il déclarait « *très bien comprendre l'attitude et l'action du commandement militaire en Algérie* ». Il s'offrait enfin à tirer le pays du chaos, « *lui qui n'appartient à personne et qui appartient à tout le monde* ».

Au même moment, « *le Forum affichait complet*[1] » et une foule massive réclamait « *l'armée au pouvoir* ».

Le 20 mai, un maréchal des Logis m'annonce notre transfert immédiat. « Dans un hôtel très bien », précise-t-il, rassurant.

Impossible cependant d'oublier ces corvées de bois où disparurent tant de militants, de maquisards, d'opposants... « abattus dans une tentative de fuite ». Je m'accroche, pose des questions. Inutile. Le colonel arrive et nous voilà, Pierre et moi, embarqués dans sa voiture.

Cap sur Aïn Taya. Avant la guerre d'Algérie, l'une des plus charmantes stations balnéaires de la côte. Une trentaine de kilomètres à l'ouest d'Alger.

Le convoi stoppe devant un hôtel 1900, *Les Tamaris,* construit sur une grande plage de sable fin. Un lieutenant nous accueille. Jeune, plutôt sympathique. Officier psychologue, il appartient aux S.A.S. (Sections administratives spécialisées). Il nous expose, avec courtoisie, la règle du lieu.

Une chambre pour chacun, simple, agréable, avec un lavabo et des flots de lumière, mais toujours ouverte, précise-t-il. Interdiction formelle de communiquer entre nous. Pas un mot, pas un regard. Ainsi nous croisons-nous, l'air absent, les yeux au plafond. Pour les repas, chacun seul, à une table et tournant le dos aux autres.

Très vite nous prîmes l'habitude de monologuer à haute voix, histoire de faire parvenir nos messages jusqu'au voisin. Je me rappelle certains dîners où je me mettais à chanter. Sur n'importe quel air, je formulais des questions ou des informations à l'inten-

1. *L'Écho d'Alger,* 20 mai 1958.

tion de Pierre. Le lieutenant avait remarqué ce concert insolite donné le nez au mur. Nous nous interrompions quand il nous en faisait, toujours souriant, le reproche et reprenions de plus belle dès qu'il tournait les talons.

L'hôtel fonctionnait selon un statut très particulier. Nous, les *pensionnaires,* étions gardés par une soixantaine de gendarmes. Les gendarmes eux-mêmes, gardés par une unité de parachutistes. Le pouvoir armé, en cercles concentriques. Les gardes républicains quelque peu prisonniers des paras, en somme.

Le lendemain de notre installation, deux autres avocats parisiens, bloqués à Constantine, Dominique Stefanaggi et Michel Kaganski, nous rejoignent. Arrêtés à leur tour.

Commence alors un va-et-vient continu dans cet étrange purgatoire. On y voit arriver un soir, entre deux policiers, le maire de Blida. Libéré le jour suivant, il réintègre sa chambre et sa table trois jours plus tard. Vingt-quatre heures après, il cède sa place au maire de Sétif. Pour vingt-quatre heures. Puis entrent en scène les préfets d'Orléanville, de Colomb-Béchar, de Tizi-Ouzou, certains avec leurs femmes. Les sous-préfets de Bougie, de Bouira, l'adjoint au maire d'Alger refusent d'obéir aux colonels. Pour cause de République. Bouclés. Le correspondant du *Monde,* Eugène Mannoni, fait même une apparition. Une journée à peine, puis libéré !

Nous pouvons quitter notre chambre une heure par jour, quelquefois plus longtemps. Toujours contraints au silence, nous tournons en rond sur la terrasse. Comme les prisonniers de Van Gogh dans sa *Ronde,* mais dans une prison où le soleil souverain, la Méditerranée voluptueuse (*Femme* libre toujours tu chériras la mer) et les détenus disparates façonnent un tableau à l'éclairage inattendu.

Le lieutenant se fait omniprésent, à l'affût de nos moindres désirs. Ainsi, tous les matins, il frappe à la porte de nos chambres — il a enfin accepté que nous la tenions fermée. Il dit bonjour, rapide coup d'œil technique dans la pièce, rien d'anormal, tout va bien, avez-vous un souhait particulier, trois petits tours et s'en va vers les rapports qu'il se doit, comme responsable de l'action psychologique et de nous-mêmes, de rédiger.

Dès la deuxième fois, notre dialogue se mue en rite. « Bonjour, Maître, que puis-je pour vous ? » Et, anticipant la réponse qu'il connaît déjà, il enchaîne avec un sourire navré : « Je sais... la liberté. Mais, désolé, je ne puis vous l'accorder. Au revoir, Maître. »

Un jour, un garde vient me dire que ma secrétaire m'appelle au téléphone. Je me précipite, il me barre la route : « Le lieutenant doit vous autoriser d'abord. »

Ma secrétaire tenait plus de la grosse nounou de province que de l'assistante sophistiquée de direction. Elle s'installa chez moi, à l'annonce de mon arrestation. Pour garder mes enfants. Elle avait obtenu, par les renseignements, le numéro de téléphone de l'hôtel des *Tamaris*. Elle appela, comme si rien ne s'était passé en France, en Algérie, et à Aïn Taya. Idée simple, idée de génie.

Le lieutenant m'autorise à parler. Il me recommande « la discrétion » — pas de détails sur la détention — et, pour plus de sûreté, prend l'écouteur. J'entends la voix de mes fils, je dis que tout va bien dans ce bel hôtel, que je vais rentrer bientôt. Jean-Yves, mon aîné, a été opéré des amygdales. Je veux lui dire... leur dire. Pas le temps. Il faut raccrocher.

Je regagne ma chambre dans une grande tristesse. Je me demande si je ne préférais pas le silence.

Avec les paras et leurs officiers, nous n'entretenions aucun rapport. Ils viennent de la même terre et nous sont pourtant étrangers. Comme le chiendent étouffe le blé soyeux sans jamais perdre ses épines. Entre eux des bagarres éclatent souvent. Après avoir bu, ils entonnent en chœur des chants nazis. La séance dégénère quelquefois en corps à corps, couteau au poing, et flaques de sang sur la terrasse.

Un sous-lieutenant, un jour, cherche à lier conversation. Dans la discussion, il me jette à la tête ses appréciations, hautement philosophiques, sur les intellectuels : « On s'en fout, de vos exhibitionnistes... des pédés, des putains... Ils font leurs petites crottes là-bas et nous, ici, on fait le boulot. » Les Arabes ? « Comme vos types à Paris, tous des tantes... Je les hais, les Arabes... j'ai le courage de le dire. J'en bousille tant que je peux. » S'avançant vers moi, il porte ses mains jointes à ses lèvres, comme un gobelet : « Les Arabes, si je pouvais, je boirais leur sang, à ces salopards, après les avoir zigouillés. »

Cette excitation alerte notre lieutenant : « Eh bien, Maître, vous faites un meeting ?

— Avec moi, elle peut toujours courir..., grogne le vampire.

— Votre collègue m'expliquait la fraternisation. »

J'ironise, mais tant de haine me bouleverse. Cette guerre, sans issue, imbécile, a rendu fous ces jeunes soldats.

Je repense quelquefois à cet assoiffé de sang arabe. Qu'est-il devenu ? Abattu dans les rangs de l'O.A.S. ? Exilé loin de France ? Ou plus simplement parmi nous, professeur, fonctionnaire, boutiquier, bon époux, bon père, joyeux camarade ?

Pierre, de mèche avec quelques sous-préfets, décide d'organiser notre évasion. Au sein d'un Comité clandestin, chacun travaille ferme à ce plan.

Le Comité devait prendre contact avec des pêcheurs. Pour accéder à leurs bateaux, départ à la nage, la nuit. Quelque mille mètres au moins à parcourir. Un handicap de taille.

Je regardais cette mer, avec laquelle j'avais fait corps depuis toujours. Pour la première fois, elle me devenait contraire. Elle se faisait barreaux, murs de prison. Elle ondulait de ses écumes, insensible, jusqu'à l'horizon. La traîtresse.

Et du côté terre, les paras et leurs mitraillettes.

Le transistor d'un garde nous permet un jour d'entendre des bribes de reportage : la grande manifestation de défense de la République, à Paris, le 29 mai.

De Gaulle doit se rendre en Algérie le 4 juin.

Désigné le 31 mai par le président Coty pour former le gouvernement, il avait obtenu, le 2 juin, la confiance et les pleins pouvoirs pour six mois.

L'ambiguïté historique de son « *Je vous ai compris* », au Forum d'Alger, nous laisse entrevoir une libération prochaine. Du moins est-ce ainsi que le lieutenant psychologue le comprend.

Nous ne sommes plus que quatre — les quatre avocats — à mobiliser près de deux cents hommes pour nous garder.

Le 6 juin, comme à l'accoutumée, le lieutenant vient me voir. Visage grave. Pas de rituel, bonjour,

Maître, que puis-je faire pour vous ce matin, je sais, la liberté, etc. ?

« Le général De Gaulle a accepté de diriger ce pays, annonce-t-il solennel. Préparez-vous, vous prenez l'avion pour Paris.

— Et Pierre Braun ?

— Maître Stefanaggi part avec vous.

— Et les autres ?

— Vous verrez sur place. » Évasif, le lieutenant.

Stefanaggi et moi sommes conduits à Alger, où je retrouve le capitaine de La Bourdonnaye, flanqué du colonel Godard. Je suis libérée. Je bénéficie, me dit-on, d'un traitement de faveur. Je veux savoir pourquoi et, pour quelles raisons, Braun et Kaganski restent entre leurs mains.

« Vous êtes une femme, une mère de famille.

— Cela ne vous a pas empêchés de m'arrêter... Et Stefanaggi ?

— C'est différent. »

Telle quelle, cette libération me déplaît. Peu claire. Braun et Kaganski sont communistes. Pour l'armée, un crime. Quel sort les attend, après notre départ ?

« Finalement, capitaine, je reste à Aïn Taya. » Ma décision prise, je me tais.

L'officier s'étrangle : « Mais je n'ai pas le droit de vous garder ! »

Ingénus, cocasses même, ces militaires qui ont levé leurs armes contre la République. Notre arrestation, notre détention, arbitraires par définition, ne leur posent aucun problème. Ni de conscience ni de droit. Garder prisonniers Braun et Kaganski ne les tourmente pas davantage. Mais l'idée d'avoir à me ramener aux *Tamaris* leur fait pousser des cris de vestales de l'*Habeas corpus*.

« Alors, je reste à Alger, puisque je suis libre. »

Godard veut parer le coup : « Trop dangereux

pour vous. On vous hait ici, nous ne pouvons vous garantir aucune protection. »

Discussions. Téléphones confidentiels. Impasse. Nous attendons dans une petite pièce à côté. Stefanaggi, lui, croit plus raisonnable de rentrer immédiatement à Paris : « Nous aurons plus de moyens pour hâter la libération de nos amis, une fois libres. » Je m'entête. Les laisser aux mains des paras ne me dit rien qui vaille.

Une heure plus tard, on vient nous chercher. Nous remontons dans la Jeep. Direction Aïn Taya. Debout dans la voiture, nous crions de loin : « Ça y est, vous êtes libres, vous êtes libres ! »

Braun et Kaganski nous rejoignent.

Notre aventure algérienne se terminait.

Des gardes du corps nous escortèrent jusqu'à Paris.

Orly. Le bâtonnier[1], des avocats, des écrivains, des hommes politiques, des journalistes, nombreux, des amis, Claude Bourdet, Claude Crémieux, Daniel Mayer, je crois. J'avoue être passée parmi eux comme l'éclair. Dans le brouhaha, j'avais aperçu mes fils avec Mouty, la secrétaire nounou. Je les pris tous les deux dans mes bras et filai vers une voiture, qui nous emmena.

1. Le bâtonnier Allehaut nous avait révélé que, sur son appel pressant, le général De Gaulle était intervenu, dès son accession au pouvoir, pour nous faire libérer. Malraux, l'avocat Henri Torrès, son ami et député gaulliste (dont l'ex-épouse n'était autre que la générale Massu), la grande journaliste de *Libération* Madeleine Jacob, notamment, avaient aussi entrepris des démarches incessantes en ce sens.

UN COUPLE IMPOSSIBLE

« Elle a de belles épaules, Maître Halimi ! »

Ce 31 décembre 1958, le petit groupe des avocats, qui pratiquait le pont aérien de la défense en Algérie, décida de s'offrir un réveillon.

Histoire d'oublier les disparitions, les dénis de justice, les tortures, et de vivre, ces dernières heures de l'année, une allégresse contre nature.

Marcel Manville, avocat martiniquais, exubérant, communiste, offrit son petit appartement du XVIIe arrondissement pour nous réunir.

Les femmes s'étaient habillées avec une certaine fantaisie, les hommes rivalisaient d'esprit, le punch coulait dans nos verres. Interdiction absolue d'évoquer nos faits d'armes algériens — plaidoiries, prison, camps d'internement. Sauf, sur le ton du défoulement iconoclaste : « Ces bougnoules, y en a marre ! », « Ils ont la France et ils veulent la merde ! », etc.

Nous flirtions, dansions, riions : la guerre, ce soir-là, s'estompait dans une parenthèse lointaine.

Matarasso, qui m'accompagnait, s'extasia sur ma robe noire à franges de soie et à bretelles. « Une robe pour le charleston 1920... C'est ma spécialité. »

Pour le démontrer, il m'entraîna dès notre arrivée, au milieu d'une pièce débarrassée de tous ses meubles. Je m'appliquais et, malgré ma maladresse, ressentais un vif plaisir à faire zigzaguer sur le plancher mes pieds, pointes en dedans, pointes en dehors.

Je ne m'arrêtai qu'à bout de souffle et me laissai choir sur un coussin, à même le sol. De plus en plus gaie, mon troisième verre de punch à la main, sur la suggestion de Léo, qui la connaissait, je me mis à raconter la mésaventure advenue à un avocat tunisien.

« A la demande générale... », claironnai-je, et je me mis à brosser le portrait de maître B..., célèbre pour son bagou et son ignorance des dossiers et des codes.

Ce jour-là donc, comme d'habitude, il arrive en retard à l'audience, flanqué de sa nuée de petits saute-ruisseau, l'un tenant sa robe d'avocat, un autre sa serviette, le troisième une petite théière dont le sillage embaumait la menthe fraîche.

Le Tribunal correctionnel siégeait depuis une heure. Le client de maître B..., un pauvre Tunisien déguenillé, venait de se rasseoir, terrorisé. Seul, il avait dû répondre aux questions du président, qui ne s'adressait qu'à l'interprète. Le procureur, dans une semi-léthargie, avait laissé tomber, du bout de ses lèvres molles : « Coupable... Je demande six mois d'emprisonnement ferme. »

L'avocat n'arrivait pas et la parole était à la défense.

« Ah ! vous voilà !... Nous n'attendions plus que vous ! » persifle le président, qui aperçoit enfin maître B...

Bondissant vers le banc des avocats, mettant sa robe d'une main et tenant de l'autre une liasse de feuillets froissés, il bafouille, essoufflé, quelques excuses et se penche vers son client : « Qu'as-tu fait ? lui demande-t-il, en style télégraphique.

— J'ai volé un cheval, répond l'inculpé de la même manière.

— N'aie pas peur... tu vas voir !... » Pour le rassurer tout à fait, maître B... lui tape cordialement sur l'épaule.

Et il plaide : « Monsieur le Président, messieurs du Tribunal, mon client, honnête *fellah,* se trouvait dans son champ quand il voit venir vers lui un cheval, bride abattue, au grand galop. Il n'en connaît pas le propriétaire. Il veut se rendre auprès des autorités pour restituer la bête. N'écoutant que son courage, il se jette au cou du cheval pour l'arrêter. A ce moment, deux gendarmes, colonialistes, probablement, racistes, à coup sûr... etc. etc. l'interpellent et le traînent sur ce banc d'infamie... »

Ce confrère s'était taillé une certaine célébrité par sa manière de tonitruer, de se tourner, feignant une grande colère, vers le Tribunal et le procureur, et de les apostropher, d'exiger la libération immédiate, l'acquittement, quels que soient le dossier et les faits — qu'au demeurant il ne connaissait guère. Il exprimait, à chaque coup, l'indignation de l'innocence bafouée. Il faisait un bruit énorme, marchait de long en large, s'approchait de son client pour lui dire son estime, du procureur pour lui exprimer sa colère, du président enfin pour conclure sous son nez, et en postillonnant : « Et ce sera justice... »

Comédie cent fois recommencée, qui attirait les foules, le public, mais aussi ses confrères.

Ce jour-là encore, il ne déçut point. Quand il pérora : « Il est temps que cette atteinte inacceptable contre la dignité de mon client prenne fin... » et, d'une voix qui résonna jusqu'au fond de l'immense prétoire : « Rendez-le à son champ, à sa petite ferme, à sa vie tranquille d'honnête homme, je vous demande sa relaxe », le paisible *fellah* était aux anges. Il n'avait pas compris un mot de la plaidoirie — en français — de son avocat, mais il perçut l'accent martial de ses propos et se redressa avec fierté, quand maître B... se lança dans des gestes menaçants, provocateurs, à l'égard de tous ces hommes en robe qui le jugeaient.

Le président R..., connu au Palais pour les tours sadiques qu'il se plaisait à jouer aux avocats, se cale dans son fauteuil : « Vous avez terminé, Maître B... ? » demande-t-il, suave.

L'avocat se rassoit, satisfait : « J'ai terminé, monsieur le Président.

— Permettez-moi dans ce cas de vous faire part d'un détail. » Le président s'interrompt quelques secondes, feuillette le dossier, en extrait un procès-verbal, prend son temps et, enfin, sur le ton neutre d'un greffier, lâche : « L'inculpé a volé un cheval mécanique au rayon des jouets de Monoprix... »

On fait cercle sur le tapis autour de moi. En connaisseurs, les avocats s'esclaffent. Je ne suis pas mécontente de mon effet, plutôt bon public, surtout pour mes propres exploits.

« Elle a de belles épaules, maître Halimi »... Un jeune homme vient, tranquillement, de baisser l'une des épaulettes de ma robe. Un ton détaché, comme pour un constat.

Je me retourne.

Des yeux d'un bleu très pâle, légèrement bridés, des cheveux noirs abondants, rejetés en arrière en larges crans. Vingt-cinq, trente ans peut-être. Une façon absente — une pose ? — de s'adresser à ceux qui sont là. Et à moi, d'abord.

Je lui demande s'il danse, pour le situer, je ne l'avais pas remarqué dans la bande joyeuse qui martèle le parquet depuis une heure ou deux.

« J'aime mieux parler avec vous », me répond-il en accrochant un peu son regard. Je remontai ma bretelle.

Je me mets à lui conter la Tunisie, les procès d'avant le triomphe de Bourguiba, mais aussi le soleil de mon enfance et le thé à la menthe.

« Les Marocains prétendent qu'ils font le meilleur ?

— C'est une infamie d'Arabe à Arabe. »

Il sourit à demi, lâche qu'il aimerait bien y goûter, à mon thé à la menthe, puisque je dis qu'il est unique. Oui, demain s'il le veut, je lui en ferai. Avant de partir il tente, sur mon insistance, de piétiner avec moi un slow, puis s'en va. En guise d'adieu : « J'attends ce thé », lance-t-il de loin.

Je ne rentre qu'au petit matin. Fourbue, soûle, heureuse. Comme si ce réveillon m'avait restitué la vie ordinaire, celle d'une femme libre de mon âge.

Des cadavres exquis à ceux de Staline

Qui était ce Claude Faux?

Un communiste militant d'abord. Au Parti à l'âge de dix-huit ans, alors qu'au sanatorium il soignait une interminable tuberculose. Responsable des activités culturelles, il organisa la venue de son poète-idole, Paul Eluard. Je crois même qu'il remit à Eluard son adhésion à la fin de sa conférence.

Au sana de lycéens de Neufmoutiers-en-Brie, Claude et d'autres malades firent une découverte : le surréalisme.

En lisant Nadeau et son *Histoire du surréalisme*, ils allaient de perplexité en perplexité.

Le nihilisme salubre de Dada et, plus tard, la liberté destructrice du *Manifeste* de 1924 transformèrent, en 1948, de lumineux provocateurs en communistes disciplinés. Aragon — et d'autres —, qui jadis stigmatisèrent « *Moscou la gâteuse* », adulaient, inconditionnellement, Staline. Les « *défaitistes* », qui « *conchiaient l'armée française dans sa totalité* » et criaient « *Vive l'Allemagne* » dans les salons, « *continuaient désormais la France* », comme le leur demandait Maurice Thorez. Eluard célébrait « *le journal de sa cellule* », Aragon chantait Roncevaux et Jeanne d'Arc, Tristan Tzara, qui avait troqué son monocle contre la carte du Parti, racontait ses parties d'échecs avec Lénine[1].

A Neufmoutiers, Claude et ses amis tentaient de reconstituer le puzzle, de refaire, pour le comprendre, le parcours paradoxal de leurs prestigieux aînés. Ils dévoraient l'*Anti-Dühring* ou *Le Rôle de la violence dans l'histoire,* d'Engels. Mais, des nuits entières, ils s'essayèrent aussi aux merveilles de l'écriture automatique et des « *cadavres exquis* ».

1948. Tito vient d'être assassiné. Idéologiquement, s'entend. Mais ne paie-t-il pas sa trahison à l'égard de Staline ? Et Lautréamont n'a-t-il pas écrit que « *toute l'eau de la mer ne saurait effacer une tache de sang intellectuel* ». Alors ils sautèrent le pas. Ils s'inscrivirent au Parti.

Un jour, ils invitèrent Paul Eluard. Il vint au sana, le visage bouffi d'alcool et les mains tremblantes. Le poète de *Capitale de la douleur* sortait à peine de la nuit convulsive où l'avait plongé la mort de Nush.

Les néophytes l'accueillirent comme leur dieu. Inutile d'expliquer. Tout, désormais, devenait limpide. Le surréalisme — telle une maladie passagère — avait frappé des adolescents meurtris par le carnage de la Grande Guerre. L'impérialisme, forcément. La révolution d'Octobre les illumina de sa vérité. Le congrès de Kharkov, Guernica, la Résistance achevèrent de dessiller les yeux. Eluard, Aragon se réconcilièrent avec leur peuple et prirent, modestement, leur place dans ses rangs. Breton et Péret, eux, s'entêtèrent. « *Laissez-moi donc juger de*

1. Zurich, en 1917.

ce qui m'aide à vivre, écrivait Eluard, *je donne de l'espoir aux hommes qui sont las, malgré les joies robustes de l'amour.* » « *Mon parti m'a rendu les yeux et la mémoire* », psalmodiait Aragon.

Pour Claude, dix ans plus tard, ce parti devait rendre les yeux de la France à tous ceux que la guerre d'Algérie aveuglait.

Il devint permanent de l'organisation et journaliste à *L'Humanité.* A *L'Humanité,* il revit Aragon.

Il l'avait rencontré, occasionnellement, lors des réunions de jeunes poètes, autour d'Elsa Triolet. On écoutait les tout nouveaux vers de ces tout nouveaux poètes, et Elsa, de son bel œil mauve et en roulant les r comme dans Tchekhov, divinement, les encourageait. Claude jouissait du privilège de ses origines plébéiennes. Il avait publié une plaquette de poésie chez Seghers. Il acquit ainsi une petite notoriété dans ce cénacle baptisé « Groupe des jeunes poètes du Comité national des écrivains ».

Claude décida qu'était venu le moment d'envoyer ses poèmes au grand Maître. En devenant chant de marche, sa poésie se cognait contre celle de Nazim Hikmet, d'Eluard, d'Aragon justement. Elle prenait l'empreinte du pas des autres et perdait la fraîcheur de l'écriture automatique des débuts.

Aragon le convoqua aux *Lettres françaises.* Il lui envoya même son chauffeur. Claude attendait, le cœur battant, le verdict de l'auteur du *Con d'Irène* et des *Communistes.* Mais, toute séduction dehors, le grand écrivain le questionna sur ses origines — « populaires, authentiquement populaires ! » — et alla chercher sur son bureau une liasse de papiers. Son dernier long poème. Aragon lisait Aragon, *Garçon, de quoi écrire,* de son inimitable voix de mauvais comédien. Il l'assurait du mal qu'il avait eu à l'écrire, ce *Garçon, de quoi écrire*[1]...

Lecture terminée, entretien aussi. Claude, toujours dans la luxueuse voiture du Maître, rentra chez lui, sans avoir entendu un seul mot sur sa propre poésie.

Le 7 novembre 1956, Claude se trouvait, avec une cinquantaine de militants, au siège du journal, boulevard Poissonnière, lorsque plusieurs milliers de personnes, aux cris de « *Les cocos, au poteau !* », firent sauter les portes de l'immeuble, investirent le rez-de-chaussée et le premier étage. Elles voulaient incendier les bureaux, pour dire leur colère contre l'intervention soviétique en Hongrie.

« Stalinien de la tête aux pieds. » Pendant une dizaine d'années, cette expression de Garaudy s'appliqua parfaitement à Claude.

Le Parti lui était terre, identité, avenir.

En 1956, éclata la révélation des crimes de Staline. Pour Claude, un choc brutal.

Après s'être abstenu, comme ses camarades, de commenter les journaux « bourgeois », il voulut savoir, lire ce rapport, « attribué à Khrouchtchev » affirmait *L'Humanité.* Il commanda les numéros du *Monde* et lut, atterré.

Staline, un criminel ! L'U.R.S.S., le paradis perdu !

Mais la volonté de croire, puis de sauver l'essentiel ne se fissura que lentement, mit des semaines à s'écrouler par pans entiers, à devenir enfin poussière.

1. Cf. « *Les mots m'ont pris par la main* », in *Le Roman inachevé.*

Il décida, avec d'autres, de « changer les choses de l'intérieur ». Il diffusa le journal des contestataires (les apparatchiks les appelaient les termites), *L'Étincelle,* en souvenir de l'*Iskra* de Lénine.

Il devint vite suspect. Sa candidature comme délégué au Quatorzième Congrès, repoussée. Des membres du Comité central, « descendus » dans les réunions de sa cellule, s'en prirent à cette brebis *objectivement* galeuse, dénonçant en lui « le petit jeune homme romantique venu au Parti comme on va au bal ».

Le petit jeune homme prit le mors aux dents et rua dans les brancards. Il attaqua et répondit tous azimuts, pour la vérité.

Première réaction de la Direction : elle le fit licencier. Il perdit sa place d'assistant de presse auprès de Marcel Paul, héros de Buchenwald, ancien ministre de De Gaulle, et l'un des responsables de la C.G.T.

Pour le coup, il exigea une explication. Il trouva le Marcel Paul des mauvais jours, avec sa tête de boxeur mal réveillé, qui lui jeta à la figure : « Tu es un intellectuel, non ? Donc un petit-bourgeois, instable... »

Claude s'étrangla d'indignation : « Moi ? Un fils de femme de ménage et d'ouvrier, tu me traites de petit-bourgeois ! »

Marcel Paul retroussa les manches de sa chemise. Le truc infaillible, chaque fois qu'il voulait impressionner l'interlocuteur. On y lisait des chiffres, tatoués à l'encre bleue. Son matricule de déporté dans les camps de la mort.

Sans un mot, Claude quitta la pièce.

Cet été-là, il écrivit *Les Jeunes Chiens* [1], un roman remarqué par les Goncourt.

1. Éd. Julliard, 1959.

1958. Arrestation de l'un de ses amis, Spitzer, au cours d'une vaste opération policière contre le F.L.N.

Spitzer avait préparé le numéro des *Temps modernes* sur l'agression soviétique en Hongrie. Le Parti l'exclut. Il se reconvertit en porteur de valises, au sein d'un réseau d'aide aux Algériens.

Il demanda à Claude d'assurer sa défense. Claude accepta, fit des va-et-vient entre Fresnes, la Santé, le Palais de Justice. Jusqu'au jour où la Direction du Parti opposa son veto.

Lors des réunions de cellule des avocats communistes, son responsable demanda à Claude d'abandonner l'homme et le dossier. Solennellement. Les avocats se partagèrent. Lâcher sur ordre — et sans autre raison — la défense d'un accusé ne va pas de soi, dans notre éthique.

Paul Vienney, figure historique du Parti et avocat de *L'Humanité,* se lança dans un plaidoyer pour Claude et la défense de Spitzer. Je savais alors, pour l'y avoir aidé, que son fils avait déserté pour ne pas combattre en Algérie.

Cependant la date du procès approchait et les avocats communistes refusaient de condamner leur camarade-confrère.

Quelques jours plus tard, la direction convoqua Claude à son siège et lui signifia l'ultimatum : abandon de Spitzer ou exclusion du Parti.

Claude sentit alors sa vie basculer : il rejoignait les traîtres à la classe ouvrière dans les poubelles de l'Histoire, il se voyait fini.

Sartre connaissait les conflits de son secrétaire[1].

1. Claude Faux était devenu secrétaire de Sartre en février 1958 (cf. *infra,* p. 313).

Un matin, il sortit de son petit bureau et se décida à parler.

Claude m'a raconté la scène.

Sartre vint s'asseoir près de lui, toussota, un peu gêné et, de sa voix rouillée : « Naturellement, vous êtes bien emmerdé. Je le sais bien. Les communistes se conduisent avec vous comme des salauds... »

Claude donna quelques précisions sur le chantage qu'on lui imposait. Sans doute laissa-t-il voir son désarroi.

« D'un autre côté, reprit Sartre, le Parti, vous êtes structuré avec... Si vous êtes foutu dehors, vous allez vous retrouver en morceaux... »

Claude le remercia, ému de cet effort qui avait dû tant lui coûter, lui qui détestait s'immiscer dans les choix d'autrui.

J'étais moins complaisante.

Je me trouvais à Casablanca. Je plaidais pour Mehdi Ben Barka et le syndicat, l'Union marocaine du travail.

Claude me retraça au téléphone le cours des événements. Je le trouvai abattu, chancelant, sur le point de se soumettre. Je le menaçai durement : « Si tu renonces à défendre Spitzer, inutile de venir m'attendre à Orly. Tout sera fini entre nous. »

Claude opta pour une troisième solution. Il écrivit à Spitzer qu'il ne pouvait supporter d'être exclu par les siens, des siens. Il ne l'assisterait donc pas. Mais, en même temps, pour se punir de ce qu'il ressentait comme une lâcheté, il démissionna du Parti.

Et il vint à Orly m'attendre.

Claude passa son baccalauréat au sana. Il obtint sa licence en droit et son C.A.P.A.

Il s'inscrivit au barreau, mais son stage ne l'intéressa que dans la mesure où il participa, comme les Mendès France, Edgar Faure et autres, au concours de la Conférence. En 1961, il l'emporta comme quatrième secrétaire, titre enviable à l'Ordre de Paris.

Ceux qui ont pratiqué le concours connaissent la règle du jeu : briller par le style, le paradoxe, la légèreté dans un sujet qui démarque, avec esprit, un dilemme juridique.

Claude devait répondre oui — ainsi avait tranché le tirage au sort — à la question : « *Un couple de funambules qui décide de faire baptiser son enfant sur un fil peut-il être poursuivi pour non-assistance à personne en danger ? Et si l'enfant tombe, pour homicide par imprudence ?* »

Premiers mots de Claude. La voix nouée, en me regardant, il lance : « Il n'y a qu'une vie, c'est donc qu'elle est parfaite. » Eluard, bien sûr.

Je suivais sur ses lèvres chaque phrase, essayée et réessayée la veille, dans nos répétitions. Il cabotinait un peu, pas beaucoup, juste ce qu'il faut dans ce milieu. Adroitement, en littéraire et avec humour, il effleurait la solidarité humaine. A peine. Il plaçait quand même son message. L'enfant, comme la terre, appartient à ceux qui le rendent meilleur. Inspiré de Brecht. Les funambules ? Coupables. Le public ? Coupable. « Mais nous avons aussi à comparaître... pour non-assistance quotidienne à nos frères, les contemporains, ces survivants en danger de mort. »

A cette conclusion, l'aréopage de bâtonniers et d'anciens secrétaires grimaça. Le message politique, sous toutes ses formes, agaçait. Tradition oblige.

Le choix du sujet répondait à des critères bien

définis : permettre des exposés éclectiques et cultivés. Comme dans un salon, tout en saupoudrage. Rigueur rigoureusement interdite. De même, discuter droit, valeurs de la défense ou société meilleure relevait du mauvais goût. Et entraînait un échec quasi automatique. Les candidats devaient éviter la vulgarité et refuser le registre réaliste, ou engagé. Le talent se mesurait à l'expression de la distance, à son exercice d'acrobate.

« *S'il est vrai que la femme est l'avenir de l'homme, celui-ci ne devrait-il pas être protégé par la loi sur les espèces en voie de disparition ?* », « *Les poupées qui disent non ont-elles été le symbole de la libération féminine ?*[1] »

Le premier, ou la première, qui dégaine son féminisme est mort. Pour le jury. Personne, bien sûr, ne dégaine.

Être mode, spectateur de son temps, voilà la clef. Refuser de prendre parti lorsqu'on vous demande : « *La justice doit-elle être bonne ou belle ?* », « *Le respect de la différence n'est-il pas le début de l'indifférence ?* », « *Le ciel est-il la promesse de ceux qui n'ont pas d'horizon ?* », « *Les cocotiers font-ils ombrage à la justice ?* », « *Peut-on feindre d'ignorer ?* », « *Faut-il être médiocre ?* », « *Faut-il parler d'amour ?* », « *Faut-il jeter le trouble ?* », « *Faut-il trahir pour rester fidèle ?* », « *Faut-il tuer tous les affreux ?* », « *Faut-il tuer le temps ?*[2] »

Enveloppée dans les plis de ma robe d'avocate, déjà usée par endroits, j'écoutais Claude. Je songeais à mon avance. J'étais bien l'aînée de ce doux jeune

1. Cf. *Bulletin du bâtonnier* (Paris), 1984 et 1985.
2. *Ibid.*

homme aux yeux ciel Ile-de-France. Mes deux enfants, la guerre d'Algérie, l'engagement professionnel.

Près de dix ans auparavant, moi aussi j'avais « joué » au concours. J'avais remporté, à Tunis, le tournoi d'éloquence. Le jury couronna la première femme, première lauréate. Le thème : « *Le droit de supprimer la vie.* »

J'ai retrouvé les notes de mon exposé. Réquisitoire contre la peine de mort, défense de l'euthanasie, justification stoïcienne du suicide. Et déjà, pour les femmes, la revendication d'une liberté élémentaire, donner ou non la vie. Pour faire bonne mesure, j'avais conclu par mon credo habituel : je suis pacifiste, à bas la guerre.

J'allégerais aujourd'hui la forme, j'ordonnerais peut-être autrement mon intervention. Mais, pour l'essentiel, je persiste et signe.

Claude suivait mollement les audiences. Plus pour en découvrir les mœurs et les perversions que pour apprendre son métier.

Était-ce son métier, d'ailleurs ?

Depuis son adolescence, il écrivait. Des poèmes, à la texture très proche de celle d'Eluard ou d'Aragon[1]. Un roman autobiographique, *Le Remue-ménage*[2].

Il avait envoyé son second manuscrit (*Les Jeunes Chiens*) à Sartre, qu'il ne connaissait pas. Celui-ci lui demanda de venir le voir.

Verdict : « Il faut publier ce roman, vous êtes un

1. *Dresser l'issue* (Éd. Seghers, 1950), *L'Avenir quotidien* (Éd. Gallimard, 1963), *Le Temps compté* (Éd. Gallimard, 1966).
2. Éd. Del Duca, 1958.

écrivain. » Proposition : « J'ai besoin d'un secrétaire, voulez-vous travailler avec moi, et continuer d'écrire ? »...

C'est ainsi qu'un Faux remplaça un Cau, au quatrième étage du 42 de la rue Bonaparte.

Claude habitait encore avec sa mère, dans le XVIIe du pauvre. Rue Pouchet, aux Épinettes, comme il le répétait, complaisamment, avec l'accent prolo de circonstance. Abandonnée par le père — Claude avait alors quatre ans —, Mme Faux mère faisait des ménages pour vivre et faire vivre son fils.

Elle voulait qu'il devînt quelqu'un. Curé, professeur ou médecin. Il choisit d'être avocat. A l'époque, les études de droit étaient les plus courtes.

Sa mère regardait d'un très mauvais œil ses activités littéraires — « A quoi ça sert, un poète ? A crever de faim, c'est tout ! » —, et détestait ses engagements politiques.

Écrire à son insu s'avéra difficile. Claude multiplia les ruses, changeait tous les soirs son manuscrit de cachette. Stratégie particulièrement ardue car il partageait avec elle un logement d'une pièce et cuisine. Il lui arriva de trouver sa mère en train de déchirer en mille morceaux ses cahiers d'écriture. « Bon à rien ! Fainéant ! » lui lançait-elle à la figure, folle de rage.

Sa sœur aînée, Jacqueline, mue par un élémentaire esprit de conservation, avait pris la fuite. Elle épousa un modeste employé de banque. Elle le poussa à accepter un poste aux colonies, comme on disait alors. La vie de Dakar, avec ses facilités, ses frivolités, ses coucheries, éblouit cette gosse des Épinettes. Raciste, comme sa mère, comme la mienne, son séjour en Afrique lui ajouta la suffisance insupportable des petits-Blancs. Je la fréquentai peu. D'autant qu'à l'occasion elle traita l'un de mes fils de sale

Juif. Le malheureux époux périt dans la force de l'âge, au cours de l'accident aérien du Paris-Dakar en août 1960. Jacqueline ressentit la grande tristesse de rentrer en France, et de renouer avec la vie des « gens d'ici », tellement plus ordinaire que celle des « gens de là-bas ».

A chacune de ses rencontres, à ses tentatives de vivre ailleurs, la mère opposait violemment à son fils son ingratitude, et sa propre existence sacrifiée pour lui. Et il l'abandonnait, le monstre ! Le pédéraste ! (chaque fois qu'il vivait une aventure féminine). Il lui arrivait même de le gifler, à près de trente ans.

Avec son intelligence, Claude, très tôt, ressentit la nécessité de la rupture. Mais sa culpabilité œdipienne l'en empêcha jusqu'à l'âge de vingt-huit ans. Il disait : « Un gosse de riche peut détester sa bourgeoise de mère. Un fils de prolo doit comprendre les siens, même dans leur connerie... » Ainsi, de scène en fugue, de poèmes clandestins en notes politiques, de vérités blessantes en pieux mensonges (un dossier, Sartre, une réunion...), il prolongea cette promiscuité.

1er janvier 1959, onze heures.

Téléphone. Une voix un peu étouffée, dérapant sur les mots. « Et alors, ce thé à la menthe, ça tient toujours ? »

Avais-je vraiment promis un thé à ce jeune mélancolique ? Je ne savais plus, j'avais aimé la lumière de ses yeux, sa nullité de danseur, la sensibilité de ses propos. Et puis ce punch martiniquais... Comment se souvenir ?

« On se voit, non ? » Claude Faux, habile, évite le « tu » ou le « vous ».

« Oui, on se voit, thé à la menthe à cinq heures, d'accord ? » Moi aussi, je sais employer les « on » et les « ça tient », pour ne pas tomber dans le tutoiement.

Claude sonna à ma porte un peu avant l'heure. Il repartit le lendemain. Je ne lui avais pas fait de thé. Pas le temps d'aller à la cuisine faire bouillir l'eau...

Il revint le surlendemain. Avec sa valise. Ainsi commença l'aventure.

Les *hommes sont* nos *hommes*

Le couple, la vie commune, le mariage..., je connaissais.

Non, merci. Plus jamais ça. Je me l'étais promis, juré.

Fini la brosse à dents étrangère, éliminé le pyjama viril dans ma salle de bains. Plus de maître de céans (ils le deviennent si vite !) chez moi. Important pour parler de son déjeuner d'affaires, distrait pour écouter les pièges de mon procès du jour, affectueux pour tapoter les joues de mes fils... Trois petits rites et puis s'en va. Vers son destin d'homme.

La divine comédie. Toujours neuve et toujours recommencée. Cette communauté où ma vie, par définition, ne pèse qu'en inessentiel.

En tout homme sommeille un machiste — quelle que soit son intelligence ou sa sensibilité. Innocent ou coupable. Innocent et coupable, presque toujours. Innocent parce que victime d'un conditionnement socioculturel, un phénomène de boomerang, forgé à son profit, qui finit par l'aliéner lui-même. Innocent s'il prend conscience des hiérarchies économiques, du sexisme des rôles et s'il refuse de s'en servir. Coupable, au contraire, s'il y ajoute le travestissement de l'approche de l'autre, s'il fortifie la dépendance narcissique de la femme. Coupable s'il place l'échange amoureux sous le double signe de la protection de l'homme et de la demande de la femme.

A trente-trois ans, j'étais parvenue à la connaissance de ces mythes.

Je poursuivais l'apprentissage de ma liberté de femme. Mais je savais déjà que je ne subirais plus nos enfermements.

La passivité, l'intuition ou l'absence de conceptualisation. La maternité nécessaire. Autant d'« évidences » qu'une fois pour toutes j'avais rejetées.

Rejetées également les dépendances économique, intellectuelle, affective même, quand elle valait aliénation. Mes lectures, mon expérience de femme et d'avocate m'en avaient débusqué les sources : division du travail, traditions, culture, religions. Le tout en entrelacs subtils, en auréoles tissées pour nous, femme-femme, femme-mère, femme-enfant.

Une oppression millénaire ne pourrait survivre sans le consentement, à un moment donné, de la victime. Ainsi parvenons-nous à aimer notre infantilisme, à nous en nourrir afin de nourrir, à notre tour, les causes de notre sujétion. Transcender son existence devient la seule affaire des hommes.

La femme, parfois, se fabrique d'autres rôles, par des voies parallèles : le lit ou l'ombre. Courtisane, le pouvoir sans le savoir. Égérie, le savoir sans le pouvoir. Histoire de s'en attribuer une parcelle, de ce pouvoir masculin. Ou de croire qu'elle se l'attribue.

Aucune dialectique, aucune théorie philosophique classique ne rendent compte de cette problématique. Le maître et l'esclave, au sens où Hegel l'entend, ne représentent guère, dans notre histoire, l'Homme et la Femme. Spartacus ne s'écrira jamais au féminin, car aucune vie féministe, par son sacrifice, n'entraînera la libération des autres. Les enjeux, dans leur complexité contradictoire, impliquent d'autres formes de combat. Supprimer l'oppresseur revient à nier le problème, mais non à en trouver la solution.

Car *les* hommes sont *nos* hommes.

Toute notre difficulté tient dans l'usage de l'article ou du pronom. De défini/lointain, au possessif/commun. Sauf pour quelques minorités, infiniment respectables d'ailleurs. Nous aimons nos hommes, leur compagnie, leur corps, leur sexe. Nous aimons avec eux l'échange intellectuel, le jeu existentiel.

Et à travers ces chemins, nous voulons provoquer en eux un nouveau regard. Pour qu'il se pose autrement sur moi, femme, sujet, à part entière. Comme toi. Pour qu'il fasse son deuil des « *miroirs grossissants*[1] » que nous ne serons plus. Réfléchis, mon homme, à tes masques virils et à leur inconfort, certains jours, certaines nuits.

Dans l'amour, la femme se révèle plus vulnérable que son partenaire. Même si les hommes n'échappent pas à la dépendance amoureuse, pourquoi affecte-t-elle surtout les femmes ? Réponse générale impossible tant elle met en jeu les situations intériorisées et le vécu de chacune.

Très souvent, dans mon cabinet, à l'écoute de celles qui se disaient liées par l'inexorable à leur compagnon, je me prenais à inverser la situation, à rêver de réciprocité. L'Autre défini par l'Un qui se dit l'Un, quand l'Un peut devenir l'Autre, à son tour ? Chimère ! Femme objet ou femme féministe, nulle n'est sûre d'échapper à une forme d'aliénation. Que ce mal absolu soit le fruit d'une position dominante de l'homme dans la société, rien de plus certain. Tomber dans ces abysses constitue un risque bien moindre pour une femme indépendante que

1. Cf. Virginia Woolf.

pour la gardienne du foyer. Et se limite, le plus souvent, à un accident de parcours. Mais des données irrationnelles — la sexualité, par exemple — en compliquent l'étiologie.

Cette dépendance existe, je l'ai rencontrée. Mieux, ou pire, je l'ai vécue. Elle m'a creusée au silex, habitée quelque temps de ses brûlures, corps et esprit.

Dédoublement quasi schizophrénique des attitudes. Assurance, sérénité de la femme indépendante, pour le public. A l'intérieur, coupure de mon moi. Rationalité et succès à l'endroit, obsession, éclatement à l'envers.

Cet envers, il fallait le retourner, sous peine de déroute, de dislocation. Tout découdre, tout reprendre, tout remettre en place.

Recours classique, la psychanalyse.

Par orgueil, je m'y suis refusée. Je voulais me chercher, trouver mon moi en moi. M'enrichir. Seule et douloureuse. Atteindre le recul, apprendre.

Les outrances de l'ère zéro du féminisme répondaient à un besoin de la société. Mais elles ne pouvaient se prolonger au-delà du temps et de la démesure sans troubler notre propre histoire.

Ce désordre massif se révéla porteur d'autres désordres féconds. Mais exiger une *égalité totale, donc réductrice,* ajouta l'excès à l'excès.

La femme n'est pas l'homme et l'*un* n'est pas l'*autre.*

Pour grandes que soient nos conquêtes — droits, mœurs —, l'effacement entre les inégalités progresse surtout dans une élite sociale. Observation limitée, donc, et contestable. Pour la majorité des féministes, elle contredit une revendication fondamentale, à savoir la reconnaissance d'une *différence,* pierre de touche de notre identité.

L'égalité ne prend son sens humaniste/féministe que dans la suppression de la hiérarchie. Et non par la disparition de nos différences.

A cette condition, *la politique des différences* reste la seule morale. Un faux universalisme tente d'identifier progrès de la société et égalité (encore une fois, *réductrice*) des sexes. Imposture. Car le monde n'est pas androgyne et l'assimilation égalitaire de tous ne se ferait qu'au profit d'un seul modèle, celui de l'homme.

Dans la pratique, s'inspire-t-on du modèle féminin ? L'homme-épouse au foyer, l'homme-mère pélican ? La société moderne n'en compte que quelques échantillons. Spécimens rares, allant à contre-courant, qui suscitent l'ironie, sinon la réprobation. La ségrégation demeure, pour l'essentiel, avec la prédominance séculaire du rôle masculin.

Deux sociétés, donc, qui coexistent, inégales. Celle de l'homme, hégémonique. Celle de la femme, consciente d'être double, ambiguë, autre. Ses « valeurs » ? L'affirmation d'une identité, le privilège d'une oppression. Valeurs-défauts, valeurs-qualités, des différences nées en creux de son statut.

Les femmes possèdent une meilleure connaissance d'elles-mêmes, disait Sartre. Elles intériorisent davantage les situations, et avec plus de précision. Il préférait leur compagnie à celle des hommes. Paradoxalement plus libres, parce que opprimées, elles savent faire preuve d'irrespect. « Moins comiques » que les hommes, sclérosés dans leurs rôles, précisait-il[1].

Ces « plus », ces « moins », ces « autrement » féminins constituent-ils le fondement d'une *contre-*

1. Cf. *Simone de Beauvoir interroge Jean-Paul Sartre,* in revue *L'Arc*, n° 61, 1975.

culture ? Non. Mais ils élèvent le rempart de notre hétérogénéité *particulière* contre l'uniformisation hégémonique.

Quant à la passion, elle va son chemin têtu. Elle continue d'agiter de ses paroxysmes — un jour, un an, une vie — les hommes et les femmes, les hommes entre eux, les femmes aussi.

Elle ignore les fausses dialectiques, construites sur les ressemblances ou les différences.

La passion, ancrée dans les temps et les cultures, recouvre les individus de ses eaux vives, couleur de ciel ou d'encre. Bonheur ? Malheur ? Réponse : Question hors sujet.

Les prépuces

« S'il t'aime, qu'il te le prouve ! »

Fritna venait de prononcer l'excommunication de Claude-le-*Roumi*.

Jusqu'où peuvent aller les preuves d'amour ? Selon ma mère, qui veillait à l'intangible orthodoxie juive, jusqu'à la circoncision.

« Si Cocteau avait connu ta mère, il n'aurait pas parlé aussi imprudemment », plaisantait Claude[1].

Il gardait cependant son prépuce. Farouchement. Moi, je continuais de cohabiter avec les deux. Ma mère ignora l'existence de ce trio. Jusqu'au jour où naquit Emmanuel et où nous devînmes un quintette : Claude, notre fils, leurs deux prépuces de *goys* et moi.

Emmanuel vint au monde avec un léger strabisme et devait subir une opération quelques années plus tard. En attendant, ma mère, que l'« infirmité » désolait, se livra auprès de nous à une intense manœuvre d'intoxication. Manu, affirmait-elle, louchait par la faute du prépuce. Aussitôt qu'il en serait, selon le

1. « *Il n'y a pas d'amour, il y a des preuves d'amour* » : attribué, en réalité, à Pierre Reverdy par Jean Cocteau (Cf. *Secrets de beauté,* 1950).

rite, débarrassé, il récupérerait le parallélisme de ses yeux. C.Q.F.D. Tout le reste — ophtalmologie, chirurgie, médecine, progrès — n'était que science sans conscience (religieuse), donc vaine.

La peine de bannissement familial ne fut levée par la toute-puissante Fritna qu'après que Claude eut fait quelques actes de soumission à son culte.

Lorsque nous allions retrouver ma famille à Nice, Claude mettait le *kebbech*[1] et assistait à la prière du vendredi soir. Il accompagnait mon père à la synagogue, aux grandes occasions. Avec un plaisir évident. Il manifestait à Édouard de l'affection et, pour ce microcosme judéo-arabe, une curiosité de romancier.

Édouard avait toujours triché en religion.

A l'insu de Fortunée, il bouffait jambon et cochonnailles, s'enivrait de bordeaux non casher et faisait de nombreuses entorses aux rites du samedi. Ainsi, invoquant l'état de nécessité, il travaillait le jour du *shabbat* et faisait la synagogue buissonnière.

Il n'attachait donc pas une importance exagérée à l'existence ou à la disparition du prépuce de son gendre, mais enfin... : « C'est plus simple, ma chérie, dis-le-lui. »

Dire à Claude que son sexe ne devait pas dépareiller la série des phallus circoncis de la famille ! Nous en pouffions de rire.

Édouard prenait le problème avec bonne humeur. Ma sœur Gaby s'était mésalliée deux fois avec des *goys,* moi je divorçais d'avec un Juif pour un Parisien, né à Paris... et *goy.* Ses filles, des *maboula,* des foldingues. Mais il les aimait.

Il tenait aussi à sa paix conjugale.

1. Calotte dont les hommes juifs couvrent leur tête pour prier, et que les stricts pratiquants portent en permanence.

Le moindre incident sur l'interprétation de la Thora, avec Fritna, risquait de lui coûter cher : affrontements, cris, bouderies. Il rusait alors et, jouant l'indignation, en chœur avec l'épouse, répétait à ses filles : « *Ils* (vos époux, vos amants) ne mettront pas les pieds ici. »

C'est dire combien les prépuces de nos hommes respectifs nous furent, à toutes deux, à douleur et à scènes.

Vers la fin de sa vie, Édouard baignait dans le milieu juif tunisien rapatrié à Nice. Poussé par ma mère, ralenti dans ses activités, il se montra plus pratiquant. La maladie accentua sa bigoterie. Il sentait le terme proche. Ainsi Fortunée connut, quelques années avant la mort d'Édouard, une vraie lune de miel. A trois. Car Dieu Elhohim partageait la décision, la prière, l'intimité du vieux couple.

Dans la saga familiale, ma mère jouait le rôle du Commandeur. Elle ne savait ni lire ni écrire l'hébreu. Cependant, elle décidait du contenu de la loi religieuse. Avec une grande rigidité. Surcroît d'interdictions, de pénitences, d'ascèse, de tabous, toute une pratique où la superstition l'emportait sur la référence essentielle.

Enfants, nous suivions en renâclant. Adolescentes, Gaby et moi renvoyâmes tout ce bagage à l'expéditeur supposé, Jéhovah. Et devînmes de joyeuses agnostiques.

Fortunée vécut le destin exemplaire de son époque et de son milieu. Donnée en mariage à l'âge de seize ans. « Mariage d'amour », commente ma mère. Édouard-Dante l'avait aperçue dans une rue de El Ariana-Florence. Et Béatrice-Fortunée le fulgura de sa beauté. Enceinte tous les deux ans — « c'est ma nature, je suis réglée ainsi », se plaisait-elle à souligner, alternant maternités et avortements bricolés à la mode arabe —, elle incarnait pour moi la femme contradictoire que je ne voulais pas être. Femme au foyer, dépendante de l'homme, et mamma juive dominant la vie de toute la maisonnée.

Fortunée accroissait sans cesse son autorité avec l'habileté des Orientales. Par son silence, ses mines renfermées, ses appels à Dieu, elle l'emportait presque toujours sur Édouard.

Souvent coupable, il devint l'éternel culpabilisé. Il eut des aventures et ma mère — sainte femme à l'homme unique —, des velléités de séparation. Mais le milieu, la famille nombreuse, la religion ôtèrent tout sérieux à ces projets. L'attachement sans doute aussi. Car mes parents, trop frustes pour parler d'amour, trop pudiques pour en avoir le moindre geste en notre présence, finirent, le temps passant, par se souder l'un à l'autre.

Fortunée veillait à la dignité de la famille et rachetait Édouard, un peu clown, coureur et trop facilement familier.

Tous deux tombèrent d'accord, Claude Faux ne pouvait faire un gendre présentable. Pas juif et, de plus, fils de femme de ménage et d'ouvrier tourneur ! Pour ces humbles, une terrible mésalliance.

La présence de Claude auprès de Sartre jouait comme une circonstance aggravante. Sartre, un athée qui professait le droit pour chacun de tout faire, et manifestait une sympathie active pour les voyous, les délinquants... Et puis il payait son secrétaire d'un salaire de famine[1].

1. En réalité, Claude Faux, qui ne consacrait que quelques heures par jour au secrétariat de Sartre, était fort bien rétribué.

Non, décidément, Faux devait renoncer à entrer dans la famille.

Il ne renonça pas. Moi non plus. Nous vécûmes ensemble quelques années, puis nous nous mariâmes en 1961.

Bien qu'éprise de lui, j'avais rechigné à la vie commune. Et encore plus à ce mariage, dont je ne voyais guère la nécessité.

Je professais que le mariage n'apportait à la femme que des changements négatifs, une *capitis diminutio* en quelque sorte. L'absence d'égalité juridique des époux, la disparition de l'identité de la femme dans le nom du mari, le renforcement de la dépendance à l'égard de l'homme[1].

Claude y tenait. J'y consentis en me persuadant qu'avec mon autonomie économique, mon insertion professionnelle, notre engagement politique commun, et enfin nos âges (Claude est mon cadet de deux ans), je limitais sérieusement les risques.

Le 21 février, à la mairie du Xe arrondissement, avec comme témoins Louis Aragon et Jean Lurçat, nous posâmes sur le grand escalier de pierre, après la brève cérémonie, pour le photographe de quartier.

Comment avions-nous connu le peintre tapissier Jean Lurçat ? Je ne m'en souviens plus. Par un autre peintre, peut-être, le Turc Abidine. Ou par Dominique Eluard.

Nous allions lui rendre souvent visite Villa Seurat,

1. Les réformes intervenues depuis — droit et mœurs — modifient un peu le propos.

dans le XIVe arrondissement, tout près de la rue Marie-Rose, qui a gardé l'écho du pas de Lénine. Nous le rejoignîmes, en 1960, à Juan-les-Pins, pour quelques jours. Il avait loué, pour l'été, une villa prétentieuse et bruyante, tout au bord de la route.

Après la Grande Guerre, il fut, disait-on, follement amoureux d'une femme — la sienne —, qui mourut très jeune. Il en garda le souvenir blessé jusqu'à la fin de ses jours. Dans les années soixante, il épousa Simone, l'une de ses anciens agents de liaison pendant la Résistance, dans le Quercy. Ils s'étaient perdus de vue une quinzaine d'années, retrouvés, mariés.

Lurçat me portait intérêt et amitié, pour mon engagement dans la guerre d'Algérie. Il en parlait haut et fort, et malgré sa vieille fidélité communiste, il critiquait sévèrement la politique du Parti en cette matière.

Il savait être drôle, écrire des dédicaces insolites, rêver déjà d'un chant du monde. Coparrain de mon fils Emmanuel (avec Aragon), il lui offrit une lithographie représentant un centaure-stalactite tout en flammes bleues et en cris rouges. Il écrivit : « *Pour Emmanuel. Les Dieux sont comme les parrains. Chevelus, gueulards, hirsutes et solennels.* »

Aragon livra lui-même le cadeau de son filleul. Je me souviens encore du jour où il sonna chez moi, peu après mon accouchement. Il avait confectionné un paquet, papier kraft, grosse ficelle blanche. Il me le remit sur le pas de la porte, pressé, intimidé, se refusant à tout commentaire. « C'est pour Emmanuel », dit-il et il disparut dans l'escalier.

Un livre. Une très jolie édition, hors commerce, aux gris délicats, de son *Voyage en Hollande*. *« A Emmanuel, pour commencer sa bibliothèque avec une tulipe »,* avait écrit sur la première page, d'une belle écriture droite, le poète.

Comme cadeau de noces, Lurçat nous donna le carton des *Tridents de Neptune.* Nous le fîmes tisser à Aubusson. Il sortit du métier une belle tapisserie où poissons et soleils mêlaient leur joie de vivre.

« Comment faut-il l'éclairer, Jean, dites-moi ? » lui demandai-je, après l'avoir suspendue.

« Petite insolente, me répondit-il (il plaisantait à peine), tu ne vois pas que *ma* lumière suffit ? »

Je dis : Nous

Le maire, confus, regretta de découvrir la qualité de nos témoins exceptionnels le matin même : « J'aurais voulu préparer un petit discours », nous reprocha-t-il.

Après un déjeuner à *La Closerie des Lilas,* nous prîmes la route d'Angers. J'y découvris les tapisseries de l'*Apocalypse.* Claude me fut un tendre cicérone : « J'aimerais écrire quelque chose sur la tapisserie de Lurçat », me confiait-il. Et, en effet, il le fit [1].

De retour quelque trois jours plus tard, nous nous remîmes à l'affaire Boupacha.

Je dis « nous ». Pour restituer à notre vécu commun sa vérité. Couple engagé dans les mêmes combats, nous les menâmes ensemble.

Contre la guerre d'Algérie, ensemble, nous fûmes matraqués dans les manifestations et ensemble hospitalisés. Ensemble détenus au centre de tri de Beaujon, cette nuit du 18 novembre 1961 [2]. Libérés,

1. *Lurçat à haute voix* (Éd. Julliard, 1962).
2. Récit de Simone de Beauvoir (*La Force de l'âge,* Éd. Gallimard, 1963).

ensemble. Alors que les autres femmes, dans cette équivoque pseudo-humaniste, avaient toutes regagné leur domicile au fil des heures. Normal. Je m'étais mêlée aux risques pris par les hommes, je passai donc dans leur lot.

Il s'instaura entre Claude et moi une tendresse si forte que nous pouvions difficilement agir l'un sans l'autre. Nous nous consultions quelles que soient les circonstances, ou l'éloignement.

Dans les affaires purement politiques — procès de Burgos[1], Djamila Boupacha, réseau Jeanson, syndicalistes marocains, affaire Ben Barka —, Claude apporta sa dialectique marxiste, qu'il renforçait par l'expérience de ses origines prolétaires.

Nous nous disputions beaucoup, passionnément, et quelques soirs, à la folie. Je renâclais parfois devant la rigidité du raisonnement, les citations de Lénine ou Staline, et le grand-père mineur me pompait mon oxygène. Mais cette complicité, pétrie de discussions souvent violentes, nous enrichit au fil du temps.

Ensemble, nous crachions sur Guy Mollet, et la trahison du Front républicain. Mais les pouvoirs spéciaux, votés par le Parti communiste nous divisèrent. Il argumentait. La solidarité nécessaire, ne pas retomber dans le ghetto... J'eus souvent l'impression qu'il ne me prenait pas au sérieux : « Tu ne connais rien à la lutte collective (erreur)... à la discipline de parti (juste)... tu n'en fais qu'à ta tête (à moitié faux)... au fond tu es une individualiste (je me le demande). »

En réalité, nos échanges mûrissaient dans ce creuset tumultueux, d'où accouchait *notre* décision. Claude — mû par l'orgueil typique du mari — agis-

1. J'ai écrit le déroulement des débats dans *Le Procès de Burgos,* préface de Sartre (Éd. Gallimard, 1971).

sait quelquefois selon mes raisons, mais sans consentir à en reconnaître la justesse.

Ma vie avec lui coïncida avec des événements historiques auxquels nous nous mêlâmes à deux.

Je m'exposais. Je fus presque sans interruption menacée. Depuis la guerre d'Algérie, où je bradais un morceau de la France, jusqu'à la bataille féministe, où je bradais aussi (par l'avortement) la race blanche en danger d'extinction, en passant par les procès de viol où les accusés faisaient souvent jouer la solidarité du « milieu[1]. »

Claude évaluait, en ancien communiste, le sérieux des risques. Il ne me lâcha plus. Audiences, visites dans les prisons (à Djamila Boupacha, à Rennes et à Pau, où s'annonçait un commando), réunions publiques au cours desquelles, avec cette insouciance pour moi-même que j'ai décrite, je dénonçais les paras, donnais leurs noms, expliquais concrètement le système de la torture. Toujours, dans le fond de la salle, aux aguets, sa silhouette massive, sa chevelure tôt argentée, son constant va-et-vient de garde du corps.

Nos proches le plaisantaient : « Tu as vraiment peur qu'on te l'enlève... » Il ne répondait pas, mais, comme la veille, comme le lendemain, il se postait près des portes puis patrouillait aux alentours. Beaucoup le connaissaient en ignorant notre lien, tant Claude se faisait discret.

D'où certains intermèdes cocasses.

Dans un colloque international que *Choisir*[2] avait

1. Cf. *Viol. Le Procès d'Aix-en-Provence, op. cit.*

2. Mouvement féministe indépendant des partis politiques, fondé notamment par Simone de Beauvoir, Jean Rostand, Delphine Seyrig et moi-même, en 1971. Prit l'initiative du procès

organisé à l'Unesco, des femmes socialistes, se disant féministes, se promenaient dans les rangs. L'une d'entre elles — sénateur —, qui ne m'aimait guère, se précipita vers Claude, son camarade : « Dis donc, Halimi, elle arrive à avoir du monde... Angela Davis, Maria Soares, Ivan Illich. Comment elle fait, cette garce ? » Et, devant le silence amusé de son interlocuteur : « J'espère qu'elle se cassera la figure quand même !...

— Je crois qu'elle réussira », répondit Claude, sans autre commentaire.

Nous vivions de terribles bagarres. Vingt fois, nous nous retrouvâmes au bord du divorce.

Quand je m'entêtais contre son avis, j'en arrivais à des propos blessants, définitifs.

Comme tous les hommes, Claude découvrait la force des femmes, et s'obstinait pourtant à l'aplatir dans les schémas classiques : lutte des classes, rapport de forces parlementaires, appui des partis, des syndicats. Inconsciemment sans doute, il se comportait en conservateur des réseaux masculins.

Je décidai, après avoir reçu longuement les avorteuses et l'avortée du procès de Bobigny, de tenter un grand procès d'explication qui mettrait en accusation la loi répressive. Claude crut alors à une sorte de paranoïa. « Les prix Nobel, Monod, Jacob, Rostand, le professeur Milliez... Tu rêves, non !... Sans les partis, tu ne feras rien. »

de Bobigny pour la suppression de la loi répressive de 1920 sur l'avortement, fit modifier la législation contre le viol et, d'une manière générale, défend les droits et la dignité des femmes. *Choisir* participa aux Élections législatives de 1978 (« *Cent femmes pour les femmes* ») et organisa des colloques internationaux à l'Unesco (*Choisir de donner la vie,* 1979, et *Féminisme et socialismes,* 1984). Auteur également de nombreuses publications.

Je répondis à ses provocations avec une violence volontariste.

Il considérait nos affrontements comme un entraînement nécessaire. Le jour J, présent, discret, silencieux, il veillait à la bonne marche d'une opération à laquelle il se ralliait finalement.

Comment devint-il féministe ?

Sa formation politique, sa poésie éluardienne, son entourage féminin ne l'y prédisposaient guère.

Je crois qu'il fut d'abord un spectateur surpris, intéressé. Par ma vie, et la remise en question, par notre couple, des idées reçues. Il découvrit ainsi qu'à partir de stratégies nouvelles, pouvaient naître des changements de société. Superstructures ou non, les femmes n'acceptaient plus d'attendre de suivre, comme l'intendance, les grands bouleversements politiques et économiques décidés et réalisés par les seuls hommes.

Il fustigeait mon impatience. Mais, avec son intelligence profonde, il l'analysait, seul dans son bureau. Et il revenait, un sourire méphistophélique au coin des lèvres : « Voilà quelques idées pour ce que tu veux faire », et il me tendait des pages de sa belle écriture régulière, solide comme lui-même.

Je jetais un œil, je me cabrais : « Ouais... mais je ne dirai pas ça... »

En fait, à la barre, dans les meetings, dans des articles ou dans mes livres, je profitais de la matière triturée à deux, pour développer autrement certaines de mes initiatives.

Claude s'efforça d'être féministe dans la pratique quotidienne. Aussi.

D'une manière générale, l'accord entre une théorie et une vie constitue le plus grand défi de ceux qui veulent changer le monde. En politique, en philosophie, en masculin/féminin. Accompagner, aider une féministe dans ses choix reste encore, de nos jours, l'impossible pari d'un homme.

Il l'a tenu. Et a gagné. A moitié cependant. Dans la mesure où il m'entraîna dans son féminisme d'homme comme dans une évidence, et que j'en découvris plus tard les failles.

Il puisa, dans sa propre réflexion sur les femmes de demain et leur oppression d'hier, une force autonome, créatrice. Toutes les responsables de *Choisir* le connaissent ou l'ont connu. Presque toutes lui portent amitié et considération. Songez, le seul homme à participer concrètement à nos activités, à nos réunions de bureau, à tenter de trouver des fonds, à réaliser la maquette de notre journal. Monique, Martine, Michèle, Maria et quelques autres me l'enviaient : « Il est plus motivé que nous », constataient-elles parfois. Il poussait au travail, aux idées neuves.

Presque trop.

Et comme je ne pouvais pas tout assumer, se produisait l'éclatement. Les copines rentrées chez elles, il me balançait à la tête, en vrac, que nous étions « nulles », qu'il ne se mêlerait plus de ce « mouvement minable », que nous, pauvres femmes, avions un long chemin à parcourir pour apprendre l'efficacité, que les hommes resteraient — et c'était justice — encore des siècles aux commandes.

Jusqu'au lendemain où, précis et ponctuel, il s'assurait du bon déroulement des travaux.

Mais, dans les scènes, nous nous étions tout jeté à la figure. Et moi, la première, je concluais définitivement que né machiste, il mourrait machiste.

En vérité, il éprouvait toutes les contradictions de sa condition.

Le monde qui l'entourait lui renvoyait l'image du couple traditionnel, dans lequel règne le personnage socialement existant, le mari.

Mes chemins, avant lui, ne me prédisposaient pas à être la dame souriante et accompagnante du monsieur important. Notre rencontre, loin de me contraindre à un alignement classique, m'ouvrit plus grandes les portes de ma liberté. Elle nourrit davantage ma réflexion et facilita mes engagements.

Je conterai plus tard ce que furent mes enquêtes au Viêt-nam et aux États-Unis pour le Tribunal Russell[1], mes campagnes électorales de 1967 pour la F.G.D.S.[2], de 1978 pour *Choisir, « Cent femmes pour les femmes »*, et celle, enfin, de 1981 dans l'Isère qui me permit, parisienne féministe parachutée à Voiron, d'être (bien) élue députée.

Ces périodes folles et inextricables, Claude les assuma à part entière. Non pas en attendant que passe le délire, mais en l'organisant, en le canalisant pour le rendre fécond, en l'irriguant de son extraordinaire faculté de se projeter — et avec lui les autres hommes — loin en avant.

Je pense qu'il en a tiré lui-même un profit essentiel, gagné une transformation sensible et forte, hors les sentiers rebattus. Mais vivre de plain-pied la grande mouvance des nouvelles femmes, et avec l'une de ces femmes, lui aura valu, d'évidence, une expérience difficile.

Pas toujours au-dessus de tout soupçon (de misogynie), Claude Faux.

1. *Tribunal Russell, Stockholm, Copenhague, nov. 1966-déc. 1967* (Éd. Gallimard, coll. « Idées », 2 vol., 1967-1968).

2. Fédération de la gauche démocratique et socialiste.

Certains soirs, quand nous nous épuisions en discussions — enfants, argent, choix politiques, jalousies, le bazar des nerfs qui craquent —, il me lançait au visage : « Tu agis comme les mecs que tu combats. Vous n'êtes pas mûres pour vivre en couples, vous, les féministes. Ciao ! je me barre. »

Il ne se barrait pas, mais — bien pire — me présentait la note : l'aide qu'il m'apportait et ce qu'il endurait comme époux de Gisèle Halimi.

Cet intermède m'exaspérait et je jurais que, dès l'aube, je déposerais ma requête de divorce.

Mais comme *nobody* (même féministe) *is perfect,* nous repartions, ressoudés, pour la tâche du lendemain.

Sartre avouait qu'il se pensait machiste en tant qu'individu. Comme une caractéristique particulière et non pas liée à sa condition de mâle. Pour lui, l'impérialisme de l'homme n'était qu'affaire de personne.

Claude, au contraire, prit facilement conscience de l'oppression globale des femmes. En théorie. Pour vivre avec moi, il lui fallut passer aux actes. Entreprise dangereuse, encore aujourd'hui, presque toujours vouée à l'échec. D'où ses ruades, ce comportement en zigzag, ces soubresauts par moments sadomasochistes.

Si l'amour se définit à travers la réussite d'une vie commune, avec ses combats, ses émotions, ses affrontements, je dirais volontiers que Claude et moi, nous nous sommes infiniment aimés.

L'un et l'autre, nous vécûmes, comme Sartre et

Simone de Beauvoir, des amours contingentes. Elles nous ballottèrent, nous donnèrent des bleus au cœur, nous amenèrent cent fois au bord de la rupture. A la différence de ce couple-mythe qu'ils furent.

Difficile de s'aimer, même « très intelligemment » et d'accepter avec sérénité de ne plus être l'unique.

Sartre n'a peut-être pas connu la jalousie. Mais l'amour — au sens commun du terme — ne fut pas sa grande affaire.

Au contraire, il arrivait à Simone de Beauvoir de lui manifester son agacement de femme. Avec les mots et les gestes des autres femmes.

Il me souvient d'un voyage à Bruxelles où je les accompagnais. Sartre allait y prononcer une conférence devant le jeune barreau. Par les hasards du voisinage de chambres d'hôtel, j'entendis mon couple idéal se disputer. Sartre voulait rejoindre ce soir-là une autre personne. Le Castor le lui reprochait avec véhémence et lui demandait d'y renoncer. Je crois qu'ils parvinrent finalement à un compromis, mais, comme tous les couples du monde, ils durent traverser l'orage.

Je découvris ainsi que Sartre et Beauvoir connaissaient dans leurs « relations extra-couple » quelques difficultés. Même eux. Cela me rassura. Comme je fus réconfortée quand j'appris les mille et un mensonges — petits ou grands, mais toujours pieux — auxquels les « femmes » de Sartre le contraignaient.

Il ne voulait peiner personne.

Et surtout retrouver très vite sa plume, toutes affaires d'amour cessantes.

Emmanuel

Claude voulait un enfant.

Le troisième pour moi, ce qui me paraissait superflu.

J'avais mis au monde Jean-Yves pour vivre la plus parfaite des aventures d'une femme, la maternité : exercer un pouvoir sur son corps, se dédoubler et rester unique, se multiplier, faire, du désir de vie, la vie.

Je me sentais alors mûre pour jouer de ma liberté dans une autre situation. Pour la dépasser par une autre liberté.

Être mère signifiait pour moi aller jusqu'au bout de moi-même, biologiquement, mais surtout m'inventer, dans de nouveaux rapports à autrui. Ce projet, je le ressentais chargé d'une nouvelle responsabilité, d'une affectivité différente.

J'ai raconté le bonheur que m'apporta ma première grossesse[1].

Un éveil passionné, une découverte tous azimuts, le corps, l'intelligence, l'amour. Attentive à moi, attentive à ce qui, en moi, me transformait. Je notais avec une minutie scrupuleuse les émois, les craintes, les malaises de ces neuf mois. J'agrémentais ce jour-

1. Cf. *La Cause des femmes, op. cit.*

nal de considérations générales sur la justice, le sous-développement des pays colonisés, la musique (dont je me nourrissais particulièrement à cette époque).

Je repassai à ce nouveau crible mes connaissances, pour me vérifier de nouveau, dans cette approche. Étais-je la même ? Une autre ? En mieux ou en pire ?

Je continuai de plaider et j'appréhendais les causes de la même manière, mais avec une relativité plus joyeuse, me sembla-t-il.

Bref, je vécus une période parfaitement nombrilique. A cette différence près, que je me dépassais vers l'autre vie. Et fabriquais ainsi la maternité telle qu'en elle-même... un mélange de narcissisme et d'abnégation.

Je voulus un deuxième enfant, dans l'espoir d'avoir une fille. Histoire d'essayer mes théories, de voir naître et grandir une femme pas comme les autres, « inventée » par une féministe. Kamoun arriva. Il fit mon bonheur par son acuité intellectuelle et sa tendresse toujours recommencée.

Claude partagea cette responsabilité avec moi, dans la plus parfaite équité. Peut-être même représenta-t-il pour mes fils, en l'absence du père, l'élément stable, la présence. Plus que moi-même, sans doute, qui courais les procès d'Algérie, les meetings politiques, la guerre du Viêt-nam, les manifestations féministes.

Ni préméditée, ni enseignée, mes fils vécurent l'interchangeabilité des rôles. L'homme ou la femme à la cuisine, la femme ou l'homme comptable de l'honneur, de la liberté, de la vie d'un accusé.

« Comment as-tu élevé tes enfants ? demandait Édouard, souvent avec malice.

— Je ne les ai pas élevés du tout. » Ma vie, en effet, ne me permit que de « donner à voir » une pratique, et de l'expliquer, à l'occasion, avant qu'ils n'accèdent au temps des livres. Mais rarement de jouer à la pédagogue.

Je craignais la charge supplémentaire d'un troisième enfant, près de dix ans après la naissance du second.

La guerre d'Algérie avait pris fin. Je me sentais avide de réflexion, peut-être même d'écriture, bien qu'il me tînt à cœur de participer, de continuer d'agir. Pour les femmes surtout, Nous devions nous battre, nous soutenir, avancer.

Je tergiversai près de quatre années. Mon âge accroissait mon indécision. Trente-sept ans, des voyages en avion, une santé médiocre.

Donner la vie m'apparaissait, à ce moment, force et dérision.

Contrairement à mes autres grossesses, je me divisai. Je ressentis pour la première fois qu'en procréant, je pourvoyais la mort. Que le malheur, la maladie, la vieillesse, j'en octroyais une part inéluctable, une fois le cordon coupé.

La mort ne m'intéressait guère. Seuls comptaient pour moi les défis à lui opposer, les moyens de la survie. Je ne croyais pas davantage au sacré de l'humanité, au fil qui la relie à la matière, au cosmos. A ce qui fait la croyance au Tout quand disparaît celle en Dieu.

Mon optimisme relevait d'une grande et bizarre simplicité. A l'absurdité de la mort, j'opposais l'absurdité de continuer le monde.

Les femmes, privilégiées par cette dialectique, récupèrent ainsi un pouvoir particulier. Cela explique-t-il que l'angoisse, les spéculations sur ce thème soient essentiellement masculines ?

Emmanuel (j'avais, une fois de plus, rêvé d'une Emmanuelle) naquit le 16 mai 1964. Il vint au monde avec une telle douceur, que je bavardais avec mon ami gynéco, le docteur Vellay, pendant l'accouchement[1]. Il eut autant de biberons donnés par sa mère que par son père... ou par l'étudiante au pair.

Emmanuel, le petit dernier, doux et potelé, Manu, éclaira ma maturité de femme. De fulgurances et d'émotions neuves. Ni Jean-Yves, ni Kamoun ne m'avaient contrainte ainsi à analyser mes élans et mes peurs.

Manu, je l'appelle aussi *Fostoc* (Pistache).

1. Par la méthode psychoprophylactique (dite « sans douleur »), une expérience unique de maîtrise de soi et de connaissance de ses propres forces.

SARTRIENNES

Le Castor

26 septembre 1958. La salle de distribution des prix d'une école, rue d'Alésia.

Deux mille à deux mille cinq cents personnes, à l'intérieur et dehors, sous le préau. Sur l'estrade, les orateurs.

Thème de la soirée : « *Non* » au référendum de De Gaulle, seule réponse républicaine et de gauche. Nous l'expliquons à tour de rôle. Les communistes, nombreux, jouent la discrétion et ne s'affichent guère. Ils ont laissé la place à leurs compagnons de cette route, la démocratie contre les colonels.

Nous avons été recrutés dans tous les milieux. Des comédiens, Yves Robert et Danièle Delorme, des écrivains, Jean-Paul Sartre et Simone de Beauvoir, des avocats, Pierre Stibbe, Jacques Mercier, gaulliste repenti.

Vieux dreyfusards, jeunes étudiants, femmes du quartier, enfants se pressent sur les bancs de l'école. Ils manifestent bruyamment leur appui. « *On les aura !* », « *Bravo !* », « *L'armée dans les casernes !* » Ils applaudissent, interviennent, se dressent, se rassoient. Atmosphère joyeuse des grands meetings. La barrière entre micro et public, effacée. Le fascisme ne passera pas. Nous le tuerons dans l'œuf, dans l'Alger des factieux.

Ce soir-là, j'ai cru au miracle.

Malgré les pronostics les plus sombres — le « *Oui* » l'emporterait, mais avec quel score ? —, une telle ferveur, faite de mille forces convergentes, ne pouvait que triompher.

Chaque orateur se lève, parle, regagne sa chaise. Pour tous, pour toutes, les mêmes ovations, à l'arrivée devant le micro et le discours terminé. Pour ma part, je refais, en plus court, le numéro de la veille, au Palais des sports de Toulouse, et de l'avant-veille à Fontenay-aux-Roses.

Depuis mon retour d'Alger, je me laissais promener dans toute la France, précédée par une affiche racoleuse, « *Prisonnière des paras* ». Sous mon nom et ma photo, ces mots : « *J'ai vu le visage hideux du fascisme.* » Je racontais le Forum du 13 mai et Alleg (indispensable dans les réunions communistes), le *Kairouan* et l'arrestation, le Casino de la Corniche, Aïn Taya. Et surtout le téléguidage gaulliste de Paris, avec Delbecque, Neuwirth et tant d'autres.

Ce soir, Sartre et Simone de Beauvoir sont là. Tout devient différent. Je les connais de toute mon intelligence, de tout mon cœur, de tous leurs livres. Mais je ne les ai encore jamais rencontrés.

Je l'ai vue entrer, elle, la libératrice, l'exemple, *Le Deuxième Sexe* et *Les Mandarins.* Avec son chignon, sa démarche un peu lourde, en compagnie de Sartre. Nous échangeons sur l'estrade quelques mots. Je la regarde, je la regarde... Dans ses yeux bouge l'insatiable curiosité de son époque. Je lui dis combien elle est importante pour moi, pour les femmes de ma génération. Elle me parle avec une simplicité naturelle. Elle me dit admirer en moi une jeune femme active et engagée. Je bafouille de confusion, de plaisir.

« Nous devons déjeuner ensemble », décide-t-elle.

Quatre jours plus tard, elle m'appelle. Rendez-vous est pris à *La Coupole.*

Je la regarde encore, éblouie. Là, devant moi, pour moi seule, Simone de Beauvoir. Même en rêve, je n'avais pas imaginé un tel jour !

Mille questions à lui poser : l'action des femmes, le couple impossible, leur culpabilité de mères. Je fais le point dans ma tête, ne rien oublier surtout, connaître ses chemins, percer le secret de sa souveraineté.

Très vite, elle me met à l'aise. Par son incomparable faculté d'être vraie, à tous moments. Pour commander un steak ou pour combattre le gaullisme. Elle parle de cette voix unique, sans apprêt, presque rugueuse. Elle m'interroge sur mon métier, sur l'Algérie. Je me laisse aller, je me raconte. Comme, sans doute, jamais auparavant. Avec passion, avec ferveur. Je tremble presque de sentir cette communion entre nous deux, femmes, presque parfaite.

A travers ma propre expérience, j'aborde avec elle — *elle,* Simone de Beauvoir... songez ! — l'essentiel de notre condition. Un privilège qui me fait me sentir autre.

Je ne remarque pas, d'emblée, la précision excessive d'une question, la recherche quasi technique du détail, et même le classement méticuleux de certaines données.

« Mes fils, un bonheur, un problème... Je les veux avec moi, dans ma vie. Mais la vie que je veux, j'ai peur qu'elle ne leur fasse mal... »

Elle coupe.

Plus tard, j'évoque mon couple avec Claude, qui traverse une zone de turbulences.

Elle coupe de nouveau et, sans transition : « Qu'est-ce que vous plaidez, en ce moment ? »

Fait *personnel* égale fait *politique.*

Cette découverte des mouvements de femmes explique la dépendance de chacune par la condition de toutes. Et inversement. Conséquence : une démarche globale, analyse et combat. Mais nécessairement précédée par l'écoute des données d'une vie. Avec, malgré tout, son affectivité et ses truquages psychologiques. La sororité l'exige. Le changement aussi.

J'adhérais, dans ses grandes lignes, à la morale sartrienne. Je me savais libre. Dieu n'existait pas et si, comme le dit l'un des personnages de Sartre, dans *Les Séquestrés d'Altona*, « *c'est même parfois bien embêtant* », certains jours, cette absence m'enivrait de ma responsabilité.

Mes rapports avec le monde, je les assumais comme des choix. Ils m'échappaient parfois ou me blessaient : il m'incombait de m'en arranger. Ni victime ni *agie,* mais toujours en proie à l'ajustement d'une vie et de ses contradictions. Si je ne les surmontais pas, il me fallait les contourner. On ne naît pas victime, on le devient.

Ce branle-bas méritait bien quelque émotion. Dans le sujet, et dans ses relations avec autrui.

Dès notre première rencontre, je trouvai en Simone de Beauvoir l'une de mes références essentielles. Pourtant, sans pouvoir me l'expliquer, je ressentais un manque. J'attendais une sœur de combat, je découvrais de plus en plus une entomologiste.

Les horaires, les sommaires, les rythmes mêmes de nos rencontres se trouvaient programmés.

Ainsi, elle décida de consacrer l'un de nos déjeuners — elle choisit un restaurant chinois — à un scénario qu'elle écrivait pour Cayatte. Un film sur le divorce. Castor m'interviewa sur la procédure, la tentative de conciliation, les réactions de l'homme, de la femme devant les juges, entre eux. Je lui racontai l'angoisse de certaines femmes à la veille de l'audience de conciliation. « Elles m'appellent pour me demander comment s'habiller, se maquiller. Ou si elles doivent s'en abstenir — ça fait plus "honnête", disent-elles —, s'il faut utiliser telle phrase ou telle autre... pour les enfants. »

Cayatte souhaitait tourner deux films. Dans l'un, le mari se raconterait, dans l'autre, la femme. Je n'étais pas favorable à ce procédé. La vie conjugale ne vaut que dans sa vision double du même événement, de l'interprétation que chaque époux en donne. Un couple ne rend vraiment compte de son parcours que par le relief de ses deux regards.

Simone de Beauvoir, après plusieurs tentatives, partagea cet avis. Mais Cayatte accueillit mal ses objections et renonça à sa collaboration [1].

J'essayais, parfois, de la dissiper, de faire un trou dans l'organisation.

« Vous connaissez le dernier bruit sur X ?

— Non, disait-elle alléchée, racontez... oui, cancanons un peu, voulez-vous ? »

Elle riait, gesticulait joyeusement, puis s'arrêtait net. Temps du cancan écoulé. Récréation terminée. Retour au thème prévu.

1. Il fit ses deux films, *Jean-Marc* et *Françoise,* sous un même titre : *La Vie conjugale* (1964).

Elle n'aimait guère parler de son écriture et montrait un recul assez rare à l'égard de ses livres. Sans fausse modestie comme sans vanité (cette chose du monde la mieux partagée entre les intellectuels).

Un jour que je lui avouais le grand plaisir que j'avais eu à lire *Les Mandarins,* elle rétorqua, avec un humour involontaire : « Oui... Ils lui ont donné le Goncourt. Mais il ne faut rien exagérer, ce n'est pas un si mauvais livre, après tout ! »

Avec *Le Deuxième Sexe,* Simone de Beauvoir se comportait (un peu) autrement. Elle considérait son livre comme important et juste. Trente ou trente-cinq ans après sa publication, elle en revendiquait toujours l'actualité : « A quelques détails près, je le réécrirais. »

En parlant d'elle, elle dépassa sa propre condition. Pour notre plus grand profit. Elle nous jetait à la figure ce tableau-constat qui nous obligeait toutes, comme après une déclaration de guerre, à réfléchir et à prendre parti. Un document exhaustif et, en même temps, un instrument irremplaçable de lutte. Une philosophie de notre sexe, dégagée par la première femme philosophe de notre histoire. Une analyse au scalpel de la condition féminine, mettant en accusation cette « *civilisation qui élabore ce produit intermédiaire entre le mâle et le castrat, qu'on qualifie de féminin*[1] ».

La grande aventure du féminisme avait trouvé ses bases théoriques. Il restait à en inventer les luttes.

1. Cf. *Le Deuxième Sexe,* II, 1.

Venant d'où je venais, escortée de rabbins dans un pays d'islam, plongeant dans les tabous de la virginité, de la fécondité, de la maternité, je reçus la dénonciation de ces mythes comme le miracle de mon identité révélée.

On m'avait volé la mienne, menti, fabriqué un imaginaire. Je découvrais mon existence, comme un sujet libre, transcendant mon avenir, mes projets. Plus jamais je ne serais dépossédée de moi-même. L'homme, le pacha, je l'avais remis à sa vraie place. Il ne serait plus le maître, l'essentiel, et moi, l'autre, l'objet.

Je relus d'un autre œil les poètes dont les hymnes à la femme m'avaient ensorcelée, emportée vers la dépendance amoureuse. Le mystère féminin, mes épaules de champagne, moi toute nue, lui tel qu'il a vécu[1]... Quel galimatias ! Je revendiquais ma mémoire, mon passé. Je cessai d'être invisible pour moi-même, engluée, comme toutes les femmes, dans l'histoire des hommes.

A spécificité d'oppression, spécificité de luttes. Autonomie, quelquefois. Sur ce point, je manifestais — et manifeste toujours — des réticences à l'égard du socialisme.

Simone de Beauvoir hésitait encore à aller, sur le terrain, vérifier sa théorie : la solution politique coïncidait-elle avec la solution féministe ?

Vers la fin de l'année 1970, elle participa à des réunions de femmes du M.L.F. Elle se mêla à des actions féministes indépendantes des partis et de leurs stratégies, parfois — même souvent — condamnées par eux.

Avec le *Manifeste des 343*[2], dont elle fut la plus illustre signataire, elle prit résolument le tournant.

1. Cf. Paul Eluard : « *Nous deux toi toute nue/moi tel que j'ai vécu* » (in *Poésie ininterrompue,* 1946).

2. Cf. *supra*, p. 117 et sq.

J'ai raconté[1] comment le Castor m'éblouit par sa promptitude à défendre Djamila Boupacha, à écrire séance tenante une « Tribune libre » dans *Le Monde*[2] qui dénonça le scandale, à accepter d'emblée, enfin, la responsabilité et la présidence du Comité de défense. Mais je découvrais, en même temps, son refus de toute approche sensible du problème. Elle considérait Djamila comme une victime parmi des milliers, un « cas » utile pour mener la bataille contre la torture et la guerre. Je souhaitais, au contraire, restituer un peu d'humanité au déchirement politique, faire vivre, pour l'opinion publique, Djamila comme je l'avais vue dans sa prison. Une jeune musulmane violée par les paras, brûlée, meurtrie. Encore hébétée par son séjour dans le monde de la barbarie et par la menace d'une condamnation à mort.

24 juin 1960. Conférence de presse du Comité pour Djamila Boupacha.

Simone de Beauvoir préside. Elle résume les faits. Comme d'habitude, une voix sans effet oratoire, toujours un peu rauque.

Au tour de Bianca Lamblin. Elle tient la lettre du père de Djamila, lui aussi torturé, écrite dans un français phonétique. Elle commence à lire. Mais, peu à peu, sa voix se casse. Description du supplice de l'eau, des électrodes... un vieillard si digne et si fier, surnommé *El Cheick,* le seigneur. Bianca fait des efforts, essaye de poursuivre : « *J'ai été bien soigné par les médecins de France. Vive la France et la justice.* » Elle éclate d'un grand sanglot et s'interrompt.

1. Cf. *Djamila Boupacha, op. cit.*
2. 3 juin 1960 (saisi à Alger).

Je regarde fixement le mur pour rester impassible. J'ai beau connaître par cœur les faits, les victimes, la lettre, je ne m'y habitue pas. Les journalistes retiennent leur souffle, ils n'écrivent plus, pas de notes, inutile ! Comment transcrire ces mots, ce sang, cette confiance mystique, irréelle en la France ?

Simone de Beauvoir arrache alors la feuille des mains de Bianca Lamblin. Brutalement. Et en continue elle-même la lecture. Contrariée par cette défaillance et comme pour conjurer toute émotion, elle prend un ton plus sec encore et termine le récit.

« C'est ridicule... pourquoi Bianca s'est-elle mise à pleurer ? » me dit-elle, visiblement mécontente, à la fin de la réunion.

Plus tard, Castor et moi nous heurtâmes sur une certaine conception de la raison d'État.

Le 21 avril 1962, Djamila Boupacha sortit de prison. Accords d'Évian, amnistie, libérations massives des détenus algériens...

Claude Faux, qui avait pris en charge, à part entière avec moi, cette aventure politique (et les autres aussi), conduit. Nous filons vers Rennes, où Djamila est détenue.

Devant la porte, un attroupement discret.

J'entre. J'accompagne Djamila, radieuse, au greffe. Formalités de levée d'écrou. A la sortie, des femmes l'embrassent, des hommes lui serrent la main.

L'un d'eux, les larmes aux yeux, lui souffle : « Pardon, pardon pour ce que nous vous avons fait. »

Une femme, pauvrement vêtue, lui met dans le creux de la main, avec un « chut » appuyé, un billet de cent francs.

Nous partons. Claude toujours au volant. Le directeur de la prison a demandé une escorte de gendarmes : deux motards nous ouvrent la voie.

Djamila s'installe chez nous.

La première nuit de liberté, nous la passons à rêver éveillés, tous les trois, de son avenir : « Je ne veux pas rentrer en Algérie maintenant, affirme-t-elle, les *frères* vont me remettre à ma vie de femme de là-bas. »

Je proteste : « Tu exagères, toi et d'autres femmes algériennes, vous avez fait vos preuves.

— Tu dois prendre des responsabilités, maintenant, dans ton pays », insiste Claude, en ancien communiste, marqué par le sens de l'action politique continue.

Djamila s'entête : « Je n'en aurai aucune. Pas une femme ne fera partie du gouvernement, vous verrez. Pas une ne partagera le pouvoir avec les *frères*. De toute manière, je dois poursuivre mes études, apprendre davantage. » Elle ajoute : « A Alger, ce ne sera pas possible. » Et, en ébauchant un rire : « Maintenant, vous savez tout, et je suis libre ! »

Le lendemain, nous l'emmenons chez des amis, à la campagne. A une centaine de kilomètres de Paris. Silencieuse, absente, elle triture des brins d'herbe, regarde étonnée la lumière de ce printemps.

Lundi matin, les ennuis commencent.

Au téléphone, la voix d'un *frère*. Il demande Djamila. Elle répond. En arabe, sa voix semble plus basse, plus grave. « Les *frères* veulent que je les rejoigne à Paris. Pour m'embarquer pour l'Algérie. » Tendue, elle refuse : « Non, je n'irai pas. » Puis, à Claude : « Tu me défendras, non ? Vous me gardez chez vous ? vous voulez ? »

L'épreuve de force entre dans sa phase décisive quelque vingt-quatre heures plus tard.

Un avocat algérien du F.L.N. appelle. Il veut parler à Claude. Pour être sa consœur, je n'en suis pas moins femme. Et les affaires sérieuses se débattent entre hommes. D'ailleurs il menace : « C'est un ordre de la Fédération de France, nous voulons Djamila, sinon nous viendrons la chercher... Tu sais, on ne plaisante pas... avec des flingues, s'il le faut ! »

A distance, j'entends la voix qui se veut intimidante. Claude essaye de calmer le jeu : « Écoute, elle-même a décidé de rester, elle veut étudier. Donnez-lui un peu de temps. »

Peine perdue. Je prends l'écouteur. Le ton monte. Je raccroche abruptement quand j'entends ce confrère — *frère* des mêmes causes — m'assurer que, dans deux heures, « *ils* » seront là et que ça peut faire « un carnage », dans la maison.

Tant de solidarité effective, de risques partagés, d'amitiés difficiles, ces années de sang et d'angoisse vécues, aux côtés des militants, pour l'Algérie indépendante, rien, il n'en reste rien ! Des Algériens sont prêts à nous abattre. Peut-être enverront-ils pour le faire ceux-là mêmes que j'ai défendus.

Pour nous en convaincre, le mandataire-des-liquidations-physiques avait évoqué les noms de quelques récalcitrants exécutés. Messalistes qui combattaient, frontistes qui discutaient...

« Si tout ça compromettait la lutte, je comprendrais, dit Claude (relents de son passé stalinien), mais la guerre est finie... Alors, pourquoi ? »

Ces deux ou trois jours, Djamila sort peu. Heureuse de jouer à la maman avec Jean-Yves et Kamoun et d'avoir de longues conversations avec Claude, son interlocuteur préféré. L'Algérie de demain, les études, les femmes, avoir des enfants... nous sommes intarissables.

Djamila a minci, elle garde ses longs cheveux et son profil de Crétoise. Par moments, de ses yeux coulent plusieurs regards, celui de la blessure et celui de l'espoir. Un peu comme dans le portrait que Picasso a fait d'elle[1].

Entre-temps Simone de Beauvoir, qui ne la connaît pas, appelle encore. Rendez-vous est fixé pour un déjeuner à trois, le surlendemain. Djamila prend l'appareil et, timidement, lui dit quelques mots de remerciement. Elle raccroche, vaguement déçue. La tendre héroïne ressent le ton neutre de certains intellectuels comme une marque de froideur.

La Cimade[2], organisation protestante qui a souvent manifesté sa sympathie pour la cause algérienne, souhaite voir Djamila. A son siège, à Paris. Rien qu'une demi-heure, puis elle reviendra avec nous, l'assurance nous en est donnée.

Nous l'accompagnons. De petits bureaux sombres autour d'une entrée. Salle d'attente. Djamila entre dans l'un des bureaux en compagnie d'un responsable.

Nous ne la reverrons plus[3].

Enlevée, séquestrée par les *frères* de la Fédération dans un appartement H.L.M. de la banlieue parisienne pendant plusieurs jours. Puis mise dans un avion, sous bonne garde. Destination : Alger.

Pour le F.L.N. d'après les combats, mission accomplie.

Le soir même, j'alerte le Castor et lui conte l'épreuve de force et l'enlèvement de Djamila. Elle

1. Portrait signé (8-12-1961), reproduit sur la jaquette et en frontispice du livre *Djamila Boupacha, op. cit.*

2. Comité intermouvement auprès des évacués.

3. Je n'ai retrouvé Djamila que plusieurs mois plus tard, à Alger. Elle avait épousé un jeune maquisard. Elle occupait un poste de secrétaire, au ministère du Travail.

ne condamne ni ne s'indigne. Elle savait déjà. Le F.L.N. usait de son droit : « Vous avez été imprudente, Gisèle », me dit-elle. Je n'avais pas, nous n'avions pas, nous Français, à intervenir pour une Algérienne indépendante.

Je tente d'expliquer les projets de Djamila. Et puis, la raison d'État, qu'elle soit du F.L.N. ou la nôtre, nous avions coutume d'en discuter. Sinon même de la rejeter par principe.

« Nous déjeunons demain comme prévu. » Castor met fin à l'entretien.

Que nous ne reprîmes jamais.

Un communiqué diffusé à Tunis, émanant de la Fédération de France du F.L.N., dénonçait, quelques jours plus tard, « *l'opération publicitaire tentée, à des fins personnelles, par l'avocate Gisèle Halimi, à propos de la sœur Djamila Boupacha*[1] ».

Je ne répondis pas.

Cette révolution naissait déjà lourde des perversions des autres. Avec la complicité d'intellectuels aux mains propres et aux complexes « blancs ».

Simone de Beauvoir présida au combat pour Djamila. Elle ne la rencontra jamais.

N'avait-elle pas préféré l'intelligence de la bataille à l'enjeu de la personne ?

« Vous n'avez même pas pu l'embrasser, lui dis-je.

— Ce n'est pas grave », répondit-elle, surprise.

Il n'empêche qu'à chaque occasion — Tribunal Russell contre les crimes de guerre au Viêt-nam, dictature des colonels grecs, batailles féministes —, je me retrouvais intacte dans ma ferveur pour elle, et à ses côtés.

1. *Le Monde,* 3 mai 1962.

Mais quand l'émotion risquait de poindre, Castor se barricadait. Toujours. Comme pour conjurer une faiblesse coupable, une faute dans la lutte, une faille du comportement.

Marie-Claire Chevalier, seize ans, accusée de s'être fait avorter, est jugée, à huis clos, devant le Tribunal pour enfants de Bobigny[1].

Acquittée.

Bonheur de l'avocate. Le même, pour la première, comme pour la millième défense. Succès sur l'engrenage, sur l'aléa des atmosphères d'audience, sur la loi, quelquefois. La machine inégale a été forcée. La voix, la vie de l'accusée ont pu se faire entendre.

Cette gosse s'en était tiré, je l'aimais bien, je lui voulais un avenir qui compenserait l'épreuve.

J'appelle Simone de Beauvoir. Comme convenu, elle attend chez elle le verdict. Je crie victoire.

« Merde ! dit-elle sobrement, j'ai déjà écrit mon article. » *L'Observateur* attendait en effet son commentaire qu'elle avait intitulé : « *Après la condamnation de Marie-Claire* ». « Le pouvoir magouille, il veut casser notre mouvement, c'est très suspect cet acquittement. »

Ses réticences me troublent. Faut-il des martyrs ? Je ne sais pas en fabriquer. Des dossiers, émergent toujours un regard, une souffrance, un projet individuel. Pour barrer la route à sa mauvaise humeur, j'évoque le vrai procès. Le procès politique, public où, dans une vingtaine de jours, doivent comparaître Michèle Chevalier, la mère de Marie-Claire, et ses

1. 11 octobre 1972. Cf. *Avortement : une loi en procès. L'Affaire de Bobigny, op. cit.*, p. 17-26.

trois complices. Fanfaronnant un peu, j'affirme : « Nous en ferons le procès de la loi, vous verrez »...

J'ai raconté cette Assemblée générale[1] de *Choisir* à laquelle d'autres groupes — trotskistes, M.L.F. — participaient en force.

Par une sorte d'aberration démocratique, j'avais voulu en faire la réunion de préparation du procès. Un vrai contresens dans l'efficacité de l'action. Une défense ne se découpe, ne se cimente, ne se boucle — analyse, synthèse — que dans une série de tête-à-tête de l'avocat avec l'accusé, avec le dossier. Avec lui-même, en définitive. Elle ne se construit que dans un corps à corps avec la cause. Demeure du ressort d'un travail d'équipe, la mise au point des préliminaires : liste des témoins, démonstration juridique, information éventuelle de l'opinion. Un parti, un syndicat peuvent définir une ligne, ils sont inaptes, en revanche, à expliquer à ses juges l'individu mis en question.

La défense découd une vie. La recoud, à travers le « crime ». Avec le même matériau, elle ordonne autrement les lignes psychiques, affectives. Les mots dessinent l'ambivalence. Expliquent la déviance. Mettent à nu la cassure. Les dépassent, surmontent la contradiction. Le procès accouche alors d'une autre homogénéité, d'une nouvelle logique.

Mission essentielle de la défense : redonner son unité à un individu morcelé et le réintégrer parmi nous.

Une telle aventure reste solitaire. Et subjective. Car l'objectivité s'exerce dans une sorte de *super-subjectivité*[2].

1. Cf. *La Cause des femmes, op. cit.*, p. 65-68.
2. Cf. Edgar Morin : « ... *La recherche de l'objectivité*

Le M.L.F. exigeait, en ce jour d'assemblée, un procès « de femmes, avec des femmes, des femmes anonymes, et sans mecs ». Que faire alors de Simone de Beauvoir, de Delphine Seyrig, de Françoise Fabian ? Réponse : leur engagement militant les lavait de la tare de célébrité, elles pourraient témoigner.

Mais comment effacer le péché — originel, celui-ci — des mecs ? Impossible. Donc rejetés. Ma liste de témoins mecs, mise en pièces, puis au panier.

Pas de professeur Milliez (l'admirable, l'incorruptible). Pas de prix Nobel de médecine, les professeurs Jacques Monod et François Jacob. Pas davantage de Jean Rostand, le biologiste académicien (« le *Père-la-Grenouille,* nous le connaissons bien, dans le métro », objecte, en vain, Michèle Chevalier). Ni de Gérard Mendel, psychiatre en renom.

Encore moins de mecs politiques. Le gaulliste Louis Vallon et le leader P.S.U. Michel Rocard ? Renvoyés à leurs travées. Pourtant, seuls dans le monde parlementaire, ils avaient contresigné la proposition de loi de *Choisir,* abrogeant la répression de l'avortement.

J'explique la nécessité d'élargir le débat à toute la France, sexes et classes confondus. De créer, en notre faveur, un rapport de forces dans tout le pays.

Brouhaha. Agitation. Hostilité.

Je me tais, résignée.

Mais les accusées ne l'entendent pas ainsi. Elles se déchaînent, avec la violence du rejet.

« Je ne veux pas de vous à mon procès », clame Michèle à l'*anonyme* intellectuelle qui nous avait donné un avant-goût de son témoignage : « Quand

comporte non l'annulation, mais le plein emploi de la subjectivité... » (*La Méthode,* Éd. du Seuil, 1980).

j'ai avorté, j'ai pas eu de problème... J'avais du fric, un mec, pas de solitude... Mais c'est mon traumatisme... »

Le ton monte. Le peuple se coupe de son avant-garde bourgeoise.

Quelqu'un (Simone de Beauvoir ?) propose de passer au vote. Les accusées sont battues. Mon projet de procès mis à la poubelle.

« Si Gisèle veut nous défendre, très bien. Sinon, tant pis. On ne veut plus de *Choisir.* » La rupture. « On va ailleurs », tranche Michèle.

Dans cette effervescence, Simone de Beauvoir reste silencieuse. Une écoute passionnée, avec la manière qu'elle a de triturer ses bagues et de promener un œil aigu sur ceux qui l'entourent. Pas un mot d'approbation pour mon synopsis. De temps à autre, elle a acquiescé de la tête à l'intervention d'une anonyme. Pas un regard pour Michèle ni pour ses amies. Au moment du vote, elle se range du côté M.L.F.

Nous nous séparons, dans la confusion et l'amertume. Cette sororité en prenait un coup, à l'épreuve !

Je décidai, dans ces conditions, de préparer le procès comme les accusées l'avaient souhaité.

Aucune d'entre elles n'était Dimitrov et brûler la loi de 1920 ne revenait pas à incendier le Reichstag. Mais enfin elles, et elles seules, affronteraient les juges et risqueraient la condamnation. Et la publicité autour du procès — bonne ou mauvaise —, elles seules auraient à l'assumer, dans leur vie quotidienne, dans le métro.

Le dernier mot leur appartenait donc.

Je citai mes témoins, y compris les mecs interdits. Je parlai aux députés, aux savants, à la presse. Quelques jours avant le procès, les majoritaires firent amende féministe, et se réconcilièrent avec les réfractaires. Magie de l'unité ! Les débats se déroulèrent selon nos vœux.

François Jacob et Jacques Monod remportèrent un franc succès. Ils débarrassèrent la question du commencement de la vie de tout son bazar métaphysique. *Laissez-les vivre* et nos autres adversaires perdirent ainsi l'alibi de la science. Le professeur Milliez, catholique et pratiquant, déclara, se tenant droit et clair, qu'il aurait lui-même avorté Marie-Claire si elle le lui avait demandé. Louis Vallon, Michel Rocard mirent au service de notre cause leur signature : ils soutiendraient à l'Assemblée nationale notre proposition de loi.

Simone de Beauvoir, à la barre des témoins, déclina sa qualité de présidente de *Choisir*. Sans réserve ni arrière-pensée. Elle accusa la loi patriarcale. Elle la dénonça, dans des phrases simples et directes, comme la clef de l'oppression des femmes. Pas d'euphémisme, ni de mot d'auteur, ni même de sourire. Seulement la vérité. Et l'engagement total.

Entre *Choisir* et le Castor, cependant, le désaccord persista. Elle nous trouvait trop peu radicales, peut-être même assez vilaines réformistes, nous parlions au pouvoir, nous brandissions de manière excessive la loi et la démocratie. Et, quelques mois plus tard, elle refusa de se présenter à la présidence de notre mouvement. *Choisir* choisit alors le professeur Jacques Monod pour une direction tripartite, aux côtés de Michèle Chevalier et de moi-même.

Michèle Chevalier et Jacques Monod : coup de foudre de l'amitié, de la chaleureuse complicité.

Il voulut sa solidarité active... et délictuelle : il paya les frais de clinique de Marie-Claire.

Michèle n'en revenait pas, tant de simplicité, tant de disponibilité, lui, un grand parmi les grands, avec elle, l'obscure du métro, la fille du peuple mère de trois filles — naturelles — du peuple. Depuis des générations. Un destin, en quelque sorte. Mais avec un conte de fées imprévu.

Elle avait vu Simone de Beauvoir à deux ou trois reprises. Sans avoir eu le sentiment de pouvoir parler, dire ses craintes. Et sa fierté, quand même. Puisque sa vie sans lumière pouvait, dans ce coup dur des poursuites judiciaires, aider les autres femmes. Michèle reprochait au Castor sa raideur, ses distances. « Elle ne peut pas comprendre les problèmes des femmes comme nous », répétait-elle. « Elle reste dans son monde. »

Castor, pour sa part, ne lui manifesta guère de sympathie. Je crois que, dès l'échec de leur première rencontre, elle se désintéressa de notre héroïne. Et n'eut jamais un mot, pour elle, d'amitié ou même seulement de connivence.

Pourtant, et dans les relations les plus inattendues, Simone de Beauvoir réussissait à faire mouche. D'une phrase, d'un sourire. Par exemple, dans ce domaine volontairement inconnu d'elle, le monde de l'enfance.

Un jour que nous déjeunions toutes les deux chez moi, sur une petite table de bridge dressée dans un coin de mon bureau, mon fils Kamoun fit une entrée intempestive. Il devait avoir cinq ou six ans.

Il jeta un regard peu amène sur Simone de Beauvoir, bouscula les plats, se saisit d'une asperge et la brandit sous le nez de l'intruse : « Qui c'est, la dame ? » dit-il.

Je tentai d'endiguer cette descente inopinée sur le territoire des grandes. Je me sentais mal à l'aise. Castor ne connaît pas les enfants, me disais-je, elle n'en a pas voulu[1]. Ni pour elle-même, ni pour les autres femmes à qui elle recommande d'éviter la maternité-piège. Une certaine anxiété m'habitait. Pour la première fois, elle me voyait en situation de mère. Dans ce rôle qu'elle avait défini, dans *Le Deuxième Sexe,* comme un mélange « de narcissisme, d'altruisme, de sincérité, de mauvaise foi, de dévouement et de cynisme ».

Ce jour-là, je m'étais particulièrement agitée pour lui plaire. D'abord, je lui cuisinai un bon *tajine* aux artichauts dont elle raffola. Puis je tentai, par des anecdotes de mon enfance, de la convaincre de mon féminisme, pour ainsi dire inné. Nous parlâmes ensuite guerre d'Algérie, bien sûr, et j'abondai dans son sens : la gauche « respectueuse » allait de démission en impuissance.

D'enfants, des miens, il ne fut jamais question. Ni de mes journées inextricables. Ni de l'école, de l'étudiante au pair qui se barre, du rendez-vous avec l'oto-rhino, des impossibles vacances communes...

Et patatras, Kamoun, avec l'insolence de ses cinq ans ! Finies l'omission, l'éllipse, la mise en scène. Toujours l'asperge accusatrice à la main, il veut savoir. Qui est l'intruse ? Puis, brusquement, il lui tourne le dos et tente de se réfugier entre mes jambes. Je le repousse doucement. Pas de tendresse au programme. Surtout ne pas dévoiler à l'auteur du *Deuxième Sexe* la face cachée de ma vie. Elle ne me vaudrait que mauvais points.

D'un air dégagé, je fais les présentations, sollicite l'indulgence pour les turbulences du marmot. Je choisis, à dessein, des mots neutres, distanciés. C'est

1. Mme Mancy, mère de Sartre, prétendait que le Castor aurait aimé avoir un enfant. Mais « Poulou » (Sartre) n'en avait pas voulu.

à peine si j'apparais comme la mère. Ma crainte tient à une question : Simone de Beauvoir peut-elle croire au féminisme radical d'une jeune maman ?

« La dame est l'amie de ta maman. » Elle vient de le lâcher, ce mot, ce « *maman* », elle n'en a pas eu peur, elle m'a bien identifiée, tant pis, je suis aussi une *maman*...

Avec un sourire charmeur, elle se penche vers Kamoun et lui prend la main. Celle sans asperge. Elle lui parle. Son âge, l'école, les éternelles questions, l'impossible dialogue adulte-enfant.

« Je te prends ta maman (encore !), ça t'ennuie, hein ? »

Kamoun babille, elle réplique, je suis stupéfaite. Mon fils hoche la tête, oui, ça l'embête. Mais, en même temps, il la trouve sympathique sans doute, car il s'approche tout près d'elle, tout contre elle. Il lui dédie ce rire d'enfant, à la fois signe de possession et grondement de bonheur. Le Castor ne semble pas dépaysée. Elle lui propose de la vinaigrette pour son asperge. Je me secoue enfin, je prends Kamoun par la main, assez rudement, et le confie à la femme de ménage, dans la cuisine.

Deux ans ont passé. Même tête-à-tête, même table de bridge, même *tajine*, mais aux pruneaux cette fois.

Je suis plutôt en forme. Enceinte de quatre mois, mon premier enfant avec Claude Faux. Lui, impatient d'être père, moi, épanouie dans mes certitudes. Je réussirai, cette fois-ci. Une fille.

Tous les signes concordent, se recoupent, corroborent la grande nouvelle. Je ne vomis plus, mon visage s'est affiné, je ne connais plus les somnolences habituelles, mon corps s'arrondit, mais dans une autre morphologie. Toute la science arabe, ce folklore puissant des bonnes femmes entre elles, remonte du fond de mon enfance pour me confirmer la nouvelle. Pas d'erreur possible. Une fille. Enfin.

Après avoir fourni le bataillon de l'autre sexe de deux unités supplémentaires, c'est le moins qu'une féministe puisse faire !

Je crois l'avoir annoncé à Simone de Beauvoir, ce jour-là, avec un brin de vantardise. Cela lui aura sûrement déplu. Et pourrait expliquer son attitude. Elle se referma, se rétracta en elle-même, comme à un contact malsain, dangereux peut-être. Pas un regard, pas un mot, pas une question, pas même la très rituelle : « A quel mois en êtes-vous ? »

Je me tus, bloquée.

Elle me dit alors avoir perdu sa mère. Elle me raconta les derniers instants. Insensible, sans souffrance, une mort très douce.

Et de nouveau, la métamorphose. L'inexplicable. Elle qui venait d'être si sèche, presque réprobatrice, la voilà tendre, vulnérable.

« Vous devriez l'écrire, cette mort, ai-je murmuré, troublée.

— Oui, j'y ai songé », répondit l'orpheline[1].

1. Cf. *Une mort très douce* (Éd. Gallimard, 1964).

Le « petit homme »

Sartre, je l'aimais.

Comme un père, comme un juste. Tout simplement comme une intelligence du monde à laquelle il m'initiait.

Après notre rencontre sur cette estrade de l'école Denfert-Rochereau, en 1958, j'étais devenue son avocate. Je plaidais ses procès. Littéraires ou politiques, pour ses droits d'auteur ou pour son gauchisme militant. Aussi bien contre l'éditeur Nagel que contre *Minute*. Je rédigeais certains de ses contrats et les signais en son nom. Je courais, dans le monde entier, après des royalties indociles.

Au-delà du métier, je voulais, par-dessus tout, épargner à ce « client » généreux, désordonné, impossible, la plus petite tracasserie. Je recevais, à sa place, le metteur en scène d'avant-garde, l'acteur qui se savait le seul Kean génial, l'auteur d'un projet de comédie musicale pour *La Putain respectueuse,* le candidat à la création de *Bariona*[1].

1. Première pièce de Sartre, *Bariona ou Le Fils du tonnerre* : mystère écrit et joué en 1940, en captivité.

Avec l'aide du Castor et d'Arlette[1], je m'ingéniais, autant que je le pouvais, à le protéger. Je prenais les rendez-vous, discutais au téléphone, écrivais aux notaires, intervenais auprès du fisc pour des impôts toujours exorbitants et, souvent, trop tardivement payés.

Toutes ces broutilles le laissaient indifférent. Peu lui importait d'avoir été piraté ici ou là. L'un de ses agents l'escroquait-il impunément depuis des années ? Donnait-on *Les Mains sales,* malgré son veto de principe, dans les théâtres d'Amérique latine ? Il s'en moquait, trouvait même, parfois, des excuses à ces indélicats. Il allait à l'essentiel : empêcher l'incident d'empiéter sur son temps.

Je l'avais compris. Même quand il feignait, pour me faire plaisir, de se comporter comme tout le monde, de s'indigner. Il ne convainquait personne.

Sa seule affaire, sa grande affaire : écrire, créer avec des mots. L'amitié, l'amour même, selon les moments et sa *subjectivité,* qu'il avait d'ailleurs dénoncée, se frayaient tant bien que mal une place. A côté, en même temps. La portion congrue. Un chemin parallèle, impuissant à mordre sur la suprématie de l'écriture.

Dans la vie ordinaire, il s'excusait toujours. De demander, d'accepter, de refuser. De sa présence *contingente,* en somme.

Au restaurant, le « petit homme » — comme l'appelait Dominique Desanti — se dirigeait volon-

1. Arlette El Kaïm-Sartre — sa fille adoptive —, jeune juive d'Algérie, connut Sartre alors qu'elle était étudiante, et ne le quitta plus.

tiers vers la plus mauvaise table. On ne l'avait pas reconnu, on la lui assignait. Il s'asseyait, gauche, en remerciant, toujours reconnaissant. Comme il remerciait encore après avoir commandé. A la fin du repas, il plongeait dans ses poches et en sortait des billets froissés, par paquets. Aucune affectation dans cette pratique. Avoir sur lui beaucoup d'argent le sécurisait et, surtout, sauvegardait son autonomie. Il gratifiait les serveurs de pourboires astronomiques, en s'excusant encore : « Merci, merci », répétait-il confus.

Il détestait ce qu'il appelait « la conversation ». Il y était naturellement exécrable. Passé le « comment allez-vous » (empressé) et le « ah bon... tant mieux » ou « c'est fâcheux » (selon la réponse), il ne sacrifiait rien à la rencontre ordinaire, rite et art des salons. Préjugé défavorable pour les gens brillants ou célèbres. A l'exception de ceux dont il appréciait l'intelligence et l'indépendance d'esprit. Pas de dîners en ville. Encore moins de cocktails ou de réceptions. Lorsque lui et Simone de Beauvoir acceptaient une invitation, leur accord prenait aussitôt une signification personnelle ou politique. Dîner chez Giacometti ou aller à l'ambassade de l'U.R.S.S., au temps de Khrouchtchev. Les politiciens *IVe* ou *Ve République* l'assommaient. Il n'eut pas de mots assez durs pour De Gaulle « roi des grenouilles » ou Mitterrand « le Florentin ».

Sa disponibilité, son écoute, il les réservait pour l'emmerdeur au premier manuscrit — le paumé qui deviendra écrivain —, le gréviste hors syndicat, le déserteur qui se racontait. Quand nous en envoyions un au diable, il se réjouissait — le temps, toujours son temps, à gagner —, tout en commentant, comme dans un remords : « Il est chiant... c'est vrai, mais pour vraiment le comprendre, il faudrait être dans sa peau. »

Sa maladie nous rapprocha. Unilatéralement. Moi, de lui.

Ses rendez-vous avec les médecins, ses analyses de labo, ses écarts de régime faisaient désormais partie de mes préoccupations. Je m'inquiétais ou me réjouissais, selon les résultats.

Sartre jouait le jeu, patiemment, avec humour parfois. Il se prêtait à mon inquisition, comme à celle du Castor ou d'Arlette. Mais en trichant souvent. Sur le whisky ou les cigarettes, en particulier : « Sartre, dites la vérité, hier, vous avez dépassé la dose ? »

Il avouait, avec un rire de collégien : « Ma foi, oui !... J'ai dû prendre un verre de trop ! »

Je lui rappelais les recommandations médicales, un seul verre par jour, dans l'après-midi en général.

« Naturellement, avouait-il quelquefois avec un peu de tristesse, ce que vous me dites, je le sais bien, mais je vais finir par m'ennuyer. Ni boire, ni fumer... et je ne vois pas grand-chose... »

Il ne se plaignait pas, ne se prenait jamais en pitié. Sa vie sans sa vue, il l'avait organisée. Et il continuait d'y tenir, à cette vie.

J'aimais encore davantage bavarder avec lui. Il me semblait que, plus qu'auparavant, il faisait preuve de ce don rare de ne transmettre que ce qu'il sentait. Ni emphase, ni exagération, ni le contraire. Les mots de Sartre, même anodins, rendaient un son différent des autres. Liés à sa morale, maîtrisés par elle, ils aidaient à la maîtrise de soi.

Lorsque je fus expulsée de l'Espagne franquiste, après avoir assisté au procès de Burgos, en 1970, je décidai d'écrire un livre[1] sur cet événement qui tint le monde en haleine.

Les condamnés ne devaient pas mourir. Et des grands partis politiques et syndicats au pape, en passant par les intellectuels de tous les pays et les associations les plus inoffensives, la chaîne se forma. Non au garrot du *Caudillo* !

Les autonomistes basques applaudirent à ma suggestion : une préface de Sartre, dans cette phase importante de leur lutte, apporterait un soutien logistique exceptionnel.

« L'écrivain le plus moral et le plus libertaire », tel que le définit l'un des avocats, accepta d'emblée, mais il avertit de son ignorance. Il voulait piocher sérieusement le sujet. Je lui donnai quelques éléments. Il les jugea insuffisants et se mit à travailler plusieurs jours sur des bouquins et des textes d'économie et d'histoire qu'on lui apporta.

A la date fixée, il me remit son manuscrit : « Au fond, me dit-il, les Basques sont dans une situation de colonisés. Mais avec des données inversées. Leurs richesses sont pillées pour nourrir l'Espagne pauvre. Et l'on étouffe leur culture ! »

Le texte fut le prétexte de discussions politiques à tous les niveaux. Les Basques en firent même un tiré à part.

Je me transportais régulièrement chez lui avec mes dossiers, mes notes. Et je lui remettais des chèques. Il jouait l'enthousiasme : « Ah, c'est très bien !...

1. Cf. *Le Procès de Burgos,* préface de J.-P. Sartre, *op. cit.*

C'est parfait!... Voilà des sous qui tombent à pic!... J'en avais rudement besoin!... » Au fond, il s'en moquait. L'argent? Un moyen à partager avec d'autres. En dehors de quelques voyages — et dans la plupart des cas, il était invité —, et de bons restaurants, Sartre ignorait le luxe. Mais il entretenait cinq à six personnes, ce qui lui créait d'incessants besoins. Dès la fin du mois, chacune réclamait « son sou », que le secrétaire, dans une tournée régulière, distribuait.

Il détestait les disputes, les criailleries. Ce que l'on appelle « s'expliquer » pour dire « s'affronter ». Il préférait mentir, s'économiser.

Un jour que je me trouvais chez lui, boulevard Edgar-Quinet, il me pria d'aller prendre un papier, dans sa chambre. J'y découvris une bouteille de vodka presque vide. Pièce à conviction en main, je lui demandai des comptes. Il avoua, penaud. Son amie grecque, de passage, l'avait apportée : « Surtout n'en dites rien au Castor, ça ferait une histoire », me recommanda-t-il.

Une fois, Arlette le découvrit sans connaissance, sur le sol. Ce jour-là, il avait bu « comme avant », ce qui, désormais, faisait trop.

Jusqu'au bout, il aima les femmes, la jeunesse, la politique.

Tous les matins, il travaillait avec des jeunes philosophes ou avec d'anciens maos, convertis au sionisme, au socialisme... ou au conformisme.

Avec une curiosité intacte, il retraçait les parcours à travers les changements. Il dialoguait, enregistrait des bandes au magnéto, se faisait lire des articles, des essais.

Les *gens* l'intéressaient. D'où sa qualité d'écoute de leurs histoires, petites ou grandes. A la différence de Simone de Beauvoir, qui opérait un tri. Le bon grain, pour son observation permanente, aiguë. L'ivraie, le propos centré sur soi, souvent narcissique, elle l'éliminait sans pitié.

Sartre dénonçait « *ces fameuses réactions subjectives, haine, amour, crainte, sympathie*[1] ». Et je le voyais s'approcher de l'autre avec une sorte de complicité affective. Sans préalables, ni conditions, globalement. Il le prenait dans tous ses maux, avec tous ses mots. Politique, philosophie ou simplement cri et blessure, il s'efforçait d'aider. Grâce à son intelligence et au lait de la tendresse humaine.

Je me rappelle lui avoir parlé de Kamoun, mon deuxième fils. Kamoun traversait une mauvaise passe. Maoïste à quatorze ans et abonné à *Pékin-Information,* il avait porté le deuil à la mort du Grand Timonier, en septembre 1976 : pendant plus d'un mois, ni ciné, ni sorties, ni copains. Un silence d'autiste quand il se trouvait avec d'autres. Lorsque se succédèrent révolution culturelle et période d'ouverture, il chancela. Sa foi politique lui tenait lieu de structure, de morale. Et même de guide de voyage. Ainsi, durant toutes ces années, il ne passa de vacances que dans les pays du socialisme. Du bon, du seul. Il visita l'Albanie, puis encore l'Albanie. Il y retourna deux ou trois fois. Il projetait d'aller en Chine. Mais hormis ces lieux de l'orthodoxie, il ne restait guère qu'un monde hérétique. Il se refusa à le connaître.

Au moment de ses tourments chinois, il tomba amoureux et, je crois, fut malheureux.

1. Cf. *La Nouvelle Revue française,* janvier 1939, p. 131.

Tous ses repères semblaient s'écrouler : « Je n'en peux plus », me dit-il un jour, dans un sanglot, affalé en face de moi. Je pris peur. Je savais le sérieux de la tentation du suicide, à vingt ans. Le pire des âges, finalement, j'avais moi-même traversé ces crises. Je savais que le passage à l'acte happe comme un vertige. Avant que les scléroses du temps ne gomment à la fois le désir et le désespoir.

Je m'en ouvris à Sartre. « Qu'il vienne me voir, dit-il aussitôt, nous parlerons un peu. »

Ils parlèrent, en effet, le desperado juvénile et le vieux philosophe aveugle. Que se dirent-ils ? Je sais seulement qu'à partir de cette rencontre, Kamoun amorça une remontée. Il retrouva un certain goût de vivre. Il relativisa Mao, obtint une bourse américaine pour un doctorat de sciences politiques à l'Université de Berkeley, fut promu *Master of Arts*. Je crois même qu'il rencontra le grand amour de sa vie... du moment.

Quand Sartre venait dîner, c'était la fête à la maison. Simone de Beauvoir ou Arlette l'accompagnait, selon le partage « contractuel » entre elles de ses soirées.

Claude faisait le marché. Le pistou ou l'ail pour les pâtes fraîches que Sartre aimait, les petites escalopes, la tarte paysanne à la crème commandée le matin. Et le munster, surtout, le féroce munster de ses racines alsaciennes. Il le savourait avec une gourmandise d'enfant, sous nos odorats outragés.

Moi, j'allais à la cuisine.

Pour un dîner, Castor nous amena Sylvie Lebon, sa jeune amie, qu'elle avait adoptée en 1963. En 1967, j'étais revenue, avec Sylvie, de Copenhague où siégeait le Tribunal Russell. L'avion la terrorisait. Pendant tout le vol, elle ne put ni manger, ni parler. Pâle, tremblante, elle surveillait sans cesse sa montre. Une vraie panique. J'avais tenté de la rassurer, mais en vain. Elle ne reprit quelques couleurs qu'après l'atterrissage.

Ce soir-là, autour de la table, je la découvris souriante, détendue. Elle s'exprimait un peu comme le Castor — une élocution sans apprêt, hachée — et pensait en symbiose avec elle. Du Castor, elle avait aussi le chignon et quelques traits de profil. Et une attitude chaleureuse.

Un mois de juillet que Sartre se trouvait à Florence, avec Wanda, je lui téléphonai pour avoir de ses nouvelles. Je me fis brève et m'excusai de lui parler affaires aussi. « Pas du tout. Vous ne me dérangez pas du tout. Au contraire. Téléphonez-moi quand vous voulez. Je ne fais pas grand-chose ici, vous savez... »

Il me raconta ses journées. Petit déjeuner dans sa chambre. Jusqu'à midi, attente du réveil de Wanda. Taxi, balade et déjeuner frugal. Retour à l'Hôtel Excelsior. Sieste. Wanda le rejoignait vers dix-sept heures et ils sortaient un peu, dînaient et rentraient. « Vous voyez, pas grand-chose. » Des vacances de retraité, qu'il vivait à tâtons, dans le flou de sa quasi-cécité. Et qui lui pesaient.

Je l'appelai donc pour le distraire. Il semblait heureux de bavarder, d'attraper un passe-temps en attendant que Wanda se pointe.

A ce moment-là, quelques mois avant sa mort, il s'exprimait moins, paraissait engourdi. Il répétait, machinalement, la dernière phrase de son interlocuteur, en signe d'acquiescement. J'eus le sentiment qu'il se sentait seul, profondément, face au dernier départ. Même lui.

Un soir, après la disparition d'Édouard, il vint dîner, avec Arlette. Nous nous opposâmes sur la non-violence, dont j'étais adepte (« C'est imbécile ce que vous dites... L'Algérie et des tas d'autres peuples n'auraient jamais conquis leur liberté sans la violence... »), sur le terrorisme (même observation).

Pour la lutte des femmes il pensait que la forme d'organisation — plutôt de non-organisation — du mouvement préfigurait la structure des partis politiques de demain. Les partis, avec leur hiérarchie pyramidale et leurs porte-parole délégués, se meurent d'archaïsme, d'inadaptation. « Les mouvements contre la guerre du Viêt-nam aux États-Unis, pour l'égalité des Noirs, contre le racisme, ne vivent, et ne gagnent, que grâce à leur indépendance des partis politiques. Comme le mouvement des femmes. »

Sartre ne connut pas la victoire de la gauche aux élections de 1981.

Jusqu'à sa mort, en avril 1980, il continua de manifester sa méfiance à l'égard de François Mitterrand et du Parti socialiste, bien qu'il eût consenti à voter pour lui, au dernier moment, en 1974.

Aurait-il approuvé Simone de Beauvoir rejoignant le féminisme officiel de la gauche, déjeunant à l'Élysée, soutenant inconditionnellement le ministère des Droits de la Femme ? Je l'imaginais en train de lui dire, comme il faisait quelquefois de sa voix rocailleuse : « Castor, vous n'êtes qu'une fière andouille ! »... Avec une tendre irritation.

Je voulais lui parler de la mort, de celle d'Édouard, de mon désarroi. Comme dans un reproche, je lui fis remarquer que ni le matérialisme, ni l'existentialisme ne me rendaient plus raisonnable. Le mal me vrillait de la même manière.

Il se tut, grave, rentré en lui-même. J'insistai. J'avais besoin d'une réponse. Ses réponses m'avaient toujours tirée d'affaire ou, en tout cas, aidée.

Il finit par lâcher : « Non, je sais bien, tout ça n'aide pas... Rien ne peut aider, pour la mort. »

Les derniers temps, Sartre paraissait triste. Il avait perdu sa vivacité. La comédie des hommes semblait l'intéresser beaucoup moins. A l'exception de quelques moments dans la journée, il s'ennuyait.

Je lui proposai de l'emmener, un soir, au spectacle. Mais lequel ? Le cinéma et le théâtre éliminés, restait le concert ou le *one man show*.

Il choisit un *one woman show*... Zouc et son immense talent. Par une sorte de collage de textes, une succession de bruits, de silences, de métamorphoses du visage, elle retrace l'aventure de la vie. De la naissance à la mort, du dérisoire au sublime.

Le blouson de cuir boutonné, prêt pour la fête, Sartre nous attendait, au dixième étage du boulevard Edgar-Quinet (« J'habite en l'air par habitude[1] », avait-il remarqué).

En route pour Bobino.

Nous étions placés au quatrième ou cinquième

1. Cf. *Les Mots* (Éd. Gallimard, 1964).

rang d'orchestre. Il pourrait, de si près, entrevoir au moins les mouvements de scène de Zouc. Il s'assit entre Claude et moi. En attendant le lever du rideau, je lui lus les titres du programme.

Tout au long du spectacle, penché en avant, les mains bien à plat sur les cuisses, il s'efforça de ne pas perdre un mot du monologue. A tour de rôle, nous lui décrivions les déplacements, les gestes, les mimiques de Zouc. Un sous-titrage inversé, qui met l'image sur le texte. Il fallait trouver les mots clairs, la formule concise. Le tout à voix basse, afin de ménager le voisin, et très vite, pour synchroniser le spectacle. Sartre, plutôt gai ce soir-là, y prenait du plaisir.

Pour parfaire l'escapade, Claude avait projeté de nous emmener souper quelque part. Mais, au moment des applaudissements, Sartre accusa une certaine fatigue. Il parlait, soudain, avec plus de difficulté. Nous le raccompagnâmes chez lui.

Zouc lui vouait une véritable dévotion et rêvait de le rencontrer. Lui, la trouvait intéressante. Je suggérai de leur faire un couscous, et d'inviter d'autres amis. Je proposai Sagan, Brétécher, Poirot-Delpech. Sartre accepta, plutôt content.

Il aimait bien Sagan. Elle lui avait écrit deux ou trois mois auparavant une *lettre d'amour,* qu'elle me chargea de lui lire avant de la publier. Le dithyrambe amusa Sartre. Les hommages, même rendus avec talent, glissaient sur lui sans l'émouvoir.

Dimanche 4 novembre 1979.

Revenue l'avant-veille de Copenhague où j'avais donné une série de conférences à l'Université, je me rendis directement d'Orly à Belleville, chez mes épiciers nord-africains. Graine grosseur moyenne, coriandre fraîche, citrons confits, *harissa* à l'ail.

Dès samedi, j'entrai en cuisine : préparation des poulets aux raisins, pois chiches à tremper, navets crus noyés dans le jus de citron. Je réservais mon dimanche à la confection des sauces et de l'agneau et, surtout, au lent travail de la graine, cuite et recuite à la vapeur, roulée à la main, comme me l'avait enseigné ma grand-mère.

Chaque couscous me relie à l'enfance. A l'écart de mon agitation quotidienne, je mesure le chemin parcouru. De ma grand-mère, à moi. De sa vie aux mille enfermements, à la mienne aux mille occupations. De son univers clos, protégé, à mon monde réel. Ces parenthèses dans mon temps en arrêtent le cours.

J'aime ces pauses insolites. Je disparais du cabinet, m'enroule dans un tablier, m'affaire autour des marmites de terre et du couscoussier.

Joie de mes fils, toujours la même, pour le couscous et la féministe aux fourneaux. Ils rivalisent de drôlerie : « Tu étais née pour ça, Halimi, regarde-toi, tu es resplendissante ! »

Claude et Manu partent chercher Sartre vers dix-neuf heures. Nous voulions nous ménager une demi-heure à nous, avant l'arrivée des autres. Arlette l'accompagne.

Zouc, qui fait relâche, sonne. Puis arrive Claire Brétécher, ravissante, accompagnée de l'écrivain Poirot-Delpech. Enfin, Françoise Sagan, seule, qui bafouille irrésistiblement dès ses premières phrases.

Qu'avions-nous tous en commun, ce soir-là, à part l'envie de faire une fête à Sartre ? Car nous aimions tous, chacun à sa façon, ce vieil homme blessé, sa générosité, sa simplicité de juste, ses erreurs aussi. Fut-il plus heureux, moins indifférent à la *subjectivité* qu'à l'ordinaire ? Il me semble qu'il aima, en cet instant, être aimé. Comme chacun d'entre nous, banalement.

Je l'ai placé entre Zouc et moi. Je fais le va-et-vient avec les plats. Zouc ne quitte pas Sartre des yeux. De temps en temps, elle rapproche son couvert de lui, coupe sa viande ou ses légumes. Dès que Sartre hésite de la fourchette, elle pousse un peu l'assiette, met le verre à portée de sa main. Manège en douceur, en glissements, presque imperceptible.

Sartre rit aux histoires drôles, toujours intelligentes de Sagan. Devinette : A quoi reconnaît-on un bon chevalier servant ? Tout est dans rien, répond-elle, dans le détail, le choix du restaurant, la place du parking... S'il se gare trop loin, soirée fichue. S'il réussit l'exploit de la déposer à quelques mètres et d'entrer avec elle à son bras, tous les espoirs sont permis... Sagan ou la nécessaire légèreté d'être.

Sartre, à un certain moment, déclare qu'Aragon est un mauvais écrivain et X, directeur d'un journal de gauche, un fieffé con. Et quand Sagan raconte comment son cheval a perdu la course de la journée, il lui demande des nouvelles du jockey.

Brétécher, comme toujours peu bavarde, écoute et balaye lieux et gens de son regard bleu pâle.

Zouc se penche vers Sartre. Elle lui dit des choses à mi-voix, avec cet accent qu'elle plie à tous les fantasmes de ses personnages.

Poirot-Delpech, au début du repas, paraît fasciné. Il contemple Sartre, tend l'oreille pour ne perdre aucun de ses mots. A deux ou trois reprises, il donne l'impression qu'il va parler. Il se prépare comme pour se jeter dans l'eau froide, se disant sans doute qu'après ce sera voluptueux. La volupté d'un échange avec Sartre. Sa grande timidité le freine. Il finit par se rapprocher de lui après le dîner et l'entreprend sur son théâtre.

Je négociais, à l'époque, l'entrée à la Comédie-Française de sa pièce *Le Diable et le Bon Dieu.*

« Ils ne trouvent pas de metteur en scène... ça traîne », se plaint Sartre. « Ils sont encore trop réacs pour me mettre au répertoire », ajoute-t-il.

Poirot-Delpech écoute, passionné. Il ne prononce, de temps en temps, et avec douceur, que quelques phrases. Comme pour ne pas empiéter sur les moments qui restent à Sartre, qui nous restent, à nous tous, avec lui.

Claire grille cigarette sur cigarette. Sartre lui dit qu'il aime humer la fumée des autres : « Je n'en ai plus le droit, mais j'ai tout de même fumé jusqu'à soixante-dix ans ! » lance-t-il avec un brin de provocation. Il joue un bon tour aux médecins, aux statistiques sur la mortalité et le tabac, ça l'amuse.

Vers minuit, Arlette donne le signal.

Elle veille sur Sartre sans jamais donner l'impression de le couver. Elle l'appelle « Vieux ». Quelle tendresse dans son : « Allez, Vieux, il faut partir. »

Il repose — difficilement — son verre d'orangeade et se lève de ce coin de divan d'où il n'avait pas bougé depuis le café.

Ils s'en vont.

Mon dernier couscous pour Sartre.

Après sa mort, j'ai refait des couscous. Il y manquait je ne sais quel parfum.

15 avril 1980. Neuf ou dix heures du soir.

Téléphone. Jean-Yves. « Sartre est mort. » La nouvelle venait de tomber, les radios la diffusaient en flashes.

Claude et moi enfilons nos manteaux et roulons vers Broussais. Dans la lumière blafarde d'un couloir, un groupe silencieux d'ombres. Horst, sa femme Dorine, Claude Lanzman, Bost, je crois.

Simone de Beauvoir et Sylvie Lebon se trouvent en haut, dans la chambre.

Nous restons là, ensemble, longtemps, sans parler. Sylvie nous rejoint, serrant contre elle une bouteille de whisky aux trois quarts vide. « Le Castor a eu une sorte de crise de nerfs », nous dit-elle. Elle montre la bouteille.

Simone de Beauvoir interdit l'entrée de la chambre de Sartre. Elle veut d'abord le veiller seule, pour que personne ne puisse s'emparer, même du regard, de celui qui fut l'homme le plus libre de son temps.

Sartre est mort. Il n'y a rien à dire.

Désormais, cet accord profond entre ce que nous voulions exprimer, lui, et le monde, avait disparu.

L'inadmissible nous réduisait au silence.

« ÉDOUARD ?
C'ÉTAIT ÉDOUARD !... »

Un Premier ministre pas comme les autres

Les malades, c'est connu, s'offrent la volupté d'une régression.

Dans l'irresponsabilité, ils sécrètent des manies, des idées fixes. Au centre de tout, le corps, la santé. Références obligatoires, dans le dit ou le non-dit. Ils recouvrent de leurs caprices de vieux désirs insatisfaits, des sentiments réprimés. Certains modifient les rapports de forces dans leur entourage, les inversent à leur profit. Quelquefois avec perversité.

Que fit Édouard, dès qu'il se sut atteint d'une « arthrose de la hanche » ?

D'abord, il n'y crut qu'à moitié. Il comprit très vite le sérieux de sa maladie mais sans, me sembla-t-il, avoir diagnostiqué l'irrémédiable cancer. Ou alors, nous eûmes affaire à un héros. Doublé d'un extraordinaire comédien. Ce dont je doute.

Il réclama un hochet : la Légion d'honneur. Et une présence : Gaby, son jasmin noir, son exilée, son orpheline.

Le 3 octobre 1975, dans l'après-midi, quand, enfermée à clef dans mon bureau, j'ai pleuré tout mon soûl, j'appelle Edgar Faure : « Mon père va mourir. Cancer avancé. Vous savez combien il tient à cette Légion d'honneur pour laquelle il vous a tant importuné. »

Zozotement familier. Edgar m'assure qu'il a écrit au garde des Sceaux et envoyé copie à son ami Chirac : « Appelez donc sa secrétaire, dit-il pour se débarrasser de moi, tenez-moi au courant. » Avant de raccrocher cependant : « J'ai bien de la peine pour vous, ma petite Gisèle, je sais que vous aimez beaucoup votre père. »

Je téléphone à la secrétaire personnelle du Premier ministre. Aujourd'hui, je me moque des clivages politiques et de la gauche/droite. Rien à faire dans ma galère meurtrie. J'explique mon histoire, elle va en parler à son patron.

Le lendemain, fin de journée. Jacques Chirac au bout du fil.

Une voix franche, nette. Pas d'intonation sophistiquée, pas de clair-obscur dans les phrases. Pas le moindre étonnement non plus.

Il comprend, il va faire l'impossible, mais il voudrait quelques précisions. Accepterais-je de passer le voir à son bureau ? Je m'y précipite un samedi, en fin de matinée.

Je n'avais parlé à Chirac, auparavant, que lors d'un dîner officiel qu'il donnait à Matignon, le 29 avril, en l'honneur du Premier ministre du Congo, Henri Lopès. Je figurais sur sa liste, aux côtés de Michel Rocard et d'autres invités de gauche.

Je me rappelais avoir échangé, au café, quelques phrases avec Chirac sur les droits des femmes. De quoi d'autre parler avec lui, que je ne connaissais pas et dont toute l'action me séparait ? J'élaborai distraitement une définition du féminisme. Quelle importance ce soir-là, après tout ? Satisfaction —

inattendue — de Chirac : « Ah bon, on en discutera. »

Nous n'en discutâmes pas, personne n'éprouvant le besoin d'une nouvelle rencontre.

Le bureau du Premier ministre accroche toute la lumière de cet octobre roux. Une grande cheminée où meurt un feu de bois. Chirac me fait asseoir tout près et se cale dans le fauteuil, en face de moi. Sans veste, sans cravate, sans les intonations à arêtes de ses discours, il me devient inconnu.

Je raconte. Mon père, l'hôpital Cochin, la Légion d'honneur.

Pas de questions. Un grand silence. Puis, à son tour, il raconte. Lui, c'est sa mère. Il l'adorait. Un cancer aussi, je crois. Enlevée très vite, il ne l'oublie pas. Édouard aura sa Légion d'honneur. Plus que beaucoup d'autres, il peut largement y prétendre, d'ailleurs.

Mais, d'abord, gagner la course-dossier. Impossible — en tout cas hasardeux — d'attendre la nouvelle promotion, en février 1976. Chirac le fera nommer hors promotion. « C'est exceptionnel, mais nous n'avons pas le choix. Je vais lui écrire. Il en sera sûr, cette fois-ci. » Jacques Chirac se lève, juvénile dans sa chemise à col ouvert et son pull. Il se met à son bureau. Il écrit d'une main, fume de l'autre. Quelques lignes pour l'assurer, ce « cher monsieur », de l'imminence de sa nomination. Et il s'engage à tout régler d'ici quelques jours, foi de Premier ministre ! Le papier fait très officiel, avec l'en-tête : *Le Premier ministre.* Après les « *félicitations très sincères* », ses « *sentiments cordiaux et les meilleurs* », sa signature, clairement lisible : « *J. Chirac.* »

« Portez ça à votre père. »

Je crois bien que j'ai aimé d'amitié Chirac, ce

jour-là. Comme un frère que je me serais choisi. Et qui aurait trouvé le truc magique pour distraire une fille de la mort de son père. Je remercie, le nez dans la vodka qu'il vient de me verser, pour dissimuler cet élan. Quand je lève les yeux vers lui, je le découvre, lui aussi, un peu remué. Je prends la lettre, saute dans ma voiture. Direction hôpital Cochin.

Gaby, ma scorpionne

Édouard se redresse sur son lit : « Oui... mais quand, quand, je vais l'avoir cette médaille ? » Il doute, il geint, il a subi tellement d'examens dans la matinée, il se sent affaibli, triste.

Je tombe à un mauvais moment. Mais le lendemain, tout content, il me demande de faire encadrer la lettre. Ce que je fais. Sous-verre et baguette de bois blanc.

Quelques jours plus tard, un Édouard rayonnant m'accueille : « Gaby est venue me voir cette nuit. » La nouvelle nous effare. Aurait-il commencé une sorte de délire ?

Non.

« Regarde, cette rose, c'est Gaby. » Une rose, en effet, se dresse, provocante, sur la tablette d'acier, au chevet d'Édouard.

Fortunée fait signe qu'il radote. Gaby, son autre fille, elle l'avait, pour ainsi dire, rayée de la famille.

A dix-huit ans, passant son baccalauréat et faisant les lessives de toute la maisonnée, elle se préparait à fuir. Elle, la résignée, la silencieuse, la *scorpionne* introvertie. Avec un homme de vingt et un ans son aîné, activiste communiste, séparé mais encore légalement marié, père de deux filles (toutes les deux à peine plus jeunes que ma sœur).

Un jour, elle disparut. En laissant un mot. Elle nous apprenait le pire : elle était enceinte.

Édouard devint fou. Sa brune, sa *falfala* — au charme piquant —, ainsi qu'il l'appelait, sa petite fille qui continuait ses bavardages de sieste, un salaud avait abusé d'elle. Sans excuses, le candidat gendre. Il menaça de le tuer, puis de se suicider si sa fille ne réintégrait pas le toit paternel.

Gaby ne revint pas. Elle épousa M..., en eut deux enfants.

Aucune mort ne s'ensuivit mais une grande cassure dans la famille. Pendant près de dix ans, Gaby s'effaça de notre horizon. Ma mère, dès lors, interdit toute allusion au drame qui « nous avait déshonorés ».

Gaby, orgueilleuse, fortifia la rupture, encouragée par son ravisseur.

Je la revis des années plus tard. M... s'en était lassé. Il ne supportait pas de l'entendre discuter les dogmes staliniens. Il avait repris une vie désordonnée, indissociable pour lui de tout engagement de gauche.

Il voulut se débarrasser d'elle. Au préalable il lui enleva ses enfants et tenta de la dépouiller de ses quelques biens. Avec la complicité de certains *camarades* médecins et quelques faux témoignages, il confectionna son dossier de divorce. Il y décrivait Gaby comme une cyclomaniaque, une femme perturbée psychiquement dont l'état nécessitait un séjour — un enfermement — dans une maison de repos spécialisée. En d'autres termes, il faisait de Gaby une folle. Son plan, diabolique, échoua de peu.

Elle dut fuir la Tunisie afin de faire éclater la machination.

A son arrivée à Paris, la famille se trouvait au rendez-vous. Au complet, y compris Fortunée au pardon difficile. Je me chargeai du divorce et me rendis à Tunis. A Paris, d'autres médecins contredirent les amis de M... Il perdit la partie.

Gaby ma douce, ma meurtrie. Gaby enfin retrouvée.

Comme dans ce temps où nous formions toutes deux, au sein de la tribu Taïeb-Métoudi, une cellule autonome. Je lui avais appris l'alphabet, quelques notes de piano, un peu d'écriture. Le jeudi, je l'emmenais au cinéma ou au parc du Belvédère, tout en haut de la ville. Je me sentais presque la seule responsable d'elle. Gaby me couvrait de sa confiance et ce lien m'apportait une stabilité dont j'avais besoin. Avec Édouard, que nous entourions de notre amour complice, elle m'ancrait affectivement dans la famille. Soudées l'une à l'autre, nous nous protégions, nous partagions à deux notre monde.

Je lui reprenais enfin la main pour l'accompagner, sur des chemins différents, mais en complices.

Elle se remaria et re-divorça.

Son fils alla vivre en U.R.S.S., sa fille rejoignit un kibboutz en Israël.

Comme beaucoup de femmes aujourd'hui, elle a choisi la solitude pour accomplir sa liberté.

Chacune de nous est la plus proche, l'inconditionnelle de l'autre. Plus secrète que moi, plus habituée à l'ombre, elle écoute plus qu'elle ne parle. Elle ne se confie guère. La plainte, l'appel, elle ne connaît pas. De la tenue avant toute chose. Et pour cela, préfère la dignité. Une dignité taillée dans la blessure. Serrer les dents et sourire. Un sourire attentif, une voix d'adolescente, quelquefois, s'accordent, mieux que les mots, à notre connivence de toujours.

Elle apprit très vite la maladie de notre magicien. Aussitôt, elle imagina une stratégie pour arriver à son chevet, malgré l'ukase maternel. Et y réussit.

Édouard, protégé des scènes conjugales par son état, exprima sa joie. Pour la première fois, au grand jour.

Quand il quitta l'hôpital et rentra chez lui, Gaby y fut interdite. Jusqu'aux jours de décembre 1976, où il commença sa descente.

Chirac me téléphona, à plusieurs reprises. Ses démarches progressaient.

Cette Légion d'honneur que mon père convoita comme un enfant pendant une dizaine d'années, la voilà mise — fleur essentielle — dans l'avant-couronne de ses funérailles.

Je participai, en octobre, au Congrès mondial des femmes à Berlin-Est. Le secrétariat du Premier ministre m'y dénicha et m'annonça que le décret serait bientôt signé. Le président de la République avait acquiescé à l'urgence de cette nomination hors promotion. Il souhaitait qu'à mon retour je lui rende visite.

Franco meurt... à l'Élysée

28 octobre 1975.

De nouveau l'Élysée. Comme avec Coty, comme avec De Gaulle, la mort justifiait ce rendez-vous.

Cette fois, elle entraînerait la fin d'une partie de moi-même, de mes soleils d'enfance. Cette fois, la mort d'Édouard ne dépendrait ni du dossier ni du président. Les jeux étaient faits. Mais, avant l'adieu, elle attribuerait un prix.

Valéry Giscard d'Estaing me fait entrer dans un petit salon. Il avait déserté le grand bureau de mes demandes de grâce. Assise à sa droite, je réponds à ses questions sur Édouard, son enfance, son parcours, ses activités pendant l'occupation allemande de la Tunisie.

Aisance particulière du président. Simplicité et distance à la fois. Un privilège de naissance sans doute.

Avec quelques mots et un regard direct, il me donne l'illusion d'être concerné : « Comme vous êtes émouvante », me dit-il doucement, à un moment de mon récit sur Édouard.

Il sonne. Une secrétaire lui remet un écrin rectangulaire rouge : « Je tiens à offrir à votre père sa décoration. Remettez-la-lui avec tous mes vœux. »

Je suis en train de m'empêtrer dans l'expression de ma reconnaissance éternelle, quand la secrétaire revient. Avec un billet, cette fois. Giscard y jette un coup d'œil : « Franco est mort, me dit-il, soudain solennel. Ce matin à onze heures. Notre ambassadeur vient de m'en informer. »

L'Espagne de Guernica et de l'Èbre, de nouveau au cœur ? « Le dictateur est mort... Vive la liberté ! »

La nouvelle me paraît anecdotique. Je ne souffle mot, perdue dans un rêve : Giscard, une lettre à la main, « tiens Édouard Taïeb est mort »... et son interlocuteur du moment : « Qui est-ce ? »

Rentrée chez moi, je raconte. J'exhibe le coffret présidentiel, j'annonce le *scoop*, avec quelque fierté : « Vous êtes les premiers à le savoir... Franco est mort. »

Scepticisme de Claude. Aucune radio n'en parle. Mes fils me brocardent : « Tu confonds tout, en ce moment. »

Je m'entête. Si le président de la République intervient lui-même dans la chronique d'une mort aussi attendue, pas de doute possible.

Dans l'après-midi, à tout bout de champ, à tout un chacun, je déclare, importante : « Franco est mort. Ma source ? Archi-officielle, incontestable, indévoilable. » Qui en douterait ? Qui dirait mieux ?

Les heures passent. Rien. Franco se cramponne. Malgré notre ambassadeur.

Il ne mourut que le 20 novembre. Son agonie tint le monde en haleine pendant un mois. Une agonie biologiquement suspecte, politiquement inquiétante. En tout cas, anormalement longue.

Rien ne sert de mourir, il faut le dire à temps.

Automne 1981. Député fraîchement élue dans l'Isère, je revenais par l'avion Grenoble-Paris. Une de ces navettes bihebdomadaires que connaissent tous les parlementaires de la France profonde.

Un brouhaha avant l'embarquement. Valéry Giscard d'Estaing, au volant d'une voiture, vient d'arriver. A temps pour être du voyage. Seul, sans amis ni gardes du corps, ignoré de tous. Quelques passagers l'ont reconnu. Ils chuchotent entre eux, mais personne ne va vers lui. Je m'en sens, à contre-courant, attristée. Je veux lui dire que je n'oublie pas ce président de la République qui avait consacré un peu de son temps à la mort d'un père « ordinaire ». Je veux le saluer. Je décide de l'aborder. Il me demande des nouvelles de Madame ma mère. Il semble crispé, mal à l'aise. Cette rencontre du pouvoir inversé doit le blesser, il l'abrège.

Je regagne ma place sans insister.

Jacques, Edgar, Simone et quelques autres

La fin d'Édouard m'obsède.

Je veux la remplir, la peupler. De bonheur et rien d'autre. Des souvenirs pour pleurer, des photos pour rêver, une légende à inventer.

Je demande à mes amis Henri Cartier-Bresson et Martine Franck de m'aider de leur immense talent.

Henri, déjà, m'avait accompagnée pendant ma campagne législative de 1967. Claude la dirigeait, comme il dirigea toutes les autres (*Choisir* en 1978, l'Isère en 1981). Sans lésiner sur le titre, il avait alors annoncé, en première page de mon journal électoral : « *Le plus grand photographe du monde suit la campagne de Gisèle Halimi.* » Henri avait précisé ses conditions. Pas de rendez-vous, pas de pose, simplement il serait là, avec son minuscule Leica. Aux meetings comme un électeur, à déjeuner comme un ami, à l'imprimerie comme un membre de l'équipe. Il avait su saisir, comme toujours, l'instant, le regard, ce qui jaillit naturellement du sujet. Ce que la photographie courante tue.

5 novembre 1975.

J'ai préparé un déjeuner comme les aime Édouard. Saumon fumé, côtes de veau, glace.

Martine et Henri arrivent les premiers. Édouard leur demande leur avis sur sa cravate. J'interviens pour leur éviter la complaisance d'usage : « Pas terrible, papa... Je t'en achèterai une pour le grand jour. »

Un bon coup de fourchette, ce cancéreux, aux joues toutes roses (après l'anisette).

Les photographes écoutent, parlent, manient sans bruit leurs appareils. Je sers le café. Édouard prend la tasse de mes mains, « merci, ma chérie », me regarde, sourit. La plus extraordinaire photo de la confiance.

Je l'emmène dans l'après-midi à Cochin. Visite de contrôle. Tout va bien, puisque rien ne va plus mal. Le médecin double cependant la dose d'œstrogènes.

11 novembre 1975.

Jacques Chirac remettra lui-même sa décoration à Édouard.

Nous en avions parlé longuement, au téléphone, la semaine passée. Il a cherché, trouvé — difficilement — une date. Pour mettre au point la cérémonie, je me rends à Matignon le samedi précédent.

Le Premier ministre porte un gros cardigan tricoté main, et un large sourire. Un sourire qui bouge avec le regard, le geste, le mot. Rien à voir avec celui qu'il affiche à la télévision, qui semble toujours pris en arrêt sur l'image. Tout le mystère du personnage tient dans cette distance : l'ami Jacques et le politicien Chirac. Si l'« opinion publique » prenait, de temps en temps, un verre en sa compagnie au coin du feu, elle serait moins sévère pour la photo officielle. Si les électeurs bavardaient avec lui, comme moi en ce jour, de la prostitution, de la dépendance économique... ou de la poésie scandinave (dont il voulait m'offrir l'anthologie), ils voteraient pour — ou contre — un homme généreux, vulnérable, contradictoire. Un homme comme eux et s'exprimant avec leurs mots.

En veine de digressions, je l'interroge aussi sur le pouvoir. Il n'en veut que pour faire progresser certaines idées. « Le jour où je ne le pourrai plus, je m'en irai. Je l'ai dit. » Le bateau R.P.R./U.D.F., sans être ivre, tanguait déjà. Chacun savait que ses deux chefs à bord ne mettaient pas toujours la barre sur le même cap.

Je donne la liste des invités, tous de mon père, une vingtaine. Quelques mots sur chacun. Sans même s'y arrêter, il acquiesce. D'accord sur tous, d'accord sur tout.

En me raccompagnant, il m'appelle « Gisèle », puis demande : « Je peux vous appeler Gisèle ? »

Bien sûr. J'en suis même heureuse. Notre complicité, pour occasionnelle qu'elle soit, n'en crée pas moins un lien. Parallèle, inattendu, mais un lien quand même. Sur le pas de la porte, il se fait précis : « A condition que vous m'appeliez Jacques. »

Donc *Jacques*, Edgar (Faure), Simone (Veil) et quelques autres seraient autour d'Édouard ce 11 novembre.

Au moment de l'affaire Djamila Boupacha, Simone Veil, magistrat, se trouvait détachée au ministère de la Justice (« Mon mari ne voulait pas que je devienne avocate », confiait-elle).

Germaine Tillon et Anise Postel-Vinay, anciennes déportées comme elle, l'alertèrent.

Deux femmes qui jouèrent un rôle essentiel au sein du Comité, pour dénoncer les tortionnaires de

Djamila. Elles voulaient redonner au drapeau l'éclat de la Résistance. Opération : élimination des brebis galeuses. Calmes et déterminées, elles s'opposèrent, sur ce point, au gouvernement qu'elles avaient choisi, gaulliste comme elles.

Elles rallièrent aussi une partie de l'opinion flottante — ou même indifférente — aux événements d'Algérie. Par le biais du patriotisme moral.

Il fallait transférer Djamila en France. Aucune chance d'obtenir justice dans l'Algérie de l'O.A.S. Sa vie, même, y était menacée.

Anise Postel-Vinay et Germaine Tillon eurent alors recours à leurs camarades de déportation, le garde des Sceaux Edmond Michelet et Simone Veil.

Quelques jours plus tard, un Dakota militaire déposait Djamila à l'aérodrome de Villacoublay.

En route pour les prisons de Fresnes, Pau, Lisieux, Rennes enfin, qui l'accueillirent à tour de rôle. Sauvée !

Qui donna l'ordre ? Je ne le sus jamais avec précision. On murmura seulement qu'une femme, Simone Veil, avait pris, Place Vendôme, des initiatives du ressort de ses supérieurs. A leur place, vu l'urgence.

Quand elle devint ministre de la Santé en 1974, nous décidâmes — *Choisir* et moi-même — de l'aider. Elle avait entrepris la refonte de la législation de l'avortement, après le procès de Bobigny.

Je déjeunais parfois avec elle, tête à tête, dialoguais à la télévision, face à face.

J'aimais la rencontrer, l'observer. Sûre d'elle en droit, conservatrice pour l'injustice sociale : « Quoi que vous fassiez, il y aura toujours des riches et des pauvres. Vous n'y changerez rien, Gisèle ! »

Je m'accrochais ce jour-là au remboursement de l'avortement.

Passe-t-elle quelquefois du particulier au général ? S'interroge-t-elle sur les femmes, le pouvoir, la justice de classe, la vieillesse ? Elle paraît si lisse, si concrète.

Je me souviens d'un débat télévisé, qui nous réunit pendant les législatives de 1978.

Nous ne voulions pas nous opposer. L'une pour l'autre, nous éprouvions sympathie et estime. Une certaine fierté aussi, je pense, de nous compter dans le même peloton.

Jean-Pierre Elkabbach, toujours sensible à la démarche féministe, demanda à Simone Veil son avis sur *Choisir*, sur ses appels. L'ère d'un monde fini commence, disions-nous, les femmes doivent en être à part entière, avec les hommes.

Elle trouvait notre action globalement positive. Elle détestait le M.L.F., ses excès, ses hordes de filles mal fagotées. Mais fallait-il pour autant tout dire aux femmes ? Avant, lorsqu'elles ne savaient rien, elles étaient plus heureuses, elles se résignaient, expliqua-t-elle avec conviction.

6 novembre.

Arrivée la première au restaurant, je la vois s'avancer, un peu lourde. « Chanel » de la tête aux pieds, bijoux aux oreilles, au cou, aux poignets. D'emblée, elle me séduit, une fois de plus. Par son regard étonnant, la limpidité même.

Elle revient de Cuba : « Fidel Castro m'a littéralement emballée, quelle force ! quelle présence ! »

J'avais connu le *Commandante* un soir de réveillon, à La Havane, le 31 décembre 1959. Les *barbu-*

dos, qui ébranlaient toutes les Amériques, nous y avaient invités, Claude et moi. A notre retour, enthousiastes, nous entraînâmes Sartre et Castor à tenter l'aventure. Ce qu'ils firent, en février-mars 1960.

« Simone de Beauvoir est revenue, comme vous, tout à fait conquise. »

Trois fils. Comme moi. Non, elle ne regrette pas du tout de n'avoir pas eu de filles. Trop compliqués les rapports mère-fille, l'éducation...

Je lui raconte l'histoire de Fortunée et des prépuces. Elle rit de bon cœur : « Aucun de mes trois fils n'est circoncis. Deux d'entre eux ont épousé des *goys*. Mais, ajoute-t-elle, j'avoue que ça m'ennuierait que le troisième n'épouse pas une juive. » Elle suppute les chances : « Il n'y a pas de risques, je crois. Il est allé plusieurs fois en Israël, il veut s'y installer, il adore... »

Chirac l'appelle « Poussinette ». Pourquoi ? Je cherche en l'écoutant, en la regardant manger. Un solide appétit qui me réjouit. Rien de plus polluant pour la bonne table, de plus contagieux pour les autres, que la déprime des régimeux.

Elle finit gaillardement son tournedos, vide son verre de bordeaux. Elle ne doit pas effrayer les hommes. Elle a l'intelligence de les comprendre, de ne pas entrer en compétition avec eux. Pas d'idée subversive. Harmonieuse, bien dans sa peau, dans sa place.

« Pourquoi, vous, une excellente juriste, n'êtes-vous pas ministre de la Justice ? » Non, elle ne veut pas. Elle s'anime, trop de problèmes, « Ponia » excessif, terrible, « il empiète sur le domaine de la justice », « il parle toujours de violence... la violence, ça devient... » Je souffle : « Une psychose. »

Pas mal non plus, ces yeux bleus en colère. Je

pense à ce qu'une ministre disait d'elle, perfide : « Simone Veil ? Elle n'antagonise que pour arriver. »

« Vous savez pourquoi mes parents, sans jamais vous avoir rencontrée, vous aiment tant ? » Elle ne semble pas surprise. « Vous êtes ce qu'ils rêvaient pour moi. Bonne juive, sioniste, d'une élégance classique, du talent, de la tenue. Ma mère ajoute : "Avec son chignon, elle fait posée et distinguée." Et surtout, pas de révolte chez vous, vous êtes le pouvoir. »

Elle suit, elle acquiesce. Les révoltes, pas rentables. C'est pas son (mauvais) genre.

J'ai envie de parler nazisme et camps de la mort. J'avais visité Auschwitz, après avoir, la veille à Munich, écouté Mozart et ses *Noces*. J'en revins hébétée. La coexistence de ces deux mondes, leur imbrication *naturelle* me coupaient de tout entendement.

Comment s'y retrouver ? C'est tout simple. Là, après le carrefour et l'opéra, au bout de l'humanité, un écriteau : *Auschwitz*. Vous ne pouvez pas vous tromper. Prenez à droite. Le spectacle de la barbarie commence juste après celui du frisson civilisé. En même temps, peut-être.

« Vous avez vu, à Auschwitz, cette inscription sur les murs ? Des vers d'Anna Seghers, pour les femmes gazées. » Je cite de mémoire : « *Elles ont posé leurs corps frêles comme des corps d'airain.* »

Silence embué. Je n'insiste pas. Trop loin. Au fond, Simone Veil ne m'intéresse que pour nos lendemains de femmes.

Après le café, elle s'agite un peu. L'odeur des cigarettes des tables voisines. Elle hume avec volupté. Le manque. Elle a déclenché la campagne antitabac. « Je fume toujours, bien sûr... mais pas en public. Ça la ficherait mal », me confie-t-elle, pressée de regagner le secret de son cabinet et son paquet de cigarettes.

Que la fête commence !

Édouard venait de quitter l'hôpital, plutôt en forme, après le premier traitement.

Dans la soirée du 8 novembre, je me mets au lit. Une fièvre de cheval. Angine ou grippe, je ne sais plus.

Édouard grogne : « C'est chaque fois la même chose... Rappelle-toi quand Pierre Pasquini[1] m'a décoré de l'Ordre du Mérite... tu étais malade aussi. » Oui, vrai. Grippe ou angine. Aussi. Je n'avais pu assister à la fête. Hasard ou accident psychosomatique ? Les décorations et les agitations qui les entourent m'assomment. Mais de là à tomber ponctuellement malade quand Édouard irradie le bonheur...

Cette fois, je me soigne énergiquement, antibiotiques, vitamine C. Je dois être d'attaque. A quelques heures de la cérémonie, le thermomètre s'entête : 38 °C. Je me lève, me lave les cheveux, un coiffeur d'occasion me les sèche dans la salle de bains. J'enfile une robe d'hôtesse, longue et blanche, me maquille et attends de pied ferme le cirque.

1. Alors député (U.D.R.) des Alpes-Maritimes et vice-président de l'Assemblée nationale.

Décret signé (le 28 octobre). Insignes offerts par le président de la République (le même jour).

Que la fête commence !

Buffet *casher,* ainsi l'exigent les livres saints, ma mère, et la plupart de ses invités tunisiens. Du champagne cependant, qu'Édouard déguste avec un petit claquement de langue. Goût du fruit défendu et l'impunité en plus.

Tout est prêt dans le séjour spacieux. Côté photos et cinéma, Édouard ne pouvait espérer mieux. Henri Cartier-Bresson, Martine Franck, Yves Paris, Christian Boyer, un excellent photographe attaché au service de Chirac, mon fils Jean-Yves, Alain Saingt, le neveu de Claude, venu avec une caméra de reportage. Je noue au cou d'Édouard la cravate choisie par un véritable conseil de famille. Pour ma mère, sobrement habillée d'une robe gris anthracite, quelques-uns de mes colifichets. Une excitation plutôt joyeuse qui jette un peu d'oubli sur la mort. La mort que, le temps d'une soirée, nous effaçons de son propre scénario.

Quand Chirac arrive, nous sommes au complet.

La famille d'Édouard. Sœurs, cousins, neveux. Les amis, pour la plupart tunisiens, installés à Nice. Quelques bâtonniers — celui de Paris, l'ancien de Tunis —, un ou deux magistrats, un ou deux rabbins. Les professeurs Steg, Bamberger, qui soignent Édouard.

Gaby, toujours interdite, toujours absente.

Mes fils circulent. Jean-Yves branche des prises, fixe un petit projecteur derrière les plantes vertes. Kamoun, en pull rouge vermillon, se balade entre les sandwichs.

Chirac s'enfonce dans le divan, auprès d'Édouard. Edgar Faure happe Simone Veil au passage. « Puisque je suis dans les deux ou trois femmes préférées d'Edgar... Il vient de nous expliquer... », dit-elle sans finir sa phrase. Edgar, décidément grivois, claironne qu'il n'est pas monopoliste rayon femmes : « On pourrait faire une affaire avec le Premier ministre », suggère-t-il.

Je m'installe sur le tapis, comme je le fais souvent.

« Ce n'est pas un film pour la télé ? » demande Chirac vaguement inquiet, en découvrant la caméra braquée sur lui. Non. La caméra, c'est pour le film du souvenir. Confectionné pour l'après-Édouard. Pour les intimes. Usage strictement limité. Edgar le regrette : « On pourrait peut-être passer ça à la télé ? »

Surprise du Premier ministre : « Ah bon ? Edgar Faure voudrait passer à la télé !

— Comme ça, réplique le président de l'Assemblée nationale très en verve, on ne pourrait pas dire que nous ne donnons pas la parole à l'opposition... Jacques (il insiste), on verra qu'on l'avait mise à genoux, en plus ! » Et, me désignant du doigt, il précise : « L'opposition. » Je proteste : « Non, non, je ne me mets qu'aux genoux de mon père. »

Inévitable, l'heure des discours.

Tous, debout. Chirac en face d'Édouard ; à sa gauche, « Poussinette », l'écrin rouge à la main. A côté d'Édouard, Edgar.

Édouard se tient droit. Amaigri, les joues creusées, le cheveu blanc et pauvre, il met toute sa force, sa joie dans ce regard autour de lui.

Avant que personne n'ait pu le prévoir, Edgar prend la parole.

« *La règle, c'est que le président ne parle pas... Et*

c'est d'ailleurs pour cette raison que l'on désigne toujours à ce poste un grand orateur (rires). *Donc je ne dirai rien* (rire appuyé de Chirac), *sauf ma joie de me trouver aujourd'hui à vos côtés, cher Édouard Taïeb. Et aux côtés de Madame Taïeb* (Fortunée interrompt d'un “merci, merci” étouffé), *de Gisèle, qui est une grande amie, et qui est pour vous une fille exceptionnelle.*

« *Vous êtes décoré à d'autres titres. Mais à celui de la paternité, c'est la Grand-Croix qu'on devrait vous remettre aujourd'hui!* (Rires, Édouard acquiesce d'un petit geste d'orgueil.) *J'ai été un peu votre parrain, il y a quelques années déjà, dans l'Ordre du Mérite. Et maintenant, voici votre nouveau parrain. Je donne la parole au Premier ministre.* »

De la fidélité, de l'esprit, un brin de galanterie, un rien d'effronterie, tout Edgar. On applaudit.

Chirac sort un bristol de sa poche.

« *S'il y a une chose dans la vie politique que j'ai toujours redoutée, c'est de prendre la parole après le président Edgar Faure.* (Éclats de rire.) *Eh bien, il faut que, même ce soir, ça ne me soit pas épargné!* (Nouveaux rires.) »

La soirée se présente bien. Pas la moindre solennité, une certaine spontanéité, de la gaieté, presque.

« *Permettez-moi de vous dire, cher Monsieur Taïeb, combien je suis heureux d'être votre parrain pour l'entrée dans l'Ordre de la Légion d'honneur... Et cela, à bien des titres...* »

Consultant de temps en temps ses notes griffonnées, Chirac retrace l'itinéraire du filleul : origines modestes, clerc d'avocat, expert. En même temps, Tunisien, il choisit la France dès 1923 et la Résistance, dès l'arrivée des Allemands en Tunisie.

Édouard opine par de petits hochements de tête.

Levant le doigt d'un air entendu, l'orateur signale qu'au dossier d'Édouard figure « *la pertinence de ses avis* », à côté de « *l'attitude exemplaire* ». Moralité, intégrité, efficacité...

Édouard rayonne, c'est bien lui ! Dans ces qualités à la pelle, il se reconnaît sans difficultés.

« *Vous êtes un homme qui a lutté et un homme qui a gagné,* continue le Premier ministre, *deux caractéristiques auxquelles j'attache la plus grande importance et qui révèlent le véritable caractère de l'homme.*

« Au nom du président de la République... » Il prend des mains de Simone Veil les insignes, les épingle, donne l'accolade. Ainsi soit-il.

Vient le tour d'Édouard. Il chausse ses lunettes, regarde le rouge de sa médaille. Il sort une grande feuille quadrillée de sa poche, toussote : « *Monsieur le Premier ministre...* », s'arrête, mal assuré, retoussote : « *Excusez-moi, je suis...* » Il ne termine pas. Il fait un geste circulaire comme pour exprimer : tout ça, c'est trop, je rêve, je suis heureux... « *Monsieur le Président de l'Assemblée nationale, Madame le Ministre...* » Il n'oublie personne, un bon point. « *Je suis trop profondément ému pour essayer de faire un discours. En vérité, le seul mot qui me vient aux lèvres est : merci... grand merci à tous.* »

Quelques mots pour Edgar Faure, ancienneté de parrainage oblige, puis : « *Merci à Monsieur le Premier ministre qui, à l'âge de tous les avenirs, a bien voulu consacrer un peu de son temps à l'homme de tous les souvenirs dont je suis !* » (Ça y est, il a trébuché, ce *dont*, à la place du *que*... tant pis !)

Encore un merci à Valéry Giscard d'Estaing et aux insignes offerts, et : « *J'ai envie d'ajouter : merci à la vie... qui me permet, à près de quatre-vingts ans, de vivre le bonheur de cette journée. Le*

11 novembre. Pour des millions de gens, à travers le monde, cette date revêt une grande importance! Mais pour moi, elle est bien plus importante encore! »

Ma mère suit des yeux le texte, par-dessus l'épaule de son héros, anxieuse. Devant cette assemblée, pensez donc, s'il dérapait... Claude a aidé Édouard à mettre en forme le texte. Mais on ne sait jamais, il fait souvent des fautes.

« *C'est en effet un 11 novembre, le 11 novembre 1923, que j'ai célébré mes fiançailles avec celle qui devait devenir mon épouse un an plus tard et qui, depuis cinquante et un ans, partage ma vie!* »

A ces mots, il se tourne vers Fortunée. Radieuse, sourire et larmes à la fois, elle se rapproche un peu de lui.

« *Et maintenant, ce 11 novembre 1975!* »

Il lit lentement en tâchant de mettre le ton, comme on l'apprenait à l'école, le jour de la récitation.

« *Je suis seulement né présumé en 1898, mais — sait-on jamais? — je suis peut-être un peu plus jeune! De toute façon, ce soir, votre présence autour de moi m'a, d'un coup, rajeuni d'au moins vingt ans!*

« *Pour le reste, que vous dire?*

« *J'ai travaillé, de mon mieux. J'ai combattu quand la France a eu besoin de moi. Une première fois, engagé volontaire, lorsque j'étais encore Tunisien... Une autrefois, après avoir opté pour la nationalité française.*

« *J'ai eu quatre enfants dont j'ai essayé de faire des femmes et des hommes responsables! Je crois que j'y suis bien arrivé, même si certains (ou certaines) font preuve parfois d'une turbulence qu'à mon âge, tout compte fait, j'envie secrètement!* »

Il s'arrête pour me gratifier d'un regard malicieux. On entend le grand rire de Chirac.

« Tout cela fait une vie... Cela valait-il la haute distinction dont je suis aujourd'hui honoré ?

« Ça n'est pas à moi de le dire.

« Mais vous êtes là, tous autour de moi et cette réunion de vous tous, ce soir, autour d'un homme comme moi, cela porte de très beaux noms :

« — au-delà de toutes nos origines et même de la géographie, cela s'appelle une nation,

« — au-delà de nos croyances et de nos idées, cela s'appelle une communauté de cœur et d'esprit,

« — au-delà des choix de chacun d'entre nous, cela s'appelle une démocratie... »

Les politiques ont dressé l'oreille. Ce couplet patriotique et tolérant leur plaît bien.

Édouard termine, la voix presque chevrotante : « *Encore une fois, du fond du cœur, et à tous : MERCI !* »

On l'applaudit, on l'embrasse. Grande émotion que traduit, la première, Simone Veil : « Vous venez de faire un discours merveilleux, monsieur Taïeb, on a tous les larmes aux yeux. »

Autour du buffet, Édouard confie à Chirac : « Je ne vous aurais jamais cru capable de faire ça pour moi, vous, un homme si important. »

La fête s'achève.

Les officiels s'en vont.

Dans un coin de la pièce, Emmanuel (onze ans), assis entre ses grands-parents, interroge : « Pourquoi tu ne l'as pas, toi, mémé, la Légion d'honneur ?

— Pour l'avoir, il faut des raisons militaires ou professionnelles, de travail. Alors c'est difficile pour les femmes, explique ma mère, sereine.

— Militaires, je comprends. Mais professionnelles, non ! Les femmes aussi peuvent, réplique mon "petit", décidément précoce sur l'égalité des sexes.

— La Légion d'honneur de ton grand-père rejaillit un peu sur moi », revendique Fortunée. Beau raccourci qui rappelle ce que tout homme doit, dans sa réussite, à l'épouse au foyer.

Édouard a changé de place. Il s'assure furtivement que personne ne le voit. Tant pis ! il en a trop envie. Il sort de sa poche une petite boîte de fer-blanc, toute ronde. Sur le couvercle, on lit en arabe et en français *neffa.*

Il met une pincée de tabac à ses narines et aspire avec délices. Fortunée, près du buffet, n'a rien vu.

Elle avait tellement recommandé : « Pas ce soir, Édouard... pas de *neffa.* Ce serait une honte, *ayeb,* devant ce monde-là. »

Entre fièvre et champagne, j'ai perdu un peu le sens de la réalité. Il me semble qu'Édouard, chevalier de la Légion d'honneur, ne mourra pas. Pas dans les délais prévus, en tout cas.

Après avoir écrit ces lignes, je regarde la vidéocassette. Rien à changer, quelques mots dans le discours peut-être, pour les synonymes. Ma mémoire a bien fonctionné et, une fois de plus, a mis en boîte son propre film. Avec fidélité.

Comme l'autre, il ne change pas. Mais pour d'autres raisons.

Dès que tomba le verdict de Cochin, Claude loua un petit appartement à une centaine de mètres de chez nous. Mes parents s'y installèrent. Rue de la Comète, j'aimais ce nom, brillant et tout chevelure, je plaçai Édouard dans la chimère au goût de miel, hors de portée de cette Terre au goût de cendre.

J'allais voir mon père presque tous les jours. Les enfants lui tenaient à tour de rôle compagnie. Une à deux fois par semaine, chargés de gâteaux, fruits, saumon fumé, vin (non *casher* !), nous dînions et passions la soirée rue de la Comète. Jeux de cartes, la *chkope* de mon enfance, une sorte de bataille aux règles orientales. Film à la télé. Édouard prenait ses pilules, son Mogadon et s'en allait dormir.

Quelques semaines après la fête, Chirac, qui s'informait régulièrement de la santé de mon père, décida de lui rendre visite. Je l'accompagnai.

Fortunée avait préparé sur la table de bois rustique les mille et une petites salades grillées, fritures, boutargue, olives. Tout le charme de la *kemia*[1]. « On ne peut pas lui offrir de la *boukha*[2], il ne va pas l'aimer. »

Erreur. Le Premier ministre aime. Il boit, mange et apprécie. Il rit comme un gosse quand Édouard lui raconte les méfaits de sa fille, à l'école ou ailleurs. « Vous avez couvé un canard, monsieur Taïeb », s'exclame-t-il.

Drôle de scène. Un Premier ministre distrait une partie de son après-midi pour tenir compagnie à un humble cancéreux. Si encore il goûtait à l'insolite ! Mais non. Ma mère égrène la litanie des rapatriés d'Afrique du Nord : « On a tout perdu... On ne peut pas vivre à Paris, il fait trop froid... Et les tombes de

1. Amuse-gueule servis, en Afrique du Nord, avec l'apéritif.
2. Alcool de figue tunisien, se boit comme apéritif ou comme digestif.

nos parents... » Mon père épelle le nom des gélules qu'il prend tous les jours : « Vous croyez que c'est bon, ça ? Mais ça me donne des brûlures d'estomac. » Et va jusqu'à lui fourrer sous le nez ses comprimés.

Je lance un regard un peu inquiet à Chirac. « Mes parents... avec leurs petites histoires...

— Laissez-les parler, voyons, votre père a raison, vous êtes terrible ! »

Il rit de nouveau, à gorge déployée. Il s'amuse vraiment, sûr, il ne joue pas la comédie. Alors ? Réflexe conditionné d'homme politique ? Puisque Édouard a toujours été dans son camp, quel intérêt ? Et puis payer à ce point de sa personne paraît exagéré, dans ces circonstances.

Ce Premier ministre reste un mystère. Un mystère attachant, pour l'heure.

Les années passèrent. Je plaidai dans un divorce contre l'un de ses amis, au nom connu de tous les Français.

Il vint me voir toutes affaires cessantes et me demanda d'« arranger » les choses.

Je pris la mouche. A tort ou à raison. Et ne changeai pas d'un iota ma stratégie judiciaire. Il m'en voulut au point d'oublier quelquefois de me saluer, quand je le croisais chez tel ou tel ambassadeur, ou dans les travées de l'Assemblée nationale, lorsque j'y siégeai en même temps que lui.

Au changement de majorité après les élections de mars 1986, il demanda à Mitterrand de me congédier et de nommer un nouvel ambassadeur à l'Unesco. D'un commun accord, je cessai mes fonctions[1].

1. Décret du 1er septembre 1986.

Le dernier été

Été 1976.

Dernier été d'Édouard.

Nous ne le savions pas vraiment. Il vivait une très belle — et très classique — embellie. Un kilo en plus, des balades au marché de la rue Cler, des projets, un regard vif sur le monde.

Je ne voulais pas décompter le temps. Celui du dernier parcours. Jour après jour, je cherchais à lui procurer l'inoubliable. Il lui faut de beaux souvenirs, me disais-je dans un fantasme macabre.

Je refusais, comme depuis toujours, sa mort. Pour lui faire échec, je garderais Édouard en moi, en nous. Dans la permanence d'une fête païenne, dans la dimension future de notre vie. Pas d'image pieuse ou mystique. Pas davantage de néant matérialiste. Juste un rythme baroque qui marquerait notre quotidien.

Édouard, ses contes, ses trucs, ses grimaces, ses lâchetés, sa tendresse. Nous prenions tout, en vrac, sans bénéfice d'inventaire.

La mort, ainsi, perdrait. Réduite à l'inexorable, le seul accomplissement du processus biologique. Elle n'entraînerait pas la *disparition.*

Ce *cher disparu* continuerait d'être. Avec nous, et nous avec lui.

J'avais loué, pour le mois d'août, une villa à Vence. Somptueuse. Parc, piscine, architecture pour vedettes de cinéma. Loyer exorbitant, très au-dessus de nos moyens, une vraie folie, pour le dernier été, peut-être, d'Édouard. Le meilleur, sans aucun doute, de sa vie. Il se promenait en répétant sans cesse : « Claude, vous savez, c'est *Guenaïdel, Guenaïdel,* le paradis ! »

Il adorait grignoter en cachette, à la cuisine, un morceau de jambon ou quelques olives. Le jour du barbecue, il allait de l'agneau au beaujolais comme un maître de cérémonies, imbu de sa fonction.

Philip Noel-Baker, prix Nobel de la paix, que j'avais rencontré dans un colloque à l'Unesco, séjourna une semaine avec nous. Malgré ses quatre-vingt-deux ans, il choqua ma mère par son goût du nudisme. Et mon père, par sa passion pour moi, qu'il exprimait d'une manière impérieuse. Il n'hésitait pas, par exemple, à faire sortir Claude de la pièce : « *I have to speak to Gisèle, alone...* » Il m'appelait « *Gisèle of Arc* » et me demandait, ce jeune homme, de le suivre à Londres. Pour la vie. Édouard se rassurait en s'informant, sournoisement, et pour la dixième fois, de l'âge de mon soupirant. « Il a déjà un pied dans la tombe, ce vieux... », concluait-il. Nous inventions un feuilleton sur Faust-Nobel, qui ressort de terre sur son seul pied. Nous riions comme des fous, il riait de nos rires.

Tout cela ajouta des lumières à nos lumières provençales.

Édouard continuait de tempêter, jaloux comme au temps de mes quinze ans. Philip Noel-Baker, plus âgé que lui de huit ou neuf ans, se portait comme un charme. Pour nous démontrer sa jeunesse, il accomplissait sa brasse quotidienne dans la piscine, vingt, trente longueurs. Performance qui nous angoissait régulièrement. Et s'il allait « nous » mourir brusquement dans l'eau ? Quand je lui suggérais que le concert de Monaco, le soir, ou le bistrot d'Antibes, risquait de le fatiguer — la route encombrée, l'heure tardive —, Noel-Baker piquait des colères sans *understatement* : « Vous voulez vous débarrasser de moi, Gisèle, dites-le... mais ne parlez pas de ma santé. Parlez franchement ! »

Je découvris alors que je lui en voulais, que je lui portais une curieuse rancune. Il allait vivre et mon père allait mourir. Injuste distribution des sorties de scène. Je me sentais, sans remords, assez mauvaise pour souhaiter intervertir l'ordre.

En ce mois d'août, je fis la connaissance de Guy Bedos, qui passait des vacances dans sa maison de Tourrette.

Par une sorte de tropisme réciproque, nous allâmes l'un vers l'autre.

Tout nous réunissait, nos origines (l'Afrique du Nord), nos choix politiques, notre refus des craintes révérencielles, notre insolence quelquefois. Nous ne nous sommes plus quittés.

Quelques mois plus tard, il épousait Joëlle. Prodigieuse Joe ! Vingt et un ans, une volonté, une maturité peu communes. Elle réussit la plus difficile des entreprises : construire pour son saltimbanque de mari un havre affectif, le point d'ancrage d'une vie d'artiste.

Bedos traque la vérité, la crie. Il ne *fait pas* rire. Il oblige, par le rire, à nous regarder au fond de nous-mêmes.

Ce rire décape, lamine, corrode, dénonce le guignol des hommes. Les racistes, les staliniens, les courtisans, le pouvoir, l'opposition. Pas d'échappatoire. Impossible de dire : « C'est pas moi, m'sieu ! » Bedos vous prend par les cheveux et vous somme de vous reconnaître.

Pendant qu'il les écrivait, il essayait souvent ses sketches sur nous. Public privé, public impitoyable. Kamoun dénonçait, dans un texte, la complaisance la plus élaborée pour Mitterrand, dans tel autre, un anticommunisme poujadiste. Manu l'imitait en train d'imiter X et trouvait partial tel ou tel jeu de scène. Guy, ravi, les ravissait en leur annonçant qu'il mettrait dans son spectacle leurs jeux de mots ou leurs mimiques. « Droits d'auteur ? à suivre... », disaient-ils en chœur.

Nicolas Bedos — neuf ans. Mon filleul avant même sa naissance. En toute laïcité, s'entend. Il m'écrit en peintures et collectionne les cartes que je lui envoie de tous les pays. Notre lien se joue doublement des frontières. Au Pérou ou à Paris, nous nous parlons. Et nous parlons de tout (« ma marraine elle est avocate, ça veut dire qu'elle fait sortir les gens de prison », a-t-il expliqué un jour à l'école, après le topo qu'il m'avait demandé sur mon métier). Je l'emmène voir *L'Oiseau bleu* et il me murmure au téléphone, d'une voix bouleversée : « Tu sais, Marraine, Desproges est mort. Il nous faut une soirée tous seuls, tous les deux, pour en parler. »

A Vence, Édouard bavardait quelquefois avec Guy. Il le trouvait drôle, mais ses pointes contre Chirac lui déplaisaient. Son iconoclastie le choquait : « Il ne respecte personne, c'est trop, ce Bedos ! »

Mes parents restèrent à Nice quelques semaines. Puis, Édouard amorçant une aggravation du mal, ils réintégrèrent la rue de la Comète.

En octobre ou novembre, il fit un troisième séjour à Villejuif. Il en revint comme drogué, sans douleur, prostré, refusant toute nourriture.

Presque chaque jour, ma mère m'appelait : « Il ne veut goûter à rien. » A force de cajolerie, de ruses, de promesses, je réussissais à lui faire avaler quelques bouchées.

Ses métastases l'envahissaient. La troisième lombaire (L 3), le sternum, l'os iliaque. Il dormait quatre à cinq heures dans la journée, après de longues nuits. Fortunée, grande insomniaque, assurait — avec une pointe d'envie — que ce sommeil était signe de santé. Il suivait de moins en moins les conversations et parlait peu. Petit à petit, il se ratatinait, se diluait, dans sa robe de chambre écossaise qu'il ne quittait plus. Il ressemblait à un vieil enfant, courbé de maigreur. Sa voix prenait des intonations plaintives de gamin perdu. Il ne discutait plus de ses soins, se livrait aux autres, médecins et parents, avec une passivité qui me bouleversait.

« J'étais un lion, murmurait-il comme pour lui-même, j'étais pourtant un lion ! »

« Monsieur le Président de la République est servi »

Ce matin-là, Lucie Faure m'appelle.

Lucie ne se contente pas d'être l'épouse du *Président* Edgar Faure. Elle écrit des romans aimables, dirige la revue *La Nef,* fait à sa table la politique et les prix littéraires, et proclame partout qu'elle a voté pour François Mitterrand, alors que son mari, officiellement, soutient Giscard. Afin que nul n'en ignore.

Simone de Beauvoir me disait d'elle : « Elle est d'une très grande générosité... Cela devrait suffire. » Je portais à Lucie Faure une certaine amitié. Pour sa fidélité à ceux qu'elle aimait et sa manière de répondre « présente » à leurs appels. Effacé, le bruissement de ses salons, pardonné, son entêtement à écrire.

« Giscard veut parler à des intellectuels de gauche. Edgar et moi donnons un déjeuner à l'Hôtel de Lassay. Il a suggéré, entre autres noms, le vôtre. »

Je reste sans voix.

Pétrie de l'antagonisme pouvoir-opposition cher aux Français, je me vois mal trinquant à table avec le champion de la droite. La tradition républicaine, après les têtes coupées, exige la non-communication absolue entre les deux clans. La France partagée en deux, ainsi l'exige notre morale politique. Les mœurs britanniques ou scandinaves permettent des rencontres régulières entre ministres et *Shadow Cabinet,* des dialogues constants entre les parties. Une décadence politique sans doute. Notre gauche, elle, respire la pureté. Autrement dit, entre le vainqueur et le vaincu, rejet et ignorance réciproques.

Encore archaïque, la surprise passée, j'élude. Je promets une réponse dans quelques jours.

Entre-temps, je consulte.

Claude d'abord. Réaction : un « niet » catégorique. On ne fraye pas avec la réaction.

Mes fils. Ils rivalisent en calembours, évoquent les menus possibles, suggèrent les pièges. Avec leur humour particulier, Jean-Yves et Kamoun inventent leur revue de presse... d'après le déjeuner : « *C'est arrivé demain. Gauche et droite, mano en la mano.* » « *Les intellectuels enterrent la lutte de classes... Le champagne coule...* »

Perplexe, je l'étais. Terriblement.

Je n'avais pas grand-chose à reprocher à V.G.E. Sauf de représenter la droite et d'avoir battu son challenger Mitterrand.

« Qu'est-ce qu'il te faut de plus ! » tonne Claude.

Oublier. Il m'aurait fallu oublier son aide. Le bonheur offert à Édouard, quelques mois avant sa mort.

Et puis, je ne rejetais pas sa politique à l'égard des femmes, l'initiative de ses mesures audacieuses. Plus modernes que les propositions de Mitterrand, à la sensibilité féministe quasiment nulle.

Grâce à Giscard, nous avons étrenné le premier Secrétariat à la Condition féminine et touché en prime l'irremplaçable Françoise Giroud[1].

1. Ses *Cent propositions pour les femmes* ont aidé à l'action des féministes de *Choisir.* Mais Chirac s'opposa à leur publication.

Nous lui devons Simone Veil et son projet de loi sur l'avortement, voté par l'Assemblée nationale contre sa propre majorité.

Lucie Faure me précisa les noms des élus à la table présidentielle. Les professeurs au Collège de France, Roland Barthes, Emmanuel Le Roy Ladurie, Jacqueline de Romilly. Des journalistes du *Nouvel Observateur,* Hector de Galard, Jean-Louis Bory, Claire Brétécher. Les écrivains Dominique Desanti, Philippe Sollers, Roger Stéphane. Dix invités, y compris moi.

J'appelle Claire Brétécher : « Si on déjeunait ensemble jeudi ?

— Jeudi ? Tu veux dire le 9 ? D'accord, formidable ! » Puis : « Mais non ! Impossible ! On déjeune avec Giscard le 9. Tu sais bien. Toi aussi, tu déjeunes, non ?

— Tu y vas ? (Je cherche une complice pour mes affres inutiles.)

— Bien sûr, voyons, pourquoi pas ? »

J'essaie de politiser, de provoquer le dilemme. Peine perdue. Sereine et gaie, Claire tranche : « Toutes ces histoires m'emmerdent... Moi je veux voir comment c'est, un déjeuner avec le président de la République... C'est marrant... la tête des autres aussi, non ? »

Puis : « Comment tu t'habilles, toi ? »

On parle chiffons, l'alternative pantalon ou jupe nous occupe assez longtemps. Claire porte toujours des pantalons : « Si je mets d'autres fringues, je vais me sentir déguisée, tu comprends... »

Je ne sais plus si elle porta, finalement, le seul pantalon féminin du déjeuner présidentiel.

Sur les conseils de Claire, je continuai mon enquête auprès des « proches » comme Hector de Galard et Jean-Louis Bory.

Personne ne trouvait à redire à cette initiative et tous se préparaient joyeusement à l'exceptionnelle rencontre.

Lucie Faure avait déjà téléphoné deux fois, exaspérée par mes atermoiements. « Il faut une réponse ce soir. »

J'acceptai.

Claude fit la gueule. Je ne l'avais pas convaincu de l'utilité de mon dessein : la seule avocate invitée, je profiterai de cette promiscuité inespérée pour parler guillotine. Et de la promesse non tenue par le président. Il nous avait fait part de ses états d'âme et de son aversion pour la peine de mort. Rien depuis ses propos. Même pas un débat à l'Assemblée. Une vraie dérobade. Et, en juillet dernier, la tête d'un jeune homme, Christian Ranucci, avait roulé. Une tête d'innocent, sans doute.

Le carton disait « *13 h 15* », mais précisait que nous devions arriver une heure avant. Ordre du protocole.

Je vais à pied à l'Hôtel de Lassay. Dans le grand salon, mes acolytes et moi acceptons sans façon le champagne préliminaire.

Le couple présidentiel fait son entrée. Anne-Aymone souriante, effacée, peu causante. Giscard charmeur, disert. On le sent décidé à séduire. Il aime la performance. Entre intellectuels de gauche, qui renâclent à la politique politicienne, et lui-même, l'élu Premier, nouer le dialogue.

Il nous salue, quand nous lui sommes présentés, avec un mot ou un « ah oui » aimable.

Il remercie Claire Brétécher de lui faire parvenir régulièrement ses albums : « Je ne vous ai pas écrit. Excusez-moi... Surtout pour vos dédicaces... »

Claire semble ne pas l'avoir remarqué. Curieuse, je m'interroge sur « ses dédicaces ».

Le président lui demande d'expliquer sa technique, son inspiration. En susbtance, comment faites-vous pour trouver tout ça? « J'écoute, je regarde autour de moi, c'est tout », répond-elle, elliptique.

Au cours du déjeuner, Barthes dira : « Les vrais sociologues, ce sont les auteurs de bandes dessinées. Claire Brétécher, voilà la sociologue d'aujourd'hui. »

Le maître d'hôtel, figé, annonce : « *Monsieur le Président de la République est servi.* »

Nous passons à table. Nous sommes quatorze. Face à face, Edgar Faure et Lucie. A la droite de Lucie, le président. Je me trouve à deux couverts de Giscard, à côté de Philippe Sollers. Claire — l'amie — est de l'autre côté, à gauche. Nous échangeons quelques grimaces complices... jusqu'à l'arrivée du caviar. J'ai failli pouffer de rire quand, le caviar repassant dans l'abondance, Claire et moi, sans nous être consultées, nous regardons. Puis, parfaitement synchronisées, nous plongeons de nouveau dans les soupières.

Une des règles que ce déjeuner m'aura enseignée, c'est que le président doit toujours garder l'initiative de la conversation. Et grâce à lui, nous entreprenons le tour du monde.

L'Iran, d'abord. Caviar (iranien) oblige!

Giscard a refusé de vendre au Shah des centrales nucléaires. Motif : les Iraniens exigeaient une usine de retraitement dans le contrat, ce qui transformait une énergie de paix en un danger militaire. Mais, renseignements pris, le Shah n'avait pas posé de telles conditions. Les notes de Chirac sur ce marché étaient donc erronées. Comme celles relatives à un échange de décorations, qui n'eut pas lieu : à Hoveyda, Premier ministre iranien, la Grand-Croix de la Légion d'honneur, au Premier ministre français — suivez son regard — la plus haute décoration iranienne. Giscard rappelle la règle : la Grand-Croix seulement aux chefs d'État. Tant pis pour Chirac !

Nous allons au Nigeria, passons en Tunisie. « Bourguiba est bien fatigué ! »

Dans la rubrique des chefs d'État centenaires ou presque, Anne-Aymone parle enfin. De Tito. Elle l'a vu littéralement porté par des sbires et pouvant à peine suivre la conversation. De plus, il se teint les cheveux... en roux !

Philippe Sollers me siffle entre ses dents : « Tu vas voir, il va nous balader dans le monde entier, mais pas en France. »

Et tant pis, il y va, Philippe, en Iran justement : « Le Shah d'Iran et sa Savak, les tortures, le régime. » Jean-Louis Bory appuie, avec son accent enfantin : « Un régime odieux, policier... »

Le président renchérit : « Insupportable... la police quadrille, toujours présente. » Puis, sombre : « Je crois que le Shah sera assassiné. »

On redécolle, attachez vos ceintures. Destination : le Maroc. Le président aime. Il aime beaucoup même, une vraie démocratie. Et le roi du Maroc, un homme de culture, raffiné, proche de la France.

Cette fois c'est trop, presque une provocation. « Il est l'assassin de Ben Barka, mon ami », dis-je.

Giscard, bien élevé, met fin au non-débat. Avec un sourire, il affirme que Hassan II est étranger à l'enlèvement du leader du tiers monde : « Il m'en a donné l'assurance. »

Roger Stéphane aborde le thème du marxisme, évoqué dans *Démocratie française*[1].

Edgar Faure entre en lice : « Le marxisme ? Grande philosophie, zozote-t-il (mouvement circulaire de la tête, comme s'il faisait la roue), d'ailleurs son application à l'Occident pose moins de problèmes qu'on ne le dit. » Comme presque sur toutes les grandes questions, il annonce : « J'ai une théorie là-dessus... »

Après les propos sur le protocole, les avanies contre Chirac, le survol de la planète, le marxisme ou le collectivisme, va-t-on enfin parler de nous, en France ?

« Et la peine de mort, monsieur le Président ? »

Je viens de me jeter à l'eau. Après tout, me disais-je avec une certaine mauvaise foi, cette question, seule, justifie ma présence à ce caviar présidentiel (suivi d'un pot-au-feu inattendu). Mais, avant même que je m'explique, Edgar intervient. Encore. Il est pour. La guillotine, dit-il l'œil rigolard, a au moins pour effet d'éviter la récidive des guillotinés. Un dérapage dû à l'excellent Château-Pétrus 1955 ?

Sollers m'encourage. Claire m'envoie un clin d'œil complice. Je m'accroche : « Vous aviez promis de la supprimer. »

Le président n'apprécie guère ce genre d'apostrophe, trop directe sans doute pour les usages.

Parfaite hôtesse, Lucie le comprend. Et donne le signal du café, immédiatement.

Le bataillon s'égaille dans le grand salon.

Je manœuvre. J'arrive à me retrouver près du président et qu'il « me pardonne mon insistance, mais... ». Me voilà repartie dans les têtes coupées. Cette fois V.G.E. répond. Il n'aime pas la peine de mort, non. Seulement, le pays, interrogé, serait massivement pour son maintien.

1. Par V. Giscard d'Estaing (Éd. Fayard, 1976).

« Mais un projet de suppression serait voté, à l'Assemblée nationale, puisque la gauche le soutiendrait. Que le gouvernement le propose.

— Pas du tout certain, réplique le président. Et puis il faut éviter un débat qui diviserait le Parlement, le pays.

— La loi ne peut-elle précéder les mœurs, monsieur le Président ?

— Oui, les Français n'aiment pas le changement mais l'acceptent, comme un fait accompli », concède-t-il.

Cependant sa décision est prise. Pas d'abolition.

Je lui suggère alors de gracier automatiquement tous les condamnés à mort. Pour préparer l'opinion française et se sentir en accord avec sa conscience. « Personne ne me comprendrait, madame. »

Il ajoute quelques considérations sur la Constitution, ses fonctions de président, puis, se tournant vers Lucie Faure, visiblement inquiète et qui s'empresse de reformer le cercle autour de lui, il pose la grande question. Les intellectuels hors des partis (*nous,* par conséquent) sont-ils disponibles ? S'intéressent-ils à autre chose qu'à leurs études ou à leurs théories ?

Réponse unanime : « Non. »

Philippe Sollers, sans pitié, enfonce le clou : tout ce qui n'est pas nous n'existe pas. Pas disponibles donc, parce que indifférents à ce qui n'est pas notre propre pensée. L'insolent ! Roland Barthes, Dominique Desanti persistent. Et nous signons tous. Le président le regrette. Beaucoup, dit-il.

A-t-il rêvé d'intellectuels comme conseillers du Prince, ainsi que l'avait évoqué Emmanuel Le Roy Ladurie ?

Sur le perron de l'entrée principale, la nuée attendue des journalistes et des photographes. Je refuse de répondre. Je suis encore mal à l'aise. Je ressasse. Fallait-il accepter ce déjeuner ?

« Trop tard pour se casser la tête, allons dans un bistrot », propose Philippe Sollers.

Et nous restons jusqu'au soir, dans un petit café du Champ-de-Mars, à commenter l'événement. Nous parlons aussi du suicide, mais nous décidons que tous deux, nous nous situons hors sujet. Pourquoi ?

Il est presque dix-neuf heures lorsque je regagne mon cabinet.

« *Édouard ? C'était Édouard !...* »

Ma secrétaire m'attend, préoccupée. Ma mère a téléphoné plusieurs fois, tenté de me joindre au Palais de Justice, partout : « Mais où étais-tu donc, voyons ? » Je murmure, machinale : « Avec Giscard. »

Mon père s'est écroulé en faisant sa toilette et Fritna n'a pu le soulever toute seule pour le remettre au lit.

Je me précipite rue de la Comète.

Édouard parle à peine. Son visage, un masque. Blafard, aux arêtes insupportables. Il a fondu comme une chandelle. Je n'arrive plus à mener le jeu. J'appelle le médecin. Je le supplie : « Tant qu'il ne souffre pas, faisons tout pour le prolonger, Docteur.

— A quoi bon ? » me dit-il.

Il n'a pas compris, le toubib.

Fortunée garde un calme impressionnant. Dieu l'y aide sans doute.

Je veux m'en aller. Édouard sort de sa torpeur. Il me prend la main : « Reste près de moi, *omri,* ma chérie, ne me quitte pas. »

Je le quitte. Pour revenir le lendemain et tous les jours.

Vers la fin, nous installons, Gaby et moi, des couvertures à même le sol, dans sa chambre et nous y passons les nuits.

Je n'avais jamais affronté, à ce point, une agonie. Jamais surveillé ainsi le visage d'un mourant. Jamais collé de la sorte à ce halètement inhumain qui secoue tout un corps. Si puissant que je me demandais où cette vie, vaincue, puisait cette force de machine pour se faire entendre, encore et encore.

Dès que je me retrouve seule, chez moi, j'écris. Des notes, un semblant de journal. Pourquoi ? Pour qui ? Je n'en sais rien. Il me semble, mot après mot, que je confectionne une série d'épitaphes.

Aujourd'hui, 20 décembre, j'ai dit, prononcé pour la première fois les mots : « Après la mort de mon père... »

Pourtant ils n'existent pas, ces mots, tout ronds, posés sous mes yeux, étranges, étrangers. Aucun rapport entre eux, la mort, et la mort d'Édouard. Je continue de les écrire, de les parler, dans une non-réalité.

Je demande au médecin de le transfuser. Sans en comprendre moi-même la raison. Peut-être parce que j'ai l'assurance qu'il ne souffre pas. Je me sens déterminée à tout pour l'empêcher d'avoir mal.

Miracle de la transfusion.

Comme par un nouveau souffle, la vie repasse en lui. Des petites étincelles éclairent son regard, il rouvre les yeux, il bouge, il parle, il sourit même. Faiblement. Il ressuscite.

Je lui embrasse la paume des mains. Il reprend ma main et l'embrasse, sans un mot, dans un mouvement continu. De temps en temps, dans un murmure : « *Benti... benti...*, ma fille, ma fille. »

Je m'installe à son chevet, je voudrais qu'il parle. Qu'il me dise enfin d'où je viens, nos origines, je veux savoir pourquoi j'accomplis ce chemin, « anormal » pour eux dont je descends, comprendre, me comprendre peut-être à travers l'histoire des miens. J'essaie un soir de faire revivre des images : Tunis, La Goulette, la mer, le petit patio de la rue Énée, l'oranger qui ne voulait pas grandir. Trop tard. Sans doute m'entend-il, mais il ne peut plus répondre.

Fortunée. Je l'observe. Un roc. Un roc à la voix douce, traînante. Pour elle, les dîners se réduisent en un va-et-vient continu entre la cuisine et la table. Avant l'agonie, nous ne parlions que détails, jamais de l'échéance. Les douleurs de mon père, il a mal à la poitrine, aux oreilles, il refuse tout, les œstrogènes, les analgésiques, la nourriture.

Ma mère avait pris l'habitude de m'appeler au secours, le matin. « Je ne peux rien faire, viens... » Édouard m'écoutait, mais murmurait, très las, qu'il était vieux, que cette maladie, ça traînait trop, « chronique, chronique », répétait-il. Il n'en sortira pas, alors à quoi bon ces pilules, cette nourriture ?

Je l'exhortais à la patience : « Le soleil revient, Édouard, les bougainvillées et les lauriers-roses, tu vas les revoir... Pour ta convalescence, je t'emmène à Sidi Bou Saïd la rouge ou à Hammamet la bleue. Je m'occupe des billets, de tout. »

Édouard rêvait un peu, souriait de nouveau, c'était gagné. Pour aujourd'hui.

Comment Fortunée vit-elle ce branle-bas ?

Je voudrais l'entendre, du plus profond d'elle-même.

Cinquante-deux ans de vie totalement commune,

même chambre, même lit, mêmes odeurs, mêmes corps, mêmes voix. Avec cette complicité si forte, dans les vieux couples, qu'elle en devient presque morphologique, dans les rides et dans les regards. Et demain ? Comment imagine-t-elle demain, sans disputes, sans cuisine pour deux, sans ces mouchoirs en loques qu'elle détestait laver, tout noirs du tabac à priser d'Édouard. Sans Édouard.

Pouvoir magique d'un bol de sang neuf dans un organisme bouffé par les métastases.

Édouard sort de sa torpeur. Il parle à voix basse en avalant sa salive entre chaque phrase. Nous faisons cercle autour de son lit. « Je ne veux pas de deuil. Pas de noir. Et les faire-part... tous les noms... Emmenez-moi à Nice, au Château, je veux être enterré là-bas... »

Le Château, c'est le petit cimetière juif perdu dans la verdure et le soleil, qui surplombe la baie des Anges. Un des plus beaux panoramas du monde, annoncent les prospectus de voyage. A l'entrée du cimetière, des urnes et des inscriptions. Auschwitz, le savon fait avec la graisse humaine des Juifs, souvenez-vous, souvenons-nous. Une lumière si impérieuse qu'elle doit inonder les caveaux, et réjouir les morts.

Édouard murmure à l'oreille de Claude. Longuement. Il l'a désigné comme exécuteur testamentaire : « Vous réglerez tout, Claude, je pars tranquille. » Il arrête les protestations de Claude : « Non... non, il faut partir, je le sais. Occupez-vous de ma femme, Fortunée. Elle ne doit manquer de rien... »

Depuis sa maladie, il manifestait ouvertement sa confiance à Claude, il lui disait : « Mon fils, Claude, vous êtes mieux qu'un fils... » Fortunée regardait ces effusions avec une certaine réserve. Un gendre catholique, on ne sait jamais ce que ça peut donner, plus tard. Édouard, enfin libre, en rajoutait. Comme un enfant gâté, il faisait à Claude toutes sortes de demandes hétéroclites. Du jambon clandestin à la balade en voiture, en passant par la *chkope* du soir ou une démarche administrative.

Claude satisfaisait les moindres caprices d'Édouard. Sa nostalgie était bien ce qu'elle était, la nostalgie de ses parents. Il connut à peine son père, et sa mère mourut après la naissance d'Emmanuel. Elle ne lui pardonna pas la rupture de leur vie commune. Elle collectionna les articles de presse me concernant et les photos d'Emmanuel que Claude lui envoyait régulièrement, sans même savoir si elle les recevait. Mais elle refusa de nous connaître. Claude retrouva sa mère à la morgue de l'hôpital et le paquet de photos et d'articles dans la cuisine de la rue Pouchet.

Deux ou trois jours après la transfusion, Édouard retomba dans une demi-inconscience. Entendait-il seulement quand je lui demandais : « Édouard, tu n'as pas mal au moins, dis-moi ? »

Nous ne le quittions plus. A l'exception de mon frère aîné, qui ne se déplaça pas de Nice, ses trois autres enfants et ses trois petits-enfants, mes fils, l'entouraient jour et nuit. Je vivais ces moments dans un état double. J'anticipais et je régressais. Mon père disparu, je perdais mon rempart contre elle, la mort. Je ne serais plus l'enfant de personne.

Je me cogne la tête. Je n'assume pas, je refuse, je téléphone. Je convoque le médecin pour une nouvelle transfusion. Il l'examine, tension, réflexes, rabat la couverture sur des jambes squelettiques.

Dans la pièce à côté, il tente de me convaincre. Ces petits bouts de vie avec ces petits flacons de sang, à quoi cela rime-t-il ? Pourquoi le bousculer, le piquer, déranger cette quiétude de la fin ?

« Et s'il souffrait, ce soir ou demain ?

— Du Valium, madame, donnez-lui quelques gouttes de Valium. Et s'il le faut, il y a la morphine... »

Je consulte à peine — pour la forme — Fortunée, Henri, Gaby. Je débranche. Pas de transfusion, Docteur, inutile. Je ne veux pas déranger Édouard.

Il ne bouge plus, les yeux clos. Sauf un cri de douleur, quand nous le roulons sur le lit pour changer les draps.

J'ai apporté une bouteille de champagne, celui qu'il aimait. Il ne peut plus boire. J'en imbibe un tampon d'ouate et j'y ajoute quelques gouttes de Valium. J'humecte constamment ses lèvres doucement, en pressant le coton. Il semble toujours esquisser un sourire en aspirant.

Le soir, je prends un Mogadon et m'allonge sur le sol pour dormir. Ma mère, en silence, après avoir rangé sa cuisine, se met à ses côtés. Il râle terriblement, c'est à peine supportable.

Cette mort si douce lui fait-elle quand même mal ?

Avant d'entrer dans le coma, il semblait pourtant serein. Il parlait à voix basse. Sa mort, son enterrement à Nice (il avait écrit à Claude), les prières.

Je l'interromps, dure à force d'être fausse : « Arrête, papa, arrête, tu traverses une crise... tu iras mieux dans quelques jours. »

Il secoue la tête : « Reste près de moi, jusqu'à la fin... Jusqu'à la fin, *doye anaye,* lumière de mes yeux. »

Je lui lâche la main, presque brutalement : « Édouard, comment tu peux parler comme ça, toi, Édouard ? » Je répète, feignant l'indignation : « Édouard, toi, Édouard ! »

Il me regarde, les yeux enfoncés, déjà fixes. Il peut à peine s'exprimer : « Édouard ?... C'est fini Édouard ! » Il cherche ma main, je reprends la sienne : « *Édouard ?...*, me souffle-t-il, *c'était Édouard...* »

Il sourit vaguement, un rictus plutôt, une sorte d'ultime ironie, pour lui-même. Il ne dira plus un mot.

Le soir de Noël, il finit de se consumer.

Je fais un rêve étrange.

Une maison en forme de bateau, avec une cabine de verre à la proue. Le navigateur, c'est Édouard, mais les vitres l'isolent totalement. Je me trouve assise derrière, dans la pièce. Nous survolons une prairie, puis des pics, des sommets. L'éblouissement de mon voyage au Chili, quelques années auparavant. Le survol de la cordillère des Andes, des forêts et de la neige. Une lumière verte, un paysage abyssal, à l'infini.

Je fais signe à Édouard, j'ai peur d'un accident. Comme celui — accident de voiture à Valparaiso — qui m'empêcha de voir la maison de Pablo Neruda, à Isla Negra, quelques années auparavant. Je voudrais recommencer ce survol de plus près, mais les routes sont encombrées. J'essaie de parler à mon père. Il me regarde à travers la paroi vitrée qui nous sépare. Implacablement. Il n'entend pas. Je parle de plus en plus fort, je gesticule, je crie. Rien. Quelqu'un frappe à la cloison du navire suspendu. Édouard réagit. Il vient vers moi : « Mais tu ne t'es rasé que la moitié du visage... Édouard, ça va pas dans ta tête, tu déménages, tu sais... »

Sans un mot, il se passe lentement, très lentement, la main sur un côté du visage. Des gestes d'automate dans un film au ralenti. Il est poilu, asymétrique.

Tout blanc. « C'est vrai, reconnaît-il enfin, mais je m'en fous ! »

Il regagne sa place au poste de pilotage. Le navire oiseau reprend sa course. Je contemple ces montagnes transformées en icebergs brillants. Un bruit au-dessus de ma tête. Mon père vient de râler plus fort, plus vite.

26 décembre 1976.

Nous sommes à table, rue de la Comète. Bûche de Noël et bon bordeaux. Ma mère désapprouve. Édouard est en train de mourir. Ce petit festin, pure indécence ! Pourtant, justement. La vie reste son royaume. Gaby et moi continuons de le fêter, comme il aime.

A tour de rôle, nous le veillons. C'est le tour d'Henri, mon frère. Il va dans la chambre. Un cri. Il appelle. C'est fini.

« Édouard ? interroge ma mère, Édouard ? »

C'était Édouard... Sapiens, demens, sorcier.

Nous nous précipitons.

Édouard ne bouge plus, ne bougera plus. Des yeux calmes, des lèvres entrouvertes comme s'il tentait un sourire. Je l'embrasse, il est tiède, je le prends dans mes bras, je me mets près de lui, sur son lit, je lui parle : « Édouard, non tu ne peux pas faire ça, pas toi, ne nous quitte pas. » Fortunée dit : « Il faut lui fermer les yeux. » Je pose mes mains sur ses yeux.

Fortunée bondit : « Non, ne touche pas. » Trop tard. Les yeux d'Édouard sont clos. Par la main de *Zeïza,* moi, sa *fille.* Comme moi, sa *fille,* je garderai sa chevalière en or. Celle que je sentais sur mon front d'enfant les jours de fièvre.

Violente opposition de ma mère. « C'est un péché. Un *garçon* doit la prendre, pas toi. » Rideau. Je le regarde, il me semble soudain être seule avec lui. Il ressemble encore à l'Édouard à moustaches de mes photos d'enfance. En plus maigre, en plus diaphane. En vaincu.

Une heure, deux heures après, je sors. Je regarde les rues, les boutiques allumées pour les fêtes, les passants. Personne ne sait encore, le monde suit son cours. J'achète trois douzaines de roses roses immenses. Je reviens dans la chambre d'Édouard. J'en recouvre son lit. Je souris car je l'entends dire : « *Flouch ahram, ya benti* », « de l'argent jeté par les fenêtres, ma fille ». Édouard, tu n'as pas changé ! Toujours pervers avec le luxe inaccessible. Tu l'aimes, mais il te scandalise. « Des fleurs qui mourront sur un mort avant même qu'il ne soit froid. » Tu dois faire tes comptes. Ces roses, ça aurait pu faire, pour Fortunée et les enfants, deux rôtis, des rougets aux ailes vertes... et les baguettes en plus.

Mon fils Jean-Yves apporte son appareil photo. Il ne pleure pas. Sec, tendu, il arrange les roses autour de la tête de son pépé, que quelqu'un a bandée comme un blessé de 14-18. Il paraît que ça empêche la mâchoire de tomber. Je pense à une photo d'Apollinaire, à son retour du front. On a épinglé, sur le drap, le ruban rouge dont Édouard a si longtemps rêvé. Sa Légion d'honneur. Et, à côté, le ruban bleu du Mérite. Clic, clac. Jean-Yves prend les photos de l'éternité.

Ce soir-là parvint une carte de Chirac. Datée de la veille, le 25 décembre. « *Cher ami,* écrivait-il à Édouard, *avant de pouvoir le faire oralement dans quelques jours — ce dont je me réjouis —, je vous adresse de tout cœur mes vœux pour 1977...* » Suivent la « *fidèle amitié* » et la « *très cordiale affection* », pour l'outre-tombe.

Le lendemain, pendant que Claude et mon frère Henri s'occupent des formalités, pompes funèbres, place à racheter à prix d'or dans un caveau du Château, transport à Nice, ma mère ordonne le rituel. D'abord lavage du corps. Il faut des volontaires. Laver un mort, ça vous donne un ticket pour le Paradis juif. Une *mesva,* une bonne action. Ma mère propose son fils Henri, son petit-fils Jean-Yves. Mauvaise initiative. Jean-Yves regarde, les yeux exorbités, le corps de son grand-père que les rabbins aspergent d'eau, en chantant des psaumes. Il devient livide. Il craque. Sanglots, hoquets, souffle perdu, transes nerveuses. Claude le pousse hors de la chambre.

Il neigeait dru sur les routes de France. Nous l'avons emmené à Nice, dans une voiture toute neuve. Un beau corbillard.

Au cimetière trônait son cercueil, recouvert d'un drap tricolore. Des hommes avec des drapeaux, des discours, une immense gerbe : Jacques Chirac. Si Édouard avait pu voir ça, ce qu'il aurait fanfaronné !

J'ai choisi l'épitaphe, un vers d'Aragon : « *Toi qui vas demeurer dans la beauté des choses.* »

La baie des Anges monte vers lui, dans un bruissement bleu.

A la synagogue de Nice, mes frères ont tout réglé : le verre géant de la lampe à huile, où une mèche brûlera toujours à la mémoire d'Édouard, le rabbin, les prières, le *drache* (commémoration du mois).

Quand vient l'heure de l'office, Gaby et moi nous tenons aux côtés des hommes — mes frères, les amis, quelques officiants, tous couverts d'un *kebbech.*

Incident. Les femmes ne peuvent, comme les hommes, occuper les places du bas. Un ghetto supérieur, au premier étage, leur est réservé. Gaby et moi refusons. Nous sommes à égalité devant ce Dieu qui nous enlève notre père. Le rabbin parlemente. Nous ne bougeons pas. Le rabbin cède. La cérémonie se déroule comme prévu, à cette entorse près.

Je n'écoute guère, ne comprenant rien à l'hébreu. Je me demande, bercée par le rythme de ces voix, combien de temps un corps résiste à la décomposition. « Je poserai la question à quelqu'un de compétent, à mon retour. »

Nous rentrons à Paris.

Une année nouvelle commence. Une année qui me bascule dans une autre naissance.

Plus jamais d'oranger.

Achevé d'imprimer sur les presses de

à Saint-Amand-Montrond (Cher)
en février 2008

POCKET - 12, avenue d'Italie - 75627 Paris Cedex 13

— N° d'imp. : 80159. —
Dépôt légal : mars 2001.
Suite du premier tirage : février 2008.

Imprimé en France